JUSTE DERRIÈRE MOI

Lisa Gardner

JUSTE
DERRIÈRE MOI

ROMAN

Traduit de l'anglais (États-Unis)
par Cécile Deniard

Albin Michel

À tous les chiens uniques au monde...

PROLOGUE

Autrefois j'avais une famille.

Un père. Une mère. Une sœur. On vivait dans un grand mobil-home rien qu'à nous. Épaisse moquette marron. Cuisine jaune pisseux. Sols en lino qui se décollaient. Je faisais courir mes petites voitures sur les plans de travail éclaboussés de nourriture, ensuite double salto sur les rampes du lino recourbé et atterrissage dans les poils de la moquette sale. Un vrai trou à rats. Mais j'étais petit et c'était chez moi.

Le matin, je dévorais des Cheerios en regardant Scooby-Doo *sans le son pour ne pas réveiller mes parents. Je levais ma petite sœur et je la préparais pour l'école. On sortait en titubant sous le poids de nos cartables presque pleins à craquer de livres.*

C'était important de lire. Quelqu'un m'avait dit ça. Ma mère, mon père, un grand-parent, un enseignant ? Je ne sais plus, mais j'avais reçu le message cinq sur cinq. Une pomme par jour, un livre par jour. Alors après l'école, direction la bibliothèque, ma sœur toujours en remorque. On lisait, parce que Dieu sait que des fruits, on n'en avait pas.

J'aimais les « Livres dont vous êtes le héros ». Chaque scène se terminait sur un suspense et il fallait décider de la suite de l'histoire. Tourner à gauche dans le temple interdit, ou bien à droite ? Prendre le trésor maudit ou passer son chemin ? Dans ces aventures, on était toujours maître de la situation.

Ensuite je lisais Clifford le gros chien rouge *à ma petite sœur. Pas assez grande pour lire, elle montrait les images en riant.*

Parfois la bibliothécaire nous refilait des goûters en douce. Elle disait des trucs du genre : Quelqu'un a oublié son paquet de chips. Vous le voulez ? *Je répondais :* Non. *Elle insistait :* Allez, mieux vaut que ce soit vous que moi. Les chips ne réussissent pas à ma taille de guêpe.

Ma sœur finissait par attraper le paquet, les yeux avides. Elle était toujours affamée à l'époque. Moi aussi, d'ailleurs.

Après la bibliothèque, retour à la maison.

Tôt ou tard, il fallait bien rentrer.

Maman avait un sourire extraordinaire. Quand elle était d'humeur gaie, dans un « bon jour », un sourire irrésistible. Elle m'ébouriffait les cheveux. Elle m'appelait son petit homme. Me disait qu'elle était fière de moi. Et elle me prenait dans ses bras. Elle me serrait bien fort, m'enveloppait dans un nuage de fumée de cigarette et de parfum bon marché. J'adorais cette odeur. J'adorais les jours où ma mère souriait.

Parfois, quand l'ambiance était vraiment au beau fixe, elle préparait le dîner. Des spaghettis sauce Ketchup – ça va tacher, *lançait-elle joyeusement en aspirant ses pâtes. Nouilles japonaises et œufs brouillés –* un dîner à quinze cents, ça c'est la belle vie, *elle disait. Ou alors, mon plat préféré : les macaronis au fromage de chez Kraft –* leur secret, c'est la couleur orange fluo, *nous glissait-elle comme en confidence.*

Ma petite sœur pouffait de rire. Elle aimait bien ma mère quand elle était de cette humeur. Qui ne l'aurait pas aimée ?

En général, papa était au travail. Pour faire bouillir la marmite. Enfin, quand il avait un emploi... Pompiste. Veilleur de nuit. Magasinier.

Faites des études, *me disait-il, les après-midi où nous rentrions suffisamment tôt de l'école pour le voir boutonner un énième uniforme crasseux.* Saloperie de vraie vie, *il disait.* Saloperie de patrons.

Il partait. Et ma mère émergeait du nuage de leur chambre pour faire le dîner. Ou alors la porte ne s'ouvrait pas et je prenais un ouvre-boîte dans le tiroir. Raviolis Chef Boyardee. Soupe Campbell's. Haricots en conserve.

Ces soirs-là, on ne parlait pas, ma sœur et moi. On mangeait en silence. Ensuite je lui lisais encore un Clifford *ou bien on faisait une partie de Go Fish. Des activités sages pour enfants sages. Ma sœur s'endormait dans le canapé. Je la prenais dans mes bras et je l'emportais dans son lit.*

« Désolée », disait-elle dans un demi-sommeil, même si ni l'un ni l'autre nous ne savions de quoi elle s'excusait.

Autrefois j'avais une famille.

Un père. Une mère. Une sœur.

Mais le père s'est mis à travailler de moins en moins et à picoler de plus en plus. Et la mère... allez savoir. La drogue, l'alcool, les brumes de son esprit ? Nos parents se montraient de moins en moins pour cuisiner, nettoyer, travailler. De plus en plus pour se disputer, crier, hurler. Maman lançait des assiettes en plastique à travers la cuisine. Papa crevait la fragile cloison d'un coup de poing. Ensuite tous les deux s'enfilaient encore plus de vodka et c'était reparti pour un tour.

Ma sœur a pris l'habitude de dormir dans ma chambre et moi de rester assis derrière la porte. Parce que, parfois, les parents avaient des invités. D'autres pochetrons, des camés, des ratés. Et là, tous les paris étaient ouverts. Trois, quatre, cinq heures du matin. Ils secouaient la poignée de la porte fermée à clé, des voix inconnues susurraient : « Hé, les petits, vous venez jouer avec nous... »

Ma sœur ne riait plus. Elle dormait la lumière allumée, un Clifford en lambeaux entre les mains.

Et moi, je veillais, une batte de base-ball sur les genoux.

Arrivait le matin. La maison était enfin silencieuse. Les inconnus K-O par terre. On les contournait à pas de loup, on se faufilait dans la cuisine pour attraper la boîte de Cheerios, puis on prenait nos cartables et on sortait sur la pointe des pieds.

Et le cycle recommençait.

Une machine infernale.

Autrefois j'avais une famille.

Mais un jour, le père a trop bu ou s'est trop piqué ou a trop sniffé. Et la mère s'est mise à hurler sans pouvoir s'arrêter. Sous nos yeux ébahis, à ma sœur et à moi, assis dans le canapé.

« Ferme-la, mais ferme-la ! » braillait le père.

Des cris.

« Mais c'est quoi ton problème, connasse ? »

Des cris, des cris, et encore des cris.

« TA GUEULE, je te dis ! »

Un couteau de cuisine. Le grand. Le couteau de boucher, comme dans les films d'horreur. Est-ce que c'est elle qui l'a attrapé ? Ou bien lui ? Je ne sais plus qui l'a eu en premier. Je peux seulement vous dire qui l'a eu en dernier.

Mon père. Il l'a levé. Il a frappé. Et ma mère a cessé de crier.

« Merde ! »

Mon père s'est retourné vers nous, ma sœur et moi. Le sang dégoulinait du couteau. Et j'ai su ce qu'il allait faire.

« Cours », j'ai dit à ma petite sœur en la tirant du canapé, en la poussant vers le couloir.

La moquette épaisse a ralenti mon père. Mais le lino décollé nous a fait trébucher. Pendant que nous courions à travers le mobil-home, silencieux dans notre terreur, j'ai dépassé ma sœur, je l'ai attrapée au vol et ses petites jambes ont continué à mouliner dans le vide.

J'entendais mon père, juste derrière moi. Je sentais son souffle sur ma nuque, j'imaginais déjà la lame s'enfonçant entre mes omoplates décharnées. J'ai largué ma sœur dans ma chambre.

« Ferme à clé ! »

Et j'ai couru vers le bout du couloir, mon père et son couteau ensanglanté à mes trousses.

Je me suis rué dans la chambre de mes parents. J'ai bondi sur le lit.

« Bouge pas, petit con. Bouge pas, bouge pas. »

Il a levé le couteau, il a frappé. Et lacéré les draps. Crevé le matelas.

J'ai sauté de l'autre côté. Attrapé sur la commode tout ce qui me tombait sous la main. Cadavres de bouteilles de vin, cannettes de bière, parfums. Et je les lançais de toutes mes forces vers le visage de mon père, rouge comme une betterave.

« Merde, merde, merde. »

Pendant qu'il chancelait, j'ai de nouveau sauté sur le lit et je suis passé à côté de lui avec une pirouette. J'ai entendu le coup de couteau. Senti une douleur cuisante à l'épaule. Mais j'étais déjà hors d'atteinte, courant à toutes jambes dans le couloir. Si seulement je pouvais rejoindre la porte d'entrée, sortir, alerter les voisins...

Et abandonner ma petite sœur ?

Justement, elle était là. Sur le seuil de ma chambre. Elle me tendait la batte de base-ball.

Je n'ai pas hésité : j'ai pris la batte, j'ai couru jusqu'au salon et, me retournant au dernier moment, je me suis mis en position.

Mon père. Regard fou. Visage écarlate. Complètement absent, me suis-je dit.

Il a levé le couteau sanglant.

Et j'ai frappé de toutes mes forces. J'ai senti le choc, à la fois compact et mouillé, un coup à envoyer la balle dans les tribunes. Mon père s'est effondré, comme au ralenti, et le couteau est tombé sur la moquette.

Mais moi, j'ai continué à frapper. Bam. Bam. Bam.

Une machine infernale.

Ma petite sœur est brusquement apparue à côté de moi.

« Telly, Telly, Telly. »

J'ai levé les yeux. Regard fou. Visage écarlate. Complètement absent.

« Telly ! » a crié une dernière fois ma petite sœur. J'ai levé la batte.

J'avais une famille.

Autrefois.

1

Le shérif Shelly Atkins n'était plus censée travailler dans les forces de l'ordre. Dix ans auparavant, à la suite d'un incendie qui, non content de lui bousiller la hanche, avait transformé son torse et son épaule en un patchwork de cicatrices noueuses, elle avait pour ainsi dire raccroché. Profitant de l'offre d'un donateur anonyme (l'ancien agent du FBI Pierce Quincy, elle en restait persuadée), elle avait commencé par s'offrir le voyage de sa vie à Paris, histoire de panser ses plaies à coups de crêpes, de vin et de musées.

À son retour, elle s'était fixé un emploi du temps régulier à base de promenades sur la plage et de randonnées dans les bois pour occuper ses journées. C'était en mouvement que sa prothèse de hanche se portait le mieux, les courbatures d'une journée de sport étant de loin préférables à la souffrance lancinante de l'oisiveté. Et pendant qu'elle sillonnait les grands espaces, elle avait moins de risques de ressasser ses souvenirs. Une femme cousue de cicatrices comme elle avait clairement intérêt à les oublier.

Mais voilà que deux ans plus tôt, le shérif en place, un type qui n'était pas de la région et que les gens du coin n'avaient jamais vraiment apprécié, avait démissionné du jour au lendemain. Des rumeurs de malversations avaient couru, mais rien que le procureur pût prouver. Quoi qu'il en soit, le comté s'était retrouvé en panne de shérif. Quant à Shelly...

Elle n'était pas une belle femme. Pas même une jolie femme, et cela déjà avant que l'incendie ne transforme une moitié de son corps en tableau de Picasso. Baraquée, le visage quelconque, elle était le genre de femmes avec qui les hommes préféraient sympathiser au bar tout en reluquant la jolie minette trois tabourets plus loin.

Elle n'avait ni famille ni enfants, ni même un poisson rouge, parce qu'elle n'était pas tout à fait certaine de ne pas reprendre la tangente un de ces quatre.

Bref, huit ans après le sinistre qui avait failli l'emporter, Shelly n'avait ni rien ni personne de plus dans sa vie. Mais surtout, son travail lui manquait cruellement. Sans parler de ses anciens collègues.

Alors elle s'était portée candidate au poste de shérif. Et comme la population gardait d'elle le souvenir d'une héroïne qui avait sauvé la vie d'un agent du FBI lors de cet incendie, elle avait été triomphalement réélue, hanche foutue, torse couturé et tout.

Moralité, se dit-elle au volant de sa voiture, gyrophare allumé, elle ne pouvait s'en prendre qu'à elle-même. Des coups de feu signalés en cette saison ? Pas bon pour le shérif, ça, ni pour les commerçants qui tenaient à ce que cette coquette petite ville côtière de l'Oregon reste fidèle à sa réputation de tranquillité.

Il était encore tôt, tout juste huit heures du matin, alors c'était sûrement soit une bande de potes grincheux qui n'avaient pas fini de dessaouler après leurs excès de la veille, soit des touristes désabusés qui venaient enfin de comprendre qu'on leur avait survendu les joies du camping par temps de canicule. En règle générale, le mois d'août était assez supportable dans la région, notamment grâce à la brise marine qui maintenait les températures à des niveaux raisonnables. Mais depuis cinq jours, le mercure flirtait avec les 38 °C et les esprits s'échauffaient en proportion.

Dans une communauté rurale qui comptait probablement plus d'armes à feu que ses cinq mille habitants, ce n'était sans doute qu'une question de temps avant qu'une fusillade n'éclate. Le central lui avait donné l'adresse (une station-service supérette à quelques encablures de la ville) et Shelly avait décidé de s'y rendre elle-même. Ses deux adjoints avaient déjà accumulé les heures supplémentaires pour répondre aux appels de plaisantins qui se multipliaient toujours en été, elle leur devait donc bien ça. Et sans être ravie qu'on tire des coups de feu dans sa ville, elle n'était pas non plus inquiète outre mesure. Globalement, Bakersville restait surtout connu pour son trio gagnant : lait, forêt et bon air frais. D'accord, le problème de méthamphétamine s'aggravait, mais le travail de maintien de l'ordre n'y était tout de même pas aussi stressant que dans les grandes villes.

Roulant vers le nord, elle avait déjà traversé le centre-ville grand comme un mouchoir de poche et s'approchait du principal titre de gloire du comté : l'usine de fromage. Malgré son gyrophare, il lui fallut jouer du klaxon pour se faufiler entre les camping-cars et autres caravanes qui patientaient déjà en rangs serrés à l'entrée du parking. Vu la chaleur infernale de ce début de matinée, la plupart des estivants avaient sans doute prévu un petit déjeuner de crème glacée. Il n'était pas impossible qu'elle se joigne à eux quand elle aurait bouclé cette intervention. Faire un peu de police de proximité. Manger une glace, se mêler à la population... C'était une idée, ça.

Au-delà de l'usine, la circulation se réduisait comme peau de chagrin et Shelly prit de la vitesse. La route, plus étroite, serpentait le long de la côte rocheuse en enchaînant les virages serrés. Enfin, sept kilomètres après l'entrée d'un énième camping, Shelly atteignit sa destination : la station-service EZ Gas.

Elle entra sur le parking, coupa son gyrophare et jaugea la situation. Une voiture à l'arrêt devant les deux pompes : une vieille Ford qui avait connu des jours meilleurs. À part ça, les lieux semblaient paisibles. Shelly prit sa radio pour informer le central de son arrivée, puis elle attrapa son feutre de shérif sur la banquette arrière, le posa sur son crâne et descendit de son SUV blanc de service.

Première constatation frappante : l'absence de bruit. Plus que toute autre chose, ce fut ce détail qui lui mit les nerfs en pelote. Dans la brume de chaleur du mois d'août, saison où les commerces connaissaient leur pic d'activité, un tel silence ne présageait rien de bon. Shelly porta la main à son arme, puis, s'approchant de la façade défraîchie de la supérette, se tourna de profil afin d'offrir une cible plus étroite.

Ensuite, l'odeur. Cuivrée, poisseuse. Une odeur que même un shérif de petite ville connaissait mieux qu'il ne l'aurait voulu.

Le pick-up rouge décoloré du milieu des années 1990 se trouvait sur sa gauche ; la porte vitrée de la supérette, ouverte, sur sa droite. Shelly fit le point. La voiture semblait vide, le magasin était donc sa principale source d'inquiétude. Elle s'approcha du mur, au pied duquel s'alignaient d'énormes congélateurs pleins de glaçons ; au-dessus d'eux, la vitrine était tapissée de diverses affiches publicitaires pour de la bière bon marché. La main toujours sur son étui, Shelly se colla aux congélateurs pour jeter un coup d'œil par la porte.

Rien. Et toujours le silence. Pas de tintement de caisse. Ni de murmures de voix tandis qu'un vendeur enregistrerait les achats du conducteur du pick-up. Juste cette odeur. Écœurante et âcre dans la chaleur torride.

Puis un bruit lui parvint enfin : doux et régulier.

Le bourdonnement de mouches. Des nuées de mouches.

Shelly sut alors ce qu'elle allait trouver dans le magasin.

Elle prit le temps de faire ce qui s'imposait (appeler le central pour demander des renforts), puis, redressant les épaules, elle sortit son Glock 22 de son étui.

Et elle entra dans la supérette.

La première victime était tombée à trois mètres de l'entrée. Le corps était étendu sur le dos, bras et jambes écartés, un paquet de chips tout juste hors de portée de sa main tendue. Un jeune homme d'une vingtaine d'années. Un gamin du coin, devina Shelly en voyant le jean râpé, les chaussures délacées, le tee-shirt crasseux. Sans doute un garçon de ferme, pensa-t-elle, avant de percevoir comme un relent de pourriture et de changer d'avis : un pêcheur. Matelot, à tous les coups, ou ce genre de métier particulièrement malodorant. Peut-être qu'il revenait tout juste d'une sortie en mer au petit matin et qu'il passait en coup de vent pour acheter de quoi grignoter. Tout ça pour se retrouver avec une balle en plein front et d'autres trous sanglants dans la poitrine. Son visage était détendu : il n'avait sans doute rien vu venir.

Une deuxième victime derrière la caisse. Une femme, cette fois-ci. Dix-huit, dix-neuf ans ? Certainement tuée après le client accro aux chips parce qu'elle, au contraire, avait vu le coup arriver. Le corps était recroquevillé et vrillé sur lui-même comme si elle s'était retournée pour fuir, avant de se rappeler qu'elle était prise au piège, coincée entre la caisse devant elle et son linéaire de tabac derrière elle. Elle avait levé la main. Shelly voyait l'endroit où la balle avait transpercé la paume.

Inutile de voir les autres blessures pour savoir qu'elles avaient été fatales.

Dans le magasin, le bourdonnement s'était intensifié. Ces fichues mouches, attirées par l'odeur du sang, se concentraient sur leurs deux cibles.

C'est drôle comme on peut être touché par certains détails. Shelly en avait vu, des drames de la route, des accidents de chasse, les uns ayant même parfois entraîné les autres. L'hémoglobine et les corps démembrés, elle connaissait. Les petites villes ne sont pas exactement les havres de paix idylliques qu'on voit dans les téléfilms. Mais ces mouches...

Sales bêtes.

Elle s'appliqua à respirer par la bouche. Lentement, profondément. La procédure. Il était important, maintenant plus que jamais, d'appliquer les règles. Il fallait qu'elle alerte sa brigade d'enquêteurs, ainsi que les services du procureur et l'Institut médico-légal. Autant de coups de fil à passer, de tâches à accomplir.

Du mouvement sur sa gauche.

Shelly pivota, mains jointes, bras tendus, le Glock déjà levé. Au bout du rayon des confiseries, juste avant le mur des boissons fraîches, elle vit un présentoir métallique trembler.

Se collant au mur pour se faire plus petite, elle remonta le rayon de manière à approcher sa cible de biais. Elle transpirait abondamment, les gouttes de sueur lui piquaient les yeux. Satanées mouches. Et ce bourdonnement, interrompu seulement par le frottement de ses semelles épaisses sur le sol en lino. Malgré toute sa bonne volonté, sa respiration était trop bruyante, rauque dans l'air anormalement immobile.

Elle ne portait pas de gilet pare-balles. Trop chaud, trop inconfortable. Et même pour répondre à un signalement de coups de feu... Bakersville n'était pas ce genre de ville. Elle n'abritait pas ce genre de population.

Shelly était pourtant payée pour savoir qu'il fallait s'attendre à tout.

Au bout de l'allée, elle ralentit le pas. Le présentoir ne bougeait plus. Elle tendit l'oreille, guettant un mouvement – disons, un tireur anonyme qui se serait déplacé furtivement dans le rayon d'à côté ou qui serait arrivé par surprise derrière elle.

Rien.

Inspirer profondément. Expirer lentement.

À la une, à la deux, à la trois : Shelly Atkins pivota brusquement sur elle-même, le Glock droit devant elle, pointé sur sa cible.

Mais le rayon était désert, le présentoir de friandises immobile. Rien ne bougeait devant le mur des réfrigérateurs de boissons fraîches.

Shelly se redressa lentement. Rayon par rayon maintenant, pas à pas.

Mais ce qui avait provoqué la secousse avait disparu. Peut-être juste un courant d'air, ou alors c'étaient ses nerfs.

En tout état de cause, elle était seule dans le magasin. Avec deux cadavres. Le bourdonnement incessant des mouches. La puanteur du sang frais.

Shelly détacha la radio accrochée à son épaule et se prépara à la suite des opérations. Et c'est en levant les yeux qu'elle découvrit une troisième victime.

2

« Fraises ou kiwi ?

– Pomme ?

– Ce n'est ni des fraises ni du kiwi.

– Les fraises et les kiwis sont trop mous. À la pause, il ne reste plus que de la bouillie.

– Va pour la pomme. »

Rainie me lance un clin d'œil et se retourne pour faire une descente dans le frigo. En réaction, je promène du bout de la fourchette ce qu'il reste de mes œufs brouillés dans mon assiette. C'est un de ces matins où je suis censée prendre un solide petit déjeuner, faire le plein d'énergie. Mais le cœur n'y est pas et Rainie le sait.

Sous la table, Luka pousse la paume de ma main de sa truffe humide. À sa manière, mon chien essaie de me remonter le moral.

Pendant que Rainie a le dos tourné, j'attrape un peu d'œuf froid coagulé et je repose ma main fermée sur mon genou. Cette fois-ci, quand Luka me frôle du museau, j'écarte les doigts et je lui donne sa friandise. Comme ça, au moins l'un de nous est content.

Je n'ai pas le droit de lui donner des aliments destinés aux humains. Luka est un ancien officier de police, me rappelle souvent Quincy. Un membre des forces de l'ordre. Il a dû prendre sa retraite à cinq ans parce qu'il s'était déchiré le ligament croisé antérieur deux fois en un an. En clair, Luka a un genou déglingué. Pas au point de le gêner dans la vie de tous les jours, mais trop fragile pour le service actif.

Maintenant Luka est mon partenaire. Quincy l'a eu grâce à un copain policier, un an après mon arrivée chez Rainie et lui. J'ai la responsabilité de m'en occuper. Je le nourris, je lui fais faire de l'exercice et je lui donne tous les jours ses compléments alimentaires pour les articulations. J'ai aussi appris le néerlandais. Je l'ignorais totalement, mais la plupart des bergers allemands employés par la police et l'armée viennent d'Europe, où la race est plus homogène. Luka est né aux Pays-Bas, donc il a été dressé en néerlandais. Son maître-chien a continué à lui donner ses ordres dans cette langue et maintenant c'est mon tour.

Est-ce que j'ai un bon accent ?

Aucune idée, mais Luka n'a pas l'air de se plaindre. Il m'écoute avec beaucoup d'attention. J'apprécie cette qualité chez lui : il sait très bien écouter.

Et je dors mieux la nuit quand il est couché à côté de moi. Ça aussi, c'est strictement interdit, bien entendu. Les chiens policiers doivent être dans leur niche quand ils ne sont pas en service. De cette manière, quand on les sort, ils savent que c'est l'heure de travailler. Les chiens aiment leur niche, m'a expliqué Quincy. Et pas qu'une fois. Ce n'est pas parce que Luka est à la retraite qu'il faut oublier cinq ans d'apprentissage. Et patati et patata. Bla-bla-bla.

Quincy est très bon en sermons. Et moi je suis très bonne dans mon rôle d'enfant placée. Je hoche docilement la tête pile aux moments où il faut.

Mais je continue à sortir Luka de sa niche pour qu'il dorme avec moi la nuit.

C'est Rainie qui a fini par trancher. Je l'ai entendue dire à Quincy de lâcher l'affaire : Luka avait l'air de se porter comme un charme et moi je dormais mieux. Pourquoi chercher les problèmes ?

Mais je savais pourquoi elle disait ça : parce qu'il y a des nuits où Luka me quitte pour aller la retrouver.

Aujourd'hui je comprends pourquoi Quincy est tellement attaché à sa logique et à ses petites habitudes. Mais pour Rainie et moi... la vie est un peu plus compliquée.

Je n'appelle pas Quincy et Rainie papa et maman, même s'ils seront peut-être bientôt mes parents adoptifs. Il y a des familles d'accueil qui tiennent à ce genre de choses. Mais j'avais dix ans quand je suis arrivée dans cette maison et j'avais déjà été trop ballottée pour croire qu'on devient une famille d'un simple claquement de doigts. Le prénom de Quincy est Pierce, mais tout le monde l'appelle Quincy, même Rainie, alors moi aussi. Il est plus vieux que la plupart des pères de famille d'accueil. La soixantaine. Mais il ne fait pas son âge. Rainie et lui font un footing tous les matins. Et il travaille toujours. À une époque, il était profileur au FBI. C'est comme ça qu'il a rencontré Rainie : elle était adjointe du shérif de Bakersville quand il y a eu une fusillade à l'école. Quincy a filé un coup de main sur le dossier et depuis ils sont ensemble.

Aujourd'hui Quincy a pris sa retraite du FBI et Rainie a pris la sienne de la police. Ils travaillent en tant que consultants sur de vieilles affaires non élucidées ou des meurtres bizarres qui sortent du « périmètre d'intervention » de la police. Bref, ils sont experts en monstres.

Est-ce que c'est pour ça qu'on m'a confiée à eux ?

Rainie n'aime pas que je dise des choses pareilles. Je ne suis qu'une enfant, me répète-t-elle souvent. Mon rôle n'est pas d'être parfaite, mais d'apprendre de mes erreurs. Il y a des jours où c'est plus difficile qu'on ne le croirait.

Mes parents sont morts. Je n'ai plus ni oncles, ni tantes, ni grands-parents. Juste un frère, de quatre ans mon aîné. Je me souviens de lui. Vaguement. La nuit où mes parents sont morts, il a disparu. Personne ne parle de lui et, avec le caractère que j'ai, il ne faut pas compter sur moi pour poser des questions. Ce serait trop me dévoiler.

Comme dirait Quincy avec son sourire en coin : *Ne nous prenons pas la tête.*

Dans le système de l'aide à l'enfance, ne pas avoir de famille n'est pas une tragédie. Cela signifie que je suis adoptable. Ce qui, quand j'ai débarqué dans la première famille d'accueil à l'âge de cinq ans avec pour seul bagage un sac-poubelle noir rempli de vêtements et de vieilles peluches, faisait de moi une enfant éminemment plaçable. Ce n'était pas une mauvaise maison, d'ailleurs. Les parents avaient l'air assez sympa, je veux dire.

Je souffre d'un trauma. Enfin, de « stress post-traumatique ». Au début, du moins, on m'a envoyée en thérapie deux fois par semaine. Mes familles d'accueil devaient m'y conduire dans le cadre du « suivi » mis en place par l'assistante sociale.

Mais je ne suis pas douée pour la thérapie. Je n'aime pas parler. Je colorie. Quand j'avais cinq ans, la thérapeute m'encourageait à dessiner. Surtout ma famille. Mais je ne dessinais jamais une famille de quatre personnes. Il n'y en avait toujours que deux. Deux enfants, un grand et un petit. Mon frère et moi. *Où sont tes parents ?* demandait la thérapeute.

Je n'ai jamais su lui répondre.

J'ai du mal à dormir. Le trauma, là encore. Et parfois, même si je sais que c'est mal, je fais des bêtises. C'est irrépressible. Maîtriser mes pulsions n'est pas mon fort, apparemment. Et ces premiers parents d'accueil… plus ils étaient gentils, moins je les supportais.

Je ne pense pas que ce soit lié à mon trauma. Je pense que c'est dans ma nature, c'est tout. Je suis un peu cassée à l'intérieur. Il y a des raisons, c'est sûr, mais après avoir vécu treize ans dans ma tête, je ne suis pas aussi certaine que les thérapeutes que ces raisons ont vraiment de l'importance. Je veux dire, si l'anse de votre tasse vous reste dans la main, vous cherchez à savoir pourquoi elle s'est cassée ou bien vous la recollez ?

C'est aussi la philosophie de Rainie et elle me plaît. Rainie me dit qu'on est tous un peu cassés (est-ce que c'est pour ça qu'elle est insomniaque ?), mais qu'on s'efforce tous de se réparer.

J'aime bien Rainie et Quincy. Ça fait trois ans que je vis chez eux. Et maintenant ils ont décidé de me garder, avec tous mes défauts. J'ai Luka, une chambre à moi et, quelque part en Géorgie, une grande sœur bientôt adoptive, Kimberly, qui a un mari et deux enfants. En novembre, si tout se passe comme prévu, ses filles deviendront mes nièces. Ce qui est assez comique, vu qu'elles ont mon âge. Mais je les aime bien. Du moins, autant que je suis capable d'aimer les gens.

J'ai de la chance. Je le sais. Et je me donne beaucoup de mal pour me réparer, m'améliorer, maîtriser mes pulsions.

Mais il y a des jours où ce n'est quand même pas marrant d'être moi.

Je n'ai pas encore vu Quincy ce matin. Ces derniers temps, il se planque dans son bureau pour travailler à un « projet ».

Il refuse d'en parler, mais Rainie et moi soupçonnons qu'il écrit un livre. Ses mémoires ? Un manuel de profilage ? Au dîner, Rainie et moi nous amusons (et peut-être que ça amuse Quincy aussi) à proposer des titres pour son chef-d'œuvre inconnu. Le préféré de Rainie : *Pagaille au FBI*. Et le mien : *Souvenirs d'un vieux schnock*.

Mais il n'a pas encore craché le morceau. Il fait décidément partie de ces gens pour qui l'art du silence n'a plus de secret.

Alors que Rainie... Si Quincy est taciturne, Rainie est émotive. En tout cas, son visage est plus facile à décoder. Et elle est jolie. Une longue chevelure épaisse, auburn. Des yeux bleu-gris. Elle porte des tenues décontractées, jean et pull en hiver, pantacourt et débardeur en été, mais elle a toujours l'air soignée. Bien dans ses baskets.

En colo, elle serait la fille que tout le monde a envie de connaître.

Moi, on devine au premier coup d'œil que je suis une enfant de l'Assistance. C'est sûr que je n'ai pas les reflets roux de Rainie, ni les yeux bleu vif de Quincy. Non. Moi, j'ai des cheveux châtain terne qui rebiquent dans des directions improbables, des oreilles en feuille de chou, des yeux marron sans intérêt. Et je ne vous parle pas de mes genoux et de mes coudes osseux, de mon visage trop mince.

Rainie me dit que mon corps va trouver ses formes en grandissant. Qu'il faut lui laisser le temps.

Vous voulez que je vous dise un secret ? J'aime Rainie et Quincy. J'ai vraiment très, très envie qu'ils deviennent mes vrais parents pour toute la vie. Envie de rester dans cette maison. Envie de passer chaque journée avec Luka à mes côtés.

Mais jamais je ne dis ces choses-là à voix haute. Même pas le jour où Rainie et Quincy m'ont fait asseoir pour m'annoncer qu'ils avaient entamé une procédure d'adoption.

Je ne suis pas bavarde, vous vous souvenez ?

Je préfère penser qu'ils savent déjà ce que je ressens. Puisqu'ils sont experts en monstres, tout ça.

Rainie est revenue à l'îlot central. Elle met une pomme dans le sachet bleu isotherme et replie le haut pour le refermer. Une bonne chose de faite. Je ne peux pas m'empêcher de pousser un soupir à fendre l'âme. Je n'ai pas envie d'y aller. Pas envie de faire ce qu'ils ont dit. Quincy est persuadé qu'il faut être ferme avec les enfants pour leur propre bien. Rainie ne cédera pas non plus, mais au moins elle a des remords.

« Ce sera peut-être amusant », suggère-t-elle.

Je lève les yeux au ciel. Il n'y a plus d'œuf. Je traîne ma fourchette dans les petites flaques de sirop d'érable, dessine des arabesques autour des miettes de pancake éparpillées.

« Tu aimes bien nager. »

Cette fois-ci, je ne daigne même pas lever les yeux au ciel.

Rainie revient à la table et s'assoit à côté de moi. « Si tu pouvais faire tout ce que tu voulais aujourd'hui, qu'est-ce que tu ferais ?

— Je resterais à la maison. Pour jouer avec Luka.

— Sharlah, tu as fait ça tous les jours cet été.

— Quincy et toi, vous courez presque tous les matins. Ça ne t'a pas empêchée d'y aller aujourd'hui.

— Un stage de natation. Quatre heures à la piscine. Tu en es capable. »

Je lance un regard à Rainie. Un regard que je voudrais noir, ou sarcastique, je ne sais pas. Mais j'ai un moment de faiblesse...

Je ne vais pas y arriver. Je suis nulle pour ces trucs-là. C'est pour ça qu'ils m'obligent à y aller. Pas pour que je fasse des progrès en natation (qui est-ce que ça intéresse ?), mais pour que j'apprenne à faire ami-ami avec mes petits camarades.

Encore un truc cassé chez moi : je n'ai pas envie de fréquenter les jeunes de mon âge. Je ne leur fais pas confiance, je ne les aime pas et, pour autant que je sache, c'est réciproque.

C'est comme ça. Laissez-moi avec Luka. Lui, je l'aime. Il me lèche de nouveau la main et pousse un gémissement de compassion sous la table.

« Sharlah...

– Si tu me laisses rester à la maison, je ferai les corvées. Je nettoierai ma chambre, toute la maison. J'apprendrai à être responsable. Quincy adore ça, qu'on soit responsable.

– Une semaine. Quatre heures le matin. Qui sait ? Tu te feras peut-être une copine. »

Pas le truc à dire. Maintenant je me sens triste et complexée. Rainie s'en rend compte. Elle serre ma main sous la sienne et dit en soupirant : « Donne-toi deux jours pour essayer, chérie. Si mercredi tu détestes toujours... » Puis elle repousse sa chaise. « Allez. Attrape ton sac de piscine. En route ! »

Je me lève et je me mets à marcher comme un zombie.

Luka m'emboîte le pas.

« Où est Quincy ? demandé-je, alors que nous nous dirigeons vers la porte.

– Au téléphone.

– Une nouvelle affaire ? » L'idée d'un possible meurtre m'enthousiasme déjà plus que mon stage de natation.

« Non. Appel local. Rien d'aussi palpitant dans le coin. » Rainie ouvre la porte. « Essaie de sourire, me conseille-t-elle. Ce sera déjà un bon début. »

Je me colle une grimace de sourire sur le visage et sors à pas lourds dans la chaleur écrasante. Luka se poste sur le perron où il restera en faction jusqu'à mon retour.

Mais un instant, tandis que Rainie et moi marchons vers la voiture, Luka cesse de nous observer. Son attention a été

attirée sur la gauche et il regarde quelque chose dans les
bois. Un écureuil, un chevreuil, un bâton à aller chercher ?

Je suis la direction de son regard.

Et je sens les poils de ma nuque se hérisser.

« Allons, me dit Rainie. En voiture. »

Mais je regarde toujours les bois, parcourue d'un frisson
inexplicable.

« On y va », insiste Rainie.

Le cœur lourd, je monte en voiture. Laissant mon chien
qui monte toujours la garde derrière moi.

3

Le sergent Roy Peterson, responsable du service d'enquête criminelle de Shelly, fut le premier sur les lieux, suivi de près par ses équipiers, puis par le shérif adjoint Dan Mitchell. Il mit ses enquêteurs au travail et prit le temps de s'entretenir avec Shelly et Dan devant la station-service. Dans la chaleur accablante de ce mois d'août, leurs uniformes étaient déjà trempés de sueur, mais cela restait plus supportable que le spectacle du bain de sang et la puanteur qui empirait rapidement à l'intérieur de la supérette.

Pas encore de médias à l'horizon, ce qui prouvait qu'il y avait des avantages à vivre dans un trou perdu. Bakersville se trouvant à équidistance de l'effervescente métropole de Portland et de l'agitation politique de Salem, capitale de l'Oregon, Shelly ne s'attendait pas à ce que le miracle dure longtemps. Ce n'était pas une heure et demie de voiture qui allait arrêter des journalistes prêts à tout pour faire un reportage sur le dernier fait divers. Encore que, de nos jours, une fusillade dans une station-service soit à peine digne d'un papier. Seul le théâtre de ces homicides (une petite ville supposément tranquille) les ferait sortir du lot.

« Appel enregistré par le central à huit heures zéro quatre, indiqua Shelly à son sergent en style télégraphique. Des coups de feu. J'arrive à huit heures seize environ, découvre deux corps à l'intérieur. Le premier, un jeune homme, une bonne vingtaine d'années. Le deuxième, une jeune femme, dix-huit, dix-neuf ans. Tous deux criblés de balles.

– Le patron du magasin ? s'enquit Roy.

– Don Juarez, répondit Shelly, qui s'était déjà renseignée auprès du central. Nous avons eu un bref échange téléphonique. Il était en route pour Salem, mais il a rebroussé chemin. Jusqu'à preuve du contraire, il pense que la caissière est Erin Hill – en tout cas, c'est elle qui était prévue sur le planning de ce matin et le corps correspond à son signalement. Une famille du coin. J'ai demandé à l'agent Estevan de passer voir les parents.

– Et l'autre victime ?

– Ni papiers d'identité ni portefeuille. Le tireur l'a peut-être pris en partant. Le pick-up est immatriculé au nom d'une société d'affrètement de bateaux de pêche. Il va falloir faxer le numéro à nos collègues de Nehalem. Peut-être que l'un d'eux pourra nous donner un nom.

– J'ai demandé à Rebecca et Hal de photographier la scène de crime et de mettre les pièces à conviction sous scellés, indiqua Roy. Le légiste devrait être là d'un moment à l'autre. Jusqu'à présent, on a retrouvé neuf douilles et une balle.

– Neuf coups pour deux victimes ? s'étonna Shelly. Il n'y est pas allé de main morte.

– L'homme a pris trois balles dans la poitrine, une dans la tête. Même chose pour la caissière : une balle dans la tête, trois dans le torse, dont une qui lui a transpercé la main.

– L'arme ?

– La balle qu'on a retrouvée ressemble à du 9 mm. »

Shelly poussa un soupir. Les armes de ce calibre étaient monnaie courante, surtout dans la région. Cette information n'était pas de nature à réduire le périmètre des recherches.

« Ça fait huit balles », observa Dan.

Roy et Shelly se tournèrent vers lui.

« Quatre balles pour chaque victime, expliqua-t-il. Huit balles. Mais tu as parlé de neuf douilles. Alors où est parti le dernier coup ?

– Ah ! je n'en étais pas encore arrivée à ce point de mon récit, dit Shelly avec un sourire sinistre. Il s'avère que nous avons une troisième victime à déplorer : la caméra de surveillance. Mais, avec un peu de chance, ce sera peut-être notre unique témoin. »

Le problème était le suivant : normalement, les caméras de surveillance sont du ressort de la police technique. Bakersville étant un comté rural, sa police ne possédait ni expert technique ni investigateur numérique. La sagesse commandait donc d'attendre l'appui de la police d'État. Sauf que Shelly n'était pas d'humeur à attendre.

Elle avait un double homicide sur les bras, dans une région où ne se produisaient qu'une poignée de meurtres chaque année. Les autorités locales allaient exiger des réponses dans les plus brefs délais. D'ailleurs, elle aussi, elle voulait des réponses dans les plus brefs délais.

D'un autre côté, s'ils se plantaient en essayant de récupérer la vidéo, ils foutraient en l'air une de leurs seules pistes.

« Vu la taille et la situation de la station-service, le système de vidéosurveillance ne doit pas être bien compliqué, fit remarquer Roy. Du matériel acheté dans un magasin de fournitures de bureau, à tous les coups. Rien de sorcier pour trois policiers au sommet de leur art. »

Roy et Shelly se tournèrent d'un même mouvement vers Dan, leur expert en informatique. Entendez par là qu'il était le benjamin de l'équipe et qu'il tenait la rubrique « Votre police et vous » de leur site Internet.

« Tu as vu la caméra ? demanda-t-il à Shelly.

– Montée derrière la caisse enregistreuse, près du plafond.

– Petite, grosse, vieille, neuve ?

– Petite. Enfin, ce qu'il en restait. En plastique noir, ajouta-t-elle avec bonne volonté.

– Une caméra tube, conclut Dan. Dans ce cas, les images sont sans doute stockées dans un enregistreur numérique. Il y a un local administratif ?

– Oui, mais il faudrait traverser. »

Shelly désignait la porte du magasin, où un flash leur prouva que les enquêteurs en étaient encore à prendre des photos. C'était l'autre inconvénient d'essayer de récupérer les images sans délai : le risque de contaminer davantage la scène de crime.

« Qu'est-ce que tu veux faire ? lui demanda Roy.

– Je n'ai aucune envie d'attendre nos amis de la police d'État pendant une heure. »

Roy tordit le nez. « Une heure ? Une demi-journée, plutôt.

– Exact. Bon, Dan, tu viens avec moi. Si le système semble trop compliqué, il sera toujours temps d'appeler le patron pour qu'il nous guide. Mais l'auteur d'un double homicide se promène dans la nature et je veux voir la tête qu'il a. »

Il y avait des mouches partout. Shelly grimaça en les voyant bourdonner en nuées compactes autour des plaies de l'homme, sur son torse, sur son front. Son premier réflexe aurait été de les chasser, mais elle savait d'expérience que c'était peine perdue.

Hal leva les yeux de son objectif le temps de leur adresser un petit signe de la tête. Dan et elle lui rendirent son salut sans un mot. L'air était encore plus chaud à l'intérieur, et l'odeur fétide du sang et de la mort les obligeait à respirer par la bouche.

Shelly serra le plus possible à droite et Dan mit ses pas dans les siens pour éviter au maximum de polluer la scène. Ils contournèrent le cadavre sur la pointe des pieds, puis remontèrent le rayon en façade du magasin jusqu'au mur des boissons fraîches. Devant les réfrigérateurs, l'air était légèrement plus respirable et Shelly poussa un petit soupir. De cette position stratégique, elle pouvait, en se retournant vers la porte d'entrée, embrasser du regard la quasi-totalité du petit magasin et de ses six rayons. La caisse, à droite de la porte, était en partie masquée par des paquets de chips, mais au-dessus, Shelly apercevait la fameuse caméra. Un petit œil noir, qui pendait désormais de guingois, l'objectif brisé par une balle.

« Bien visé », dit-elle.

Dan n'était pas aussi admiratif : « Pour autant qu'on sache, il se tenait juste sous la caméra quand il a tiré.

– On le verra d'autant mieux à l'image », convint Shelly en longeant les réfrigérateurs jusqu'à une simple porte en bois avec un panneau « Réservé au personnel ».

La porte était verrouillée. Dan fit la grimace, se demandant probablement lequel d'entre eux allait devoir fouiller le cadavre de la caissière pour trouver la clé. Mais Shelly avait une meilleure idée : elle enfila des gants, passa la main le long du linteau de la porte et... bingo !

Elle sourit. Dan pouffa. Puis, comme s'ils se rendaient compte à quel point un tel rire était déplacé, tous deux se turent.

Shelly enfonça la clé en laiton dans la serrure et poussa doucement la porte.

S'il faisait chaud dans la supérette, ce local aveugle était carrément un four. Dans une ville côtière connue pour la douceur de son climat, beaucoup de commerces n'avaient pas l'air conditionné et celui-ci ne faisait pas exception. Lorsque Shelly actionna l'interrupteur du plafonnier, elle découvrit un minuscule ventilateur perché sur une étagère haute – comme si on pouvait se rafraîchir avec un truc pareil. À part ça, le réduit contenait une planche posée sur deux vilains meubles à tiroirs métalliques, un ordinateur portable qui n'avait pas l'air de première jeunesse et, au fond, comme ils l'espéraient, un enregistreur numérique noir, manifestement neuf et raccordé à un écran de contrôle.

« Acheté il y a peu, on dirait », constata Dan, derrière Shelly. L'exiguïté des lieux les obligeait à une promiscuité qui n'en rendait la chaleur que plus pénible.

« À cause de vols récents, de soupçons ? » se demanda Shelly. La présence de ce système de vidéosurveillance était un coup de chance. Même les modèles d'entrée de gamme coûtaient plus de cent dollars : pour un commerce aussi poussiéreux que celui-ci, une telle somme n'avait pas dû être facile à débourser.

Shelly se décala sur le côté et rentra le ventre pour laisser passer Dan.

« La plupart des enregistreurs numériques ont une fonction de relecture immédiate », dit celui-ci en pianotant sur les touches de l'appareil.

Un coup de baguette magique, et le logo SuperSecurity s'afficha sur l'écran de contrôle, suivi, quelques secondes plus tard, de l'image en plongée d'une tête de femme vue de dos.

Erin Hill, pensa Shelly, la caissière qui avait pris son poste à quatre heures du matin et consciencieusement mis en marche la vidéosurveillance.

Dan pianota encore et les fit avancer dans le temps : cinq heures du matin. Six heures. Sept heures. Sept heures trente…

L'image n'était pas mauvaise. Un plan fixe, ce qui était un peu déstabilisant. En noir et blanc. Les clients entraient et sortaient par le côté de l'écran, tandis que la tête d'Erin restait en plein milieu. De temps à autre, elle disparaissait, elle aussi ; peut-être s'asseyait-elle pour lire un livre ou, plus probablement, pour jouer sur son téléphone pendant les moments creux.

Sept heures cinquante-trois. La future victime masculine apparut. Shelly aperçut son visage de profil lorsqu'il entra dans le magasin au pas de course et s'engagea dans le rayon, en quête de chips. Trente secondes. Quarante. Cinquante. Il revint à l'image, visage plein cadre ; face à la caisse, il fouilla dans sa poche et en sortit une liasse de billets.

Une image mais pas de son. Les lèvres du type bougeaient, il disait quelque chose à Erin. Elle dut répondre, parce qu'il sembla rire en réaction. Puis il mit sa monnaie dans sa poche. Attrapa son paquet de chips. Se tourna vers la porte.

D'un seul coup, il leva les bras. Son corps fut agité d'un soubresaut, tituba vers l'arrière, nouveau soubresaut.

Il s'écroula, sa tête sortit du champ et seule leur resta l'image de ses jambes tendues.

Erin se retourna et ses cheveux noirs, toujours au centre de l'image, volèrent. Elle leva la tête vers la caméra, les yeux écarquillés, terrorisée.

Shelly ne voyait pas sa bouche. Seulement le haut de son visage. Est-ce qu'elle criait, est-ce qu'elle essayait de leur dire quelque chose ? Sur la droite de l'écran, un bras nu apparut. Armé d'un pistolet. Bang, bang, bang.

Et Erin sortit de l'image.

Une vie fauchée. Comme ça.

Shelly, appuyée sur l'épaule de Dan, observait la vidéo avec une attention redoublée. Le bras du meurtrier retomba, sortit du champ. Pitié, non, il fallait qu'on voie l'assassin. Il n'avait pas encore dézingué la caméra. Il y eut un temps mort à l'image. Peut-être le tueur avait-il fait un tour dehors, pour voir si les coups de feu avaient alerté le voisinage. À moins qu'il n'ait fouillé le pick-up du client.

Mais quatre ou cinq minutes plus tard, une silhouette entra dans le champ. Pas un homme. Un gamin. Plus jeune encore que sa première victime, peut-être même plus jeune qu'Erin Hill. Il portait un gros sweat à capuche noir ; même avec les manches retroussées jusqu'aux coudes, la tenue restait totalement incongrue pour un matin d'août où la température dépassait déjà les 30 °C. Il s'approcha du comptoir. N'accorda pas un regard à sa première victime derrière lui, ni à la seconde à ses pieds. Non, il leva les yeux vers la caméra. La regarda bien en face.

Avec le visage le plus dénué d'affect que Shelly ait jamais vu. Aucun remords, aucune jubilation, pas la moindre goutte de sueur sur son front.

Le garçon fixa Shelly de ses yeux sombres à travers l'objectif. Puis il leva le bras et tira.

Il fallut un moment à Shelly pour reprendre son souffle. Penché vers l'écran, Dan n'était pas beaucoup plus fier.

« Son visage te dit quelque chose ? demanda Shelly à son adjoint.

– Non.

– À moi non plus. » Peu importe, se disait-elle. Avec une image de cette qualité et un signalement aussi précis, connaître son nom ne devait être qu'une question d'heures.

« Il n'a pas pris d'argent, constata Dan.

– Non.

– Il ne leur a même pas parlé. Il entre... tranquille. Et il tue deux personnes.

– Je sais.

– Tu as vu son regard ? »

Shelly hocha la tête. Elle comprenait à demi-mot ce qu'il voulait dire.

« Mais c'est quoi, ce truc ? demanda Dan d'une voix plaintive.

– Je ne sais pas, répondit Shelly avec franchise. En revanche, je sais à qui poser la question : Pierce Quincy. Si j'en juge par cette vidéo, on va avoir besoin des lumières d'un profileur. Cela dit, les motivations du tueur ne sont pas notre plus gros souci, à l'heure qu'il est.

– Parce que c'est quoi, notre plus gros souci ?

– Un jeune qui tue avec cette facilité... Est-ce qu'il va en rester là ? »

4

La vie était en train d'accorder une seconde chance à Pierce Quincy. Mais l'ancien profileur du FBI n'était pas du genre à s'appesantir sur une telle idée. Quinze ans plus tôt, il n'aurait peut-être même pas été du genre à croire une telle chose possible.

Élevé par un père célibataire après le décès brutal de sa mère, il était entré dans la police de Chicago avant d'être recruté par le FBI. Étoile montante, il avait ensuite eu l'honneur de rejoindre les pionniers du profilage, aux côtés de certaines légendes du Bureau. Certes, son travail l'éloignait de sa femme et de leurs deux filles, Mandy et Kimberly, mais c'était le prix à payer pour traquer des tueurs en série. On ne peut pas pourchasser ce que l'humanité produit de plus monstrueux et rentrer à l'heure pour le dîner.

Son métier était une vocation. Et Quincy s'y était perdu.

Sa femme l'avait quitté.

Ses deux filles avaient grandi sans lui.

Jusqu'à ce coup de fil, un beau jour... Mandy avait eu un accident. Sauf qu'en réalité il ne s'agissait pas d'un accident. Quincy avait ramené du travail à la maison, en fin de compte : un criminel bien décidé à se venger. Et sa fille aînée puis son ex-femme en avaient fait les frais avant qu'il n'arrive à l'arrêter.

Auprès de Rainie, Quincy avait trouvé un meilleur équilibre. Et même s'il n'était toujours pas connu pour sa verve, il avait au moins des sujets de conversation communs avec l'ancienne policière. Rainie comprenait ses silences, tout comme lui comprenait les démons de sa femme. Qu'il n'exprime pas ses émotions ne signifiait pas qu'il n'en avait pas, et elle l'acceptait. De même que lui acceptait le fait qu'elle serait sans doute toujours insomniaque et qu'il lui faudrait chaque jour, à chaque heure, faire le choix courageux de ne pas retomber dans l'alcool.

Voilà où ils en étaient. Un peu plus mûrs, un peu plus sages et, incroyable mais vrai, en passe d'adopter une adolescente. Ils étaient à la fois inquiets et enthousiastes. Terrifiés et pleins d'espoir.

Bref, ils étaient des parents.

Quincy avait passé le début de la matinée à écouter Rainie parler à voix feutrée à l'autre bout du couloir. Sans doute essayait-elle d'apprivoiser la bête fauve qui prenait parfois le visage de leur fille, avant de la conduire à son stage de natation. Quand on leur avait confié Sharlah, son dossier faisait mention de difficultés de socialisation. On ne leur avait pas menti.

Avec les enfants placés, la question de l'attachement est toujours délicate. Si Quincy et Rainie avaient été agréés comme famille d'accueil, malgré l'âge avancé de Quincy et les problèmes d'alcool de Rainie, c'était en partie parce que Quincy était considéré comme un spécialiste du sujet. De fait, les interruptions dans le processus d'attachement jouent un rôle fondamental dans la psychologie du tueur en série. Et si l'on ajoutait aux tendances antisociales de Sharlah le traumatisme qu'elle avait subi dans sa petite enfance, son assistante sociale avait des raisons de se faire du mouron.

D'ailleurs, pendant les six premiers mois, Sharlah n'avait pas manqué de leur mener la vie dure.

Mais peut-être que Quincy se ramollissait avec l'âge parce qu'en regardant sa future fille adoptive il ne voyait pas une prédatrice en devenir : il voyait une petite fille perdue. Une petite fille qui avait beaucoup souffert et s'était donc constitué une carapace protectrice. Sharlah ne faisait pas confiance aux autres. Elle n'allait pas vers eux. Elle ne se livrait pas.

Mais elle était capable d'attachement.

Il suffisait de la voir avec Luka.

Quincy avait recueilli le berger allemand sur un coup de tête. Certains articles sur l'adoption encourageaient les parents à prendre aussi un animal pour donner un compagnon à l'enfant. De plus, s'occuper d'un animal de compagnie donne le sens des responsabilités et, oui, Quincy était un peu vieux jeu sur ces questions. Et puis, dans la mesure où Rainie et lui accueillaient une enfant, pourquoi pas un chien, par-dessus le marché ? Tant qu'à fonder une famille, autant ne pas faire les choses à moitié.

Sharlah adorait ce chien et il le lui rendait bien. Ils étaient inséparables. Ce n'était peut-être pas le type de socialisation que Rainie et lui avaient en tête, mais c'était déjà un début. Cela leur laissait espérer qu'avec un peu de chance Sharlah les aimerait un jour au moins autant qu'elle aimait son chien.

Là encore, les joies de la parentalité.

Quincy se reconcentra sur son téléphone. Shelly Atkins, le shérif du comté, était à l'autre bout du fil.

« Deux morts, disait-elle, plusieurs balles chacun.

– Braquage ? demanda Quincy.

– La caisse a été vidée. Mais tenez-vous bien : l'individu a pris l'argent *après* les meurtres, pas avant. D'après les images de la vidéosurveillance, il n'est pas arrivé en formulant des demandes. Il a débarqué et tiré. On dirait presque que l'idée du vol lui est venue après coup. Si le but avait été de se remplir les poches, agiter son flingue aurait suffi. Inutile de supprimer deux innocents qui n'offraient aucune résistance.

– Vous avez une vidéo ?

– Oui, en fait c'est pour cette raison que je vous appelle. Quincy... Voyons, c'est un peu difficile à expliquer, mais j'aimerais que vous veniez y jeter un coup d'œil. Ce gamin, la tête qu'il fait au moment de tirer... Il a abattu ces deux personnes sans raison. Et un garçon qui tue avec une telle indifférence...

– Vous craignez qu'il ne recommence.

– Exactement. »

Quincy consulta sa montre. Rainie était déjà partie déposer Sharlah au YMCA.

« Donnez-nous quarante minutes, dit-il au shérif Atkins. Je vous retrouve à votre bureau avec Rainie.

– Garez-vous à l'arrière. Les journalistes ont déjà eu vent de l'affaire.

– Conférence de presse ?

– Autant s'y résoudre, sinon ils vont nous piétiner la scène de crime. D'ailleurs, j'ai une mission à leur confier.

– Vous allez vous servir des médias ? Vous n'avez peur de rien.

– Ça, je n'ai pas froid aux yeux, mais surtout j'ai une capture vidéo du visage de mon assassin. Que les médias la diffusent et avec un peu de chance, on aura le nom de notre ami dans la journée. »

Quincy eut une idée : « Vous dites que l'individu a tiré sur la caméra.

– Exact.

– Mais *après* le double meurtre ?

– C'est ça.

– Han-han.

– Qu'est-ce que ça veut dire, han-han ?

– Laissez-moi quarante minutes et on le découvrira ensemble. »

Quincy appela Rainie sur son portable pour lui donner rendez-vous dans les locaux du shérif. Il entendit Sharlah poser des questions depuis le siège passager, excitée comme une puce. Au début, Rainie et lui s'étaient consciencieusement appliqués à mettre une barrière entre leur travail et leur fille adoptive. Inutile d'ajouter au traumatisme de Sharlah. Mais le temps passant... Sharlah s'était montrée réellement intéressée par ces sujets. Et elle était intelligente, passionnée. Pour finir, l'assistante sociale leur avait donné le feu vert pour parler criminologie au dîner. Après tout, Sharlah faisait partie de ces enfants qui savent que les loups sont parmi nous. Connaître les techniques policières et les méthodes psychologiques permettant d'identifier et d'appréhender les criminels la rassurait beaucoup plus que les discours lénifiants que tiennent en général les parents : « ne t'inquiète pas », « on te protégera ». Sharlah voulait être capable de se protéger toute seule. Ce qui faisait d'elle une grande admiratrice du travail de Rainie et Quincy. Et peut-être exactement le type d'enfant qu'il fallait leur confier.

Il referma le classeur qui se trouvait sur son bureau (celui qui excitait tant la curiosité de Rainie et Sharlah) et le rangea dans son tiroir fermé à clé.

Une dernière formalité, réflexe hérité de ses années de métier : il s'approcha d'une photo en noir et blanc accrochée au mur. Une adorable fillette au sourire édenté épiait de derrière un rideau de douche. Sa fille aînée, Mandy, avant que la vie, l'alcool et un psychopathe ne la rattrapent.

Il décrocha le cadre pour accéder au coffre-fort. Il était récemment passé à un modèle biométrique. Il posa le bout de l'index sur le scanner. Bourdonnement, déclic, et la porte s'ouvrit.

Il choisit le 22, une simple arme de secours, parce que officiellement les consultants auxquels la police faisait appel n'étaient pas tenus d'être armés. Mais un homme qui en avait vu autant que lui...

Quincy mit l'arme dans son étui de cheville.

Et se prépara à sortir dans la canicule.

Les bureaux du shérif du comté avaient bien la gueule de l'emploi. Une construction sur deux niveaux, trapue, une façade beige : le genre d'architecture qui ne pouvait plaire qu'à des autorités locales soucieuses d'économie.

Suivant le conseil de Shelly, Quincy se dirigea vers l'arrière du bâtiment, passant dans sa Lexus noire à la hauteur d'une foule grandissante de camionnettes de journalistes. Dix heures. Manifestement, personne ne voulait être en retard pour la conférence de presse prévue dans une demi-heure.

Alors qu'il tournait pour entrer sur le parking, Quincy secoua la tête avec dégoût : il y avait vraiment des aspects du travail de police qui ne lui manquaient pas, et les relations avec la presse en faisaient partie.

Il repéra la voiture de Rainie. Celle-ci attendait au volant, certainement pour profiter le plus longtemps possible de la climatisation. Vu la température extérieure, il en aurait fait autant.

Il se gara à côté d'elle. Elle ouvrit sa portière pendant que lui détachait sa ceinture et tous deux sortirent dans la chaleur torride.

« Pfiou ! », dit-elle, ce qui résumait assez bien cette impression d'être dans un four.

Rainie, qui n'était partie que pour déposer Sharlah, portait une tenue décontractée, pantacourt noir et tee-shirt vert clair agrémenté d'arabesques vert foncé sur le côté. Elle aurait pu être une maman sexy en route pour le yoga. Après toutes ces années, Quincy n'en revenait toujours pas qu'elle soit sa femme.

Dans son cas, les vieilles habitudes avaient la vie dure. Il portait ce que Rainie appelait, pour le taquiner, sa tenue FBI du dimanche. Pantalon beige et polo bleu marine. À l'époque, son polo aurait été orné du blason de l'agence. Aujourd'hui, il en portait un aux couleurs de la Sig Sauer Academy, où il donnait de temps à autre des cours de tir. On restait dans l'univers du maintien de l'ordre, sans que ce soit de la publicité mensongère.

« Comment ça s'est passé avec Sharlah ? demanda-t-il en claquant sa portière, avant de faire le tour de la voiture pour rejoindre Rainie.

– Elle fait de son mieux, répondit celle-ci avec philosophie.

– Autrement dit, on a sans doute une heure avant qu'on nous demande de venir la chercher ?

– Et encore. » Ils se dirigèrent du même pas vers le bâtiment. « Il ne t'arrive jamais de te dire que c'est un comble qu'on nous demande, *à nous*, d'apprendre la sociabilité à une enfant ?

– Tout le temps », lui assura-t-il. Premier arrivé, il lui tint la porte, et la suivit dans la relative fraîcheur du bâtiment. Il savait d'expérience que la sensation ne durerait pas. Une telle canicule était rare sur la côte et la plupart des climatisations n'étaient pas assez performantes – à supposer, d'ailleurs, que le bâtiment eût la chance d'en être équipé.

Connaissant les lieux, Quincy et Rainie se dirigèrent droit vers l'agent d'accueil, montrèrent leurs pièces d'identité et se firent ouvrir la lourde porte en métal électrique qui menait au cœur du bâtiment. Comme c'était souvent le cas, un seul et même édifice abritait tous les services chapeautés par le shérif : dépôt, plate-forme de réception des appels d'urgence, etc., notamment la brigade d'enquête criminelle, où Quincy pensait retrouver Shelly. Ils montèrent à l'étage, et de fait...

Shelly se trouvait dans une salle de taille modeste prévue pour accueillir quatre agents, mais pas nécessairement tous en même temps. Des murs blanc cassé, une moquette bleue qui ne craignait rien, des meubles sans âme en aggloméré : ce bureau ressemblait à tous les paddocks d'enquêteurs que Quincy avait eu l'occasion de voir, à l'image du reste du bâtiment.

Quelqu'un avait eu la prévoyance de repousser deux des bureaux sur le côté afin de libérer l'espace au milieu de la pièce. Shelly, son sergent Roy Peterson et l'adjoint Dan Mitchell regardaient une image sur l'écran plat fixé au mur du fond. Rainie et Quincy connaissaient toutes les personnes présentes, donc les salutations furent vite expédiées et ils passèrent aux choses sérieuses.

« L'alerte a été donnée peu après huit heures ce matin », indiqua Shelly à Rainie et Quincy. Puis elle montra l'écran. Une image arrêtée, le visage d'un adolescent blanc vêtu d'un sweat à capuche noir qui les regardait droit dans les yeux. Sans une once d'émotion.

« J'ai répondu moi-même à la demande d'intervention... Mes adjoints avaient déjà dépassé leur quota d'heures supplémentaires », ajouta-t-elle devant leurs regards interrogateurs. Elle vacillait légèrement sur ses pieds. Fatiguée, mais sur les nerfs. Une sensation dont Quincy se souvenait bien.

« Mais le temps que j'arrive, c'était plié. Deux morts, et le meurtrier dans la nature. Vu les circonstances, j'ai pris la décision de visionner les images de la vidéosurveillance sur place plutôt que d'attendre nos collègues de la police d'État, puisque ça semblait notre meilleure piste pour identifier le tireur.

– C'est lui ? demanda Quincy en montrant l'écran.

– Gagné. »

Il regarda de nouveau la photo, avec le sentiment intrigant de connaître ce garçon, comme s'il l'avait déjà croisé et en même temps jamais vu de sa vie. Il lança un coup d'œil vers Rainie qui regardait aussi la photo d'un air soucieux.

« Est-ce qu'on pourrait voir la vidéo depuis le début ? demanda-t-elle.

– Tout ce que vous jugerez utile. »

Shelly prit la télécommande. Le visage impassible du jeune homme disparut, bientôt remplacé par une nouvelle image : celle d'une tête de femme vue de dos. Shelly appuya sur la commande et la lecture de la vidéo commença.

La définition était bien meilleure que Quincy ne s'y attendait pour une caméra de station-service, mais la séquence était courte : le pistolet apparaissait à l'image et, en une poignée de secondes, littéralement moins d'une minute, deux personnes étaient sur le carreau. Un temps mort de quelques minutes, puis l'individu entrait pour de bon dans le champ. Les regardait dans le blanc des yeux. Et levait le pistolet pour décocher une dernière balle.

« L'arme ? demanda Quincy, l'angle de la prise de vue ne permettant pas d'avoir de certitude sur ce point.

– Du 9 mm, du moins à en juger par la balle qu'on a retrouvée. On en saura davantage quand les experts en balistique de l'État auront pu faire leurs analyses. »

Quincy approuva d'un signe de tête. Étant donné la nature particulièrement choquante du crime (et le retentissement que la presse était sur le point de lui donner), l'État mettrait certainement le traitement de ces indices au premier rang des priorités.

Rainie avait une autre question : « Comment le tireur est-il arrivé ? En voiture ? À pied ? » Elle regardait Shelly.

« Bonne question. La station EZ Gas est éloignée de tout. Pas de voisins qui pourraient nous servir de témoins. Mais comme elle se trouve à plus de sept kilomètres de la ville… ça ferait une trotte par cette chaleur.

– Autrement dit, on peut faire l'hypothèse qu'il est arrivé en voiture, conclut Rainie.

– Le seul véhicule retrouvé sur place est un pick-up rouge appartenant à la première victime.

– Donc, on ignore si le suspect a agi seul ou s'il avait un complice qui aurait conduit une voiture pour prendre la fuite ? insista Rainie.

– Tout est possible. » Shelly retourna en arrière jusqu'à l'image arrêtée du tireur. « Pour l'instant, voilà ce qu'on a. Si on identifie ce jeune homme…

– On connaîtra notre meurtrier, compléta Quincy.

– C'est l'idée. D'où la conférence de presse. Merde ! Que je ferais bien de préparer, d'ailleurs. » Shelly regarda Quincy et Rainie. « Vous pensez qu'il est dangereux ?

– Oui, répondirent-ils en chœur sans hésiter.

– Alors je m'en tiens au discours habituel : toute personne en possession d'une information est invitée à nous contacter, ne pas s'approcher seule de cet individu.

– Pourquoi a-t-il fait ça ? s'interrogea Quincy. Pourquoi tuer ces deux personnes ?

– Il leur est tombé dessus par surprise, constata Rainie. Et il n'y a pas été avec le dos de la cuillère, si le vol était sa seule motivation. » Elle se tourna vers Quincy : « Aucune hésitation. »

Shelly comprit le sous-entendu : « Vous pensez qu'il n'en était pas à son coup d'essai.

– Il y a de fortes chances, dit Quincy à mi-voix. Il nous faut les profils des deux victimes. Surtout de la jeune fille. »

Là encore, Shelly lut entre les lignes. « Ce serait elle, la véritable cible ? Elle avait à peu près l'âge du tireur. Peut-être une querelle d'amoureux, et l'acheteur de chips ne serait qu'un pauvre gars qui s'est trouvé au mauvais endroit au mauvais moment.

– Je pense qu'un tel scénario vous faciliterait la vie, dit Quincy. S'il s'agit d'une rupture qui a mal tourné, le tueur a atteint son objectif. Mission accomplie.

– Et maintenant ? »

Quincy n'hésita pas : « Si vous avez beaucoup de chance, il va rentrer chez lui et se tirer une balle.

– Dans le cas contraire ?

– Vous avez raison et ses exploits ne font que commencer. Montrez la photo à la presse. Identifiez-le. Mais faites bien passer le message qu'il est armé et dangereux. Que la population se tienne à l'écart.

– Que croyez-vous qu'il va faire ? demanda Shelly. Entre nous. Pour la gouverne de péquenauds qui, par bonheur, n'ont pas affaire à ce genre de criminel tous les quatre matins. »

Quincy fit la moue. Observa l'image. Se renfrogna encore.

« Je crois que ce garçon a abattu deux personnes en moins d'une minute et qu'ensuite il nous a *volontairement* montré son visage. Je dirais qu'à ce stade, avec ce suspect, les inconnues sont encore beaucoup trop nombreuses pour se prononcer. »

5

« On a son nom et une adresse. » Le sergent Peterson venait de passer une tête dans le bureau de Shelly, où elle s'était retirée avec Quincy et Rainie. Ils avaient tous une tasse de café à la main, même si Quincy savait d'expérience que celle de Shelly contenait en réalité une tisane à la camomille qu'elle faisait passer en douce.

« Mais je n'ai pas encore donné la conférence de presse ! s'étonna-t-elle.

– Inutile. J'ai envoyé la photo par Internet à quelques conseillers de probation pour mineurs. » Peterson lança un regard à Quincy. « Vous aviez laissé entendre que le gamin n'en était pas à son premier coup. Les faits vous donnent raison. Aly Sanchez m'a répondu dans la minute. Il fait partie des jeunes dont elle suit le dossier.

– Est-ce qu'elle l'a convoqué ? » demanda Quincy avec inquiétude. Il s'était levé, et Shelly et Rainie de même.

« Négatif. Je lui ai dit de ne pas entrer en contact avec lui dans l'immédiat. J'avais peur qu'il sente de mauvaises ondes en entrant dans son bureau... Il a déjà dézingué deux personnes, je ne voulais pas mettre Aly dans une telle situation.

– Ses antécédents ? demanda Shelly.

– Essentiellement des infractions mineures : violation de propriété privée, vandalisme. Mais la liste est longue pour un jeune de dix-sept ans. Il n'a pas chômé. D'après Aly, il vit actuellement chez Sandra et Frank Duvall. Lui est professeur au lycée de Bakersville, elle femme au foyer. Leur fils étant parti à l'université, ils ont accepté d'accueillir le gamin l'an dernier. Et je vous le donne en mille : Frank Duvall possède six armes à feu déclarées, y compris un 9 mm.

– Vous avez appelé la famille ? demanda Shelly.

– Le fixe. Ça ne répond pas.

– D'accord. J'informe les unités spéciales du SWAT. Dès qu'on a le feu vert, on fonce.

– Mieux vaudrait que le suspect ne se sente pas acculé, recommanda Quincy.

– Je leur rappellerai de prendre leur voix la plus suave. Un autre conseil, monsieur le profileur ?

– La presse vous attend toujours dehors.

– Et merde !

– Pas grave, plaisanta Rainie. Si les forces d'intervention font chou blanc chez les Duvall, elles pourront toujours régler leur compte aux journalistes à votre place. »

L'adresse des Duvall était celle d'une modeste maison de style ranch à la façade gris clair, nettement à l'écart de la route. D'un côté, un bosquet de gigantesques sapins de Douglas, de l'autre une épaisse haie de rhododendrons. Le porche était agrémenté de fleurs en pot d'un rouge pimpant et, à côté de la porte, on avait suspendu un écriteau : HOME SWEET HOME.

Cette famille d'accueil avait à cœur de prendre soin de son logis. Le tireur présumé leur en savait-il gré, se demanda Quincy, ou bien était-il surtout enchanté d'avoir été placé dans une maison où se trouvaient six armes à feu ?

Quincy et Rainie patientèrent avec Shelly pendant qu'une demi-douzaine de commandos se répartissaient aux quatre coins de la propriété et procédaient à une approche. Shelly prit son portable, composa une dernière fois le numéro de la maison.

Tout semblait paisible. Pas de voiture dans l'allée. Pas de membre de la famille visible derrière les carreaux.

Et pourtant, Quincy se sentait fébrile, sur les nerfs. Trop de café. Il lança un regard à Rainie et vit qu'elle était dans le même état. Elle consulta sa montre.

« Piscine », lui dit-elle du bout des lèvres.

Bien sûr. Aller chercher Sharlah. Le genre d'impératif qu'il aurait dû apprendre à ne pas oublier. Curieux comme, au bout de trois ans, les exigences de la vie de famille lui demandaient encore un effort d'attention. Alors qu'à l'inverse, ce qu'ils étaient en train de faire (resserrer les mailles du filet autour d'un meurtrier présumé) restait aussi naturel que de pédaler sur un vélo.

Friture sur la radio. Shelly répondit : « Team Leader. J'écoute.

– Team Alpha en position pour intervention.

– Feu vert, Team Alpha. *Go.* »

Alors les commandos fondirent sur la maison. À l'avant, à l'arrière. Ils frappèrent violemment aux portes et, une demi-seconde plus tard, comme personne ne répondait, l'un d'eux, bien plié sur ses jambes, enfonça la porte d'entrée à coups de bélier. Armés jusqu'aux dents et protégés de pied en cap, ils investirent les lieux.

Quincy retenait son souffle. Il tendait l'oreille, guettant des éclats de voix, des cris, des coups de feu.

Rien. Mais rien de rien.

Il se tourna vers Rainie juste au moment où la radio de Shelly se manifestait à nouveau.

« De Team Leader à la base.

– Transmettez Team Leader.

– Nous avons sécurisé les lieux.

– Aucun signe du suspect ?

– Négatif.

– De la famille ?

– Euh, mieux vaut que vous voyiez ça par vous-même. »

Quincy n'eut pas besoin d'en entendre davantage pour savoir quel sort avait été réservé à Frank et Sandra Duvall.

Frank Duvall n'avait même pas eu le temps de sortir de son lit. Son corps reposait sur le dos, un drap léger remonté sur son torse nu, une balle dans le front. Quincy vit la brûlure autour de l'orifice, là où le canon de l'arme avait appuyé sur la peau. Un tir à bout touchant.

Qui avait certainement réveillé Sandra Duvall, endormie à côté de son mari. Repoussant le drap, elle avait eu le temps de poser les deux pieds par terre avant de prendre trois balles dans le dos. Quincy ne put s'empêcher de remarquer que c'était un beau tir groupé, comme dans les manuels. L'assassin avait tiré pour tuer.

Sandra était tombée à plat ventre à côté du lit, les bras en croix, sa fine chemise de nuit bouchonnée autour de la taille.

Au bout du couloir, deux autres chambres. La première était de taille réduite, à peine la place pour un lit simple et un modeste bureau. La fenêtre était ouverte dans l'espoir de laisser entrer un peu d'air frais, même si c'était illusoire. Comme dans la chambre des Duvall, le ventilateur qui ronflait dans un coin de la pièce brassait surtout de l'air chaud.

La couette était repoussée au bout du lit, en ce mois d'août trop étouffant pour dormir avec une couverture. Ici, pas de cadavre. Pas grand-chose, à vrai dire. Le lit, le ventilateur, une lampe. Une montagne de vêtements sales dans le coin opposé. Sur le bureau, une pile de livres de poche et un chargeur d'appareil électrique.

Quincy devina tout seul qu'il s'agissait de la chambre de l'adolescent placé, leur suspect. Et cela lui fit de la peine de savoir que Sharlah aurait reconnu cette chambre. Son caractère impersonnel. Parce que quand on vit en famille d'accueil, les objets que l'on possède sont des récompenses qui se méritent. Et que, vu le casier judiciaire du garçon, il avait sans doute passé plus de temps à perdre des privilèges qu'à en gagner.

Dernière chambre, au bout du couloir. Quincy se sentit faiblir. Un instant rare qui en disait long sur cet homme qui tentait pour la deuxième fois l'aventure de la paternité.

Rainie avait carrément préféré ne pas mettre les pieds dans la maison.

« Je connais mes limites », avait-elle expliqué.

La porte était entrouverte, certainement pour créer un courant d'air. Quincy s'approcha seul, le couloir étant trop étroit, les chambres trop proches les unes des autres pour autoriser la présence de plusieurs intervenants à la fois. Shelly elle-même n'avait pas encore fait le tour de la maison. Consciente de l'exiguïté des lieux et soucieuse de limiter la contamination de la scène de crime, elle avait demandé à Quincy de passer le premier. Il était le plus qualifié d'entre eux.

Roy Peterson leur avait indiqué que les Duvall avaient un fils en âge de faire des études. On était en août, il y avait donc de fortes chances qu'il soit rentré dans sa famille pour les vacances...

D'une main gantée, Quincy poussa la porte. Petite pièce, là encore. Un lit simple, impeccablement fait, le dessus-de-lit marron et bleu bien tiré. Et pas de cadavre à l'horizon. Pas de sang, pas de bourdonnement de mouches, pas d'odeur fétide de mort.

Juste… une chambre. Sous la fenêtre, un bureau, débarrassé de tout objet. Sur la table de nuit, un réveil, une vieille lampe en laiton et pas grand-chose d'autre. La seule touche personnelle était apportée par deux posters punaisés aux murs de lambris sombre : des basketteurs. Les Portland Trail Blazers, devina Quincy à leur tenue, même s'il ne suivait pas le championnat.

Il ressortit de la chambre vide en soupirant.

Revenant sur ses pas, il retourna dans le modeste séjour où Shelly, les mains sur les hanches, le visage perlé de sueur dans la chaleur suffocante, l'attendait à côté d'un grand canapé gris recouvert d'un jeté. Elle l'interrogea du regard.

« Deux morts. Les Duvall. Tous les deux tués par balles dans leur chambre. Une balle dans la tête pour lui, trois balles dans le dos pour elle, indiqua Quincy. La troisième chambre semble inoccupée. Le fils n'est pas rentré pour les vacances ?

– Henry Duvall, précisa Shelly. Je viens d'apprendre qu'il fait des études d'ingénieur à l'université d'Oregon et qu'il suit actuellement une formation en alternance dans une boîte high-tech de Beaverton. Donc, en effet, il n'est pas rentré cet été.

– Vous lui avez déjà parlé ? » s'étonna Quincy. Il semblait un peu prématuré de contacter la famille des victimes au sujet d'un crime sur lequel on ne possédait encore aucun détail.

« Non, je viens seulement d'échanger avec Aly Sanchez, la conseillère de probation. C'est elle qui avait personnellement sollicité les Duvall pour qu'ils accueillent son protégé. Inutile de vous dire qu'elle est un peu secouée par les événements de la matinée. Des traces de notre suspect ?

– Le lit est défait, comme s'il y avait dormi. Et le ventilateur tourne toujours. À part ça... c'est une chambre plus fonctionnelle que douillette.

– Onze mois qu'il vit ici et il n'est toujours pas prêt à défaire ses valises ?

– Ou alors, il n'en a pas. »

Quincy passa dans la cuisine, observa autour de lui. Trois grandes assiettes soigneusement mises à sécher sur l'égouttoir à côté de l'évier. Pareil pour les verres et les couverts. Puis il jeta un œil dans le réfrigérateur, qui contenait de solides provisions de lait, d'œufs et de jus d'orange, ainsi qu'une collection hétéroclite de Tupperware.

« Tout indique qu'ils ont dîné hier soir, fait la vaisselle.

– Les meurtres ont très certainement été commis en tout début de matinée, confirma Shelly. S'ils remontaient à hier soir, aussi incroyable que ça puisse paraître, l'odeur serait encore plus insoutenable.

– Moyens de transport ?

– Bonne question. » Shelly prit sa radio, appela le central. « Les véhicules au nom de Frank et Sandra Duvall », demanda-t-elle en indiquant l'adresse des intéressés. Il ne fallut qu'une minute à son interlocuteur pour lui fournir la réponse. Deux voitures : une Honda gris métallisé vieille de dix ans et un pick-up Chevrolet bleu vieux de quinze.

« La Honda est dans le garage, indiqua Shelly, qui avait fait le tour des extérieurs.

– Mais aucune trace du pick-up. Je parie que Duvall le garait dans l'allée. »

Shelly hocha la tête.

« Un coffre-fort pour les armes ? poursuivit Quincy.

– Dans la chambre, j'aurais dit.

– Rien vu de tel. Dans le garage ?

– Rien non plus. »

Ils se séparèrent pour mener les recherches. Ce fut Shelly qui décrocha le gros lot : dans la cave où, par bonheur, il faisait plus frais qu'au rez-de-chaussée. Quincy la rejoignit dans la pénombre. Un plafonnier éclairait une vieille table de ping-pong, un congélateur coffre et, à côté d'une pile de cartons, une armoire forte, assez grande pour des fusils.

La porte en était entrouverte.

D'un doigt ganté, Shelly l'ouvrit lentement.

Quelques cartouches qui se battaient en duel et rien d'autre.

Quincy : « Combien d'armes possédait Frank Duvall, déjà ?

– Six. »

Quincy contempla l'armoire vide. « Et un copieux stock de munitions pour aller avec, je parie.

– Autrement dit, j'ai affaire à un suspect de dix-sept ans à la tête d'un arsenal, en possession d'une voiture et qui a peut-être déjà quatre meurtres à son actif. Qu'est-ce qui se passe, Quincy ? Je veux dire, un jeune déséquilibré qui tue sa famille d'accueil, c'est une chose, mais pourquoi les deux victimes de la station-service ? Qu'est-ce qu'il cherche ?

– Il fait une descente dans l'armoire, abat les Duvall..., dit Quincy d'une voix pensive.

– C'est l'impression que ça donne.

– Ensuite il prend la voiture et...

– Il décide de ne pas en rester là ?

– Meurtres à la chaîne. » Quincy se tourna vers le shérif, s'assura qu'il avait toute son attention. « Notre suspect est en route pour commettre une tuerie. Ces équipées criminelles commencent généralement par un meurtre dans l'entourage : on tue sa femme, son patron, un parent. Mais au lieu de signer la fin de la crise avec un passage à l'acte, le tireur connaît un épisode psychotique et décide de faire un carnage. La première victime a été tuée pour des raisons personnelles. Mais à partir de là... l'individu exécutera quiconque aura le malheur de croiser sa route. Vous avez un criminel extrêmement dangereux dans la nature, shérif Atkins. Et il tuera encore. »

Sous sa pellicule de sueur, le visage de Shelly avait pâli, ce qui faisait ressortir les cicatrices de son cou.

« Je vois », dit-elle, crispée. Puis elle répéta : « Je vois. Il va falloir monter une cellule opérationnelle. Lancer un avis de recherche pour retrouver la Chevrolet. Mobiliser les unités spéciales, les renforts de la police d'État – tout ce qui porte un insigne, en fait.

– Tous les lieux publics à proximité de la station-service devraient prendre des mesures de confinement. Les bibliothèques, les centres sociaux, les crèches, etc. » Les piscines, pensa Quincy, soulagé de savoir que celle du YMCA se trouvait à l'autre bout de la ville.

« Bien reçu.

– Il nous faut des renseignements sur ce garçon, tout ce qu'il y a à savoir sur lui. Amis, fréquentations, activités, centres d'intérêt. Comment réagit-il en situation de stress ? Est-il bon tireur ?

– D'accord.

– Le temps joue contre nous. Plus la situation se prolonge...

– Plus notre homme sera dangereux, devina Shelly.

– Sans compter la réaction de la population, qui dans la région...

– Est souvent elle-même à la tête d'un arsenal. » Shelly soupira. Puis elle hocha la tête et rassembla une nouvelle fois son courage. C'était un bon shérif, Quincy le savait, elle tenait bien la pression. Mais comme la plupart de ses collègues, elle passait plus de temps à lutter contre la drogue et les violences domestiques que contre des crimes de cette nature. Les vingt-quatre heures à venir allaient tous les mettre à rude épreuve.

Shelly décrocha une nouvelle fois sa radio, contacta le central.

« Il me faut un avis de recherche. Un jeune homme de dix-sept ans. Cheveux bruns, yeux marron. Portait un sweat à capuche noir la dernière fois qu'il a été vu. Se déplace sans doute au volant d'un pick-up Chevrolet bleu immatriculé... » Shelly déclina le numéro. « Probablement en possession de plusieurs armes, ne s'en approcher qu'avec une extrême prudence. Alertez toutes les villes voisines et la police d'État. Ajoutez les gardes forestiers, les services de la pêche et de la chasse, les campings. Vous connaissez le topo. Le suspect s'appelle Telly Ray Nash. »

Quincy se figea. Se sentit blêmir. « Pardon ?

– Telly Ray Nash », répéta Shelly.

Mais Quincy n'écoutait plus : il remontait les escaliers quatre à quatre pour retrouver Rainie.

6

« *Tu n'as pas confiance en moi* », m'a dit l'homme. Frank. Appelle-moi Frank, m'avait-il dit l'après-midi de mon arrivée. Ensuite il m'avait serré la main. Une vraie poignée de main, pendant qu'à côté de lui sa femme (Sandra) hésitait, ouvrait et fermait les poings. Sans doute le genre à vous prendre dans ses bras, mais qui essayait de se retenir.

« *Ce n'est pas grave*, a-t-il continué en me regardant droit dans les yeux. *Pour être franc, je n'ai pas non plus confiance en toi. Trop tôt pour ça. Nous en sommes encore à faire connaissance.* »

Je n'ai rien dit. Que voulez-vous répondre ? Nous étions dans une clairière en pleine forêt. Devant nous, punaisée à une vieille palette en bois, une cible toute neuve, apportée par Frank. À nos pieds, le sol était jonché d'étuis de cartouches, de capsules de bouteilles, de mégots de cigarettes. Tous les gens du coin venaient ici, m'avait expliqué Frank pendant le trajet. Un vrai stand de tir pour péquenauds.

Cela faisait environ quatre semaines que je vivais chez les Duvall. Dans certaines familles d'accueil, on a droit, disons, à un cookie ou même à un gâteau pour fêter le premier mois. Mais chez les Duvall, on allait faire un carton.

De l'arrière du pick-up, Frank a sorti une table pliante, qu'il a montée. Puis il a apporté deux paires de lunettes de protection, un sachet de bouchons d'oreilles et des boîtes de munitions. Enfin, il a pris, derrière le siège conducteur, une mallette noire avec code secret, à peine plus grande qu'une boîte à sandwichs. Le pistolet. Ou bien les pistolets ?

Je ne savais pas très bien ce que je fichais là. Emmener un gamin avec mes antécédents apprendre à tirer, il fallait le faire.

Frank a composé le code de la mallette de transport. Comme il n'a fait aucun effort pour cacher l'écran, je n'en ai fait aucun pour détourner les yeux. Je ne suis pas bavard, vous dirait ma conseillère de probation. Mais je suis observateur. Là encore, vu mon passé, le contraire serait étonnant.

Frank a ouvert la mallette. L'intérieur était garni d'une mousse alvéolée noire, ça ressemblait à une boîte d'œufs, ou peut-être à ces mousses acoustiques dont on tapisse les murs des studios d'enregistrement. Bien au chaud au milieu, noir sur noir, le pistolet. Plus petit que je ne l'aurais cru. Et... flippant.

Jamais je n'avais tiré auparavant, si on ne compte pas les jeux vidéo.

J'ai fourré mes mains dans mes poches. Un matin d'octobre frais. J'avais les pieds et les mains humides de rosée. Une fois encore, qu'est-ce que je foutais là ?

Frank a levé l'arme. « Un Ruger SR22, a-t-il claironné. Une capacité de dix plus un coups, soit dix balles dans le chargeur, une dans la chambre. Alors, commençons par le commencement : une arme est un outil ; et les outils se traitent avec respect. »

Il me regardait comme s'il attendait une réaction. Pour finir, j'ai acquiescé. J'étais obligé de lever la tête pour le regarder dans les yeux. Frank était un grand gaillard. Plus d'un mètre quatre-vingt-dix. Une solide carrure, mais plus un physique de basketteur que de footballeur. Prof de sciences au lycée de la ville, il avait grandi ici. Le vrai gars du coin. Quand il avait mon âge, il filait un coup de main à la ferme laitière de ses parents matin et soir, tout en faisant des étincelles sur le parquet en tant que joueur vedette de son équipe universitaire, et passait la plupart de ses samedis soir à s'enfiler bière sur bière en cherchant les problèmes. Il savait ce que c'était que d'être un adolescent, m'avait-il dit le soir de mon arrivée. Il savait ce que c'était que d'avoir des problèmes.

Sa femme et lui avaient accepté de m'accueillir en toute connaissance de cause. Ils savaient ce que j'avais fait dans le passé. Et ce que j'étais encore capable de faire.

Ils savaient aussi que j'étais au pied du mur. J'avais dix-sept ans, d'ici un an j'allais sortir du dispositif de l'aide à l'enfance. Les Duvall étaient ma dernière chance de me faire une place quelque part. Pas d'être adopté : j'étais entré dans le système trop vieux pour nourrir ce genre de rêve utopique. Mais si je jouais bien ma carte, si je leur faisais un peu confiance, bref, si je m'achetais une conduite, je pourrais au moins y gagner une famille d'accueil pour le reste de ma vie. Un endroit où aller à Noël. Pour Thanksgiving. Surtout, m'avait expliqué ma conseillère de probation, ils pourraient me guider pour relever tous les grands défis qui m'attendaient : trouver un travail, m'installer, payer mes factures. En route pour le monde réel. Le soutien de deux figures parentales bienveillantes me serait d'un grand secours. Du moins, c'était ce que m'avait dit la conseillère.

Je n'avais pas eu le cœur de lui confier, pas plus que je n'ai confié au grand Frank les-ennuis-ça-me-connaît, si sûr de lui, ni à Sandra viens-là-que-je-te-fasse-des-cookies-et-des-câlins, que la famille et moi, ça faisait deux.

C'était du passé.

« *Quand on manipule une arme, m'a dit Frank, le 22 toujours à la main, la sécurité passe avant tout. Ne jamais diriger une arme vers un objet sur lequel tu ne voudrais pas tirer. Même si tu penses qu'elle n'est pas chargée.* »

Il m'a regardé.

« *Ne jamais diriger une arme vers un objet sur lequel je ne voudrais pas tirer, ai-je répété avec un temps de retard.*

— Il y a des gars qui imaginent qu'un rayon laser sort de la bouche du canon et que tout ce qu'il touche est coupé en deux. Si tu regardes le Ruger à l'instant, qu'est-ce que je touche ?

— Euh, l'arbre là-bas.

— Est-ce qu'on peut se permettre que cet arbre soit coupé en deux ?

— J'imagine. Oui.

— Et maintenant ?

— Tu viens de perdre ton gros orteil.

— Exact. Or j'ai besoin de mon gros orteil, donc je ne vais pas laisser pendouiller le pistolet comme un crétin au risque de me tirer une balle dans le pied.

— D'accord.

— Deuxième règle d'or : ne jamais partir du principe que l'arme n'est pas chargée. Même si je te la donne en affirmant qu'elle est vide, tu vérifies. Chaque fois. Sans exception. »

Il disait cela d'un air très sérieux. Sinistre, même. Une fois de plus, j'ai hoché la tête.

Il a reposé l'arme sur la table, le canon toujours dirigé de l'autre côté, vers l'arbre. Un arbre mastoc. Un tronc épais couvert de plaques plus pâles : de la mousse vert cendré. Ou du lichen, peut-être. Je confondais les deux. Frank aurait su la différence — si je lui avais posé la question, évidemment.

« *Vérifier qu'un pistolet est vide se fait en deux temps. Premièrement, éjecter le chargeur.* » *Frank a repris le Ruger, sa grosse main autour de la poignée. « Approche. Prends-le. Il ne va pas te mordre. Et si tu n'es pas capable de le manipuler à vide, alors tu n'es clairement pas prêt pour le tir sur cible. »*

Je me suis forcé à sortir les mains de mes poches et j'ai pris sur moi pour avancer d'un pas. Le plus marrant, en fait, c'est qu'il aurait suffi que Frank m'interdise catégoriquement de toucher ses armes pour que je me mette à tripoter tout son arsenal dans les trois secondes.

Comme il avait lu mon dossier, il était certainement au courant. Interdisez quelque chose à un jeune atteint d'un trouble oppositionnel avec provocation et vous pouvez être pratiquement certain qu'il commettra l'infraction en question. Au contraire, du moment qu'il me donnait la permission, qu'il me proposait même carrément de m'initier au tir... je n'avais même pas envie de ce flingue à la con.

J'aurais plutôt voulu que le pistolet, les balles et les arbres couverts de mousse ou de lichen disparaissent.

Frank m'a mis le Ruger dans la main droite.

Il était plus lourd que je ne m'y attendais. C'est la première idée qui m'a traversé l'esprit. Mais aussi... agréable. La poignée en caoutchouc était pile de la bonne taille pour ma paume. L'arme était compacte, mais pas épaisse.

Plus facile à manier, en tout cas, qu'une batte de base-ball.

« Bien, on retire son doigt de la détente. Ne jamais la toucher avant d'être prêt à tirer. Juste une bonne habitude à prendre. Je te recommande plutôt de poser l'index au-dessus du pontet. Tu sens comme la poignée est caoutchouteuse dans ta main ? En fait, c'est un manchon amovible, tu peux le retirer. La carcasse, elle, est en acier mat. C'est ce que tu sens sous ton index. C'est bien d'avoir conscience de ces détails. De cette manière, la prise en main de ton pistolet et le positionnement de ton index devien-

dront de plus en plus automatiques. Tu feras ça au toucher. C'est comme ça que tu sauras que tu es devenu bon tireur. »

Je n'ai rien dit, mais il avait raison. Je sentais les différentes textures, le caoutchouc sous ma paume, l'acier mat sous mon index. C'était... réel.

« Maintenant, tout en gardant ton doigt éloigné de la détente et le pistolet dirigé de l'autre côté, il faut que tu vérifies si ton arme est vide. Première étape : éjecter le chargeur. Regarde à gauche de la poignée, juste derrière le pontet. Tu vois le petit bouton noir ? Appuie dessus avec ton pouce. »

Je l'ai fait et aussitôt le chargeur est sorti par la base de la poignée. Pas complètement, mais juste assez pour que je puisse finir de l'extraire avec ma main gauche. Il était étonnamment léger.

« Ce chargeur a une capacité de dix coups. Combien tu vois de cartouches ? » m'a demandé Frank.

Question bizarre. « Aucune. Il est vide.

– Donc le pistolet est vide ? »

Je l'ai regardé. Ce n'était pas parce que je n'avais jamais tiré que je ne voyais pas les pièges. « Tu as dit première étape, donc il y en a au moins une autre.

– Bien vu. Tu te rappelles ce que j'ai dit d'autre à propos du Ruger ? Quand je te l'ai présenté ?

– Dix plus un coups, ai-je fini par me souvenir. La chambre ! Dix dans le chargeur, que je viens d'éjecter. Mais ça en laisse une dans la chambre.

– Excellent. On n'est jamais certain qu'un pistolet soit vide tant qu'on n'a pas regardé dans la chambre. Donc, d'abord on éjecte le chargeur et ensuite on tire la glissière vers l'arrière pour inspecter la chambre. Une fois que tu as sorti le chargeur, tu poses ta main gauche sur le dessus du pistolet. La glissière est en métal poli. Là encore, sens la différence de texture.

– *Ouais.*

– *Poignée en caoutchouc. Carcasse en acier mat. Glissière en acier poli. OK ?*

– *OK.*

– *Le pistolet tenu à bout de bras, tu te sers de ta main gauche pour manœuvrer la glissière vers l'arrière. Ça peut demander un peu d'huile de coude, ce n'est pas grave. »*

J'ai tiré plus fort. D'un seul coup, la glissière a reculé. Surpris, je l'ai lâchée et elle est revenue à sa place d'un coup sec.

« Mollo, mon gars, a dit Frank en riant. C'est la meilleure façon de se faire pincer la main et d'y laisser un bout de peau. Il faut que ça coulisse en douceur. Tu tires en arrière sans à-coups et sans lâcher. »

Encore deux tentatives plus ou moins ratées avant de réussir enfin.

« Regarde dans la chambre, m'a dit Frank.

– *Vide.*

– *Maintenant tu peux laisser la glissière revenir doucement vers l'avant. Ou alors, autre option, sur la gauche du pistolet, tu vois ce verrou noir au-dessus du pontet et devant la sûreté ? Si tu le relèves, il bloquera la glissière en position ouverte. »*

J'ai trouvé le verrou et je l'ai relevé maladroitement.

Frank m'a repris le pistolet et l'a posé sur la table pliante. « Un point de méthode entre nous : toujours présenter une arme exactement de cette manière : chargeur sorti, chambre exposée. Comme ça, toi, moi, n'importe qui peut constater que l'arme est vide. Compris ?

– *Compris.*

– *Bon, il est temps de passer aux choses sérieuses. Mais avant de charger et de parler tir sur cible, il faut d'abord qu'on détermine ton œil directeur. »*

C'était le droit, mon œil directeur. Et pas la peine de fermer l'autre quand on presse la détente. Il faut plutôt se concentrer sur le fait de regarder la ligne de mire et de la pointer sur la cible en se servant de son œil directeur.

Frank a tiré le premier. Et vidé le chargeur. Un beau tir groupé, presque tout dans le mille. J'ai pensé qu'il voulait frimer devant le petit jeune. Mais il n'a pas fait le fier. Juste un petit hochement de tête pour lui-même : il était à la hauteur de ses attentes.

Ensuite, ça a été mon tour. Lunettes de protection. Bouchons d'oreilles. Rattraper les cartouches qui roulaient sur la table pliante alors que je galérais à en mettre trois dans le chargeur – juste de quoi me lancer.

Frank m'a positionné à trois mètres de la cible. Tellement près que j'aurais pu cracher dessus.

Ensuite, en piste.

La course de la détente était plus longue que je ne m'y attendais. Quant au recul, je ne m'y attendais pas du tout. Le pistolet a fait un bond dans ma main. Et l'arbre à droite de la cible a perdu un peu de mousse (ou de lichen ?) dans la bataille.

Frank n'a pas du tout eu l'air surpris. « Concentre-toi sur la course de la détente, m'a-t-il conseillé. Elle sera longue pour la première balle, courte pour les suivantes. Habitue-toi à cette sensation. Ensuite, on travaillera la prise de visée. »

Prendre ma visée, expulser tout l'air de mes poumons, actionner la détente en douceur. En fin d'après-midi, j'avais au moins acquis une certaine maîtrise. À cinq mètres, mes tirs étaient à peu près groupés même si je ne touchais pas la zone rouge.

« La régularité, m'a accordé Frank. Un bon début. »

Il a moins tiré qu'il ne m'a entraîné. Mais à la fin, sans doute pour évacuer un peu de pression, il a fait son show : il a tourné la cible en papier sur le côté, face aux arbres, de sorte que nous n'en voyions plus que la tranche, incroyablement fine. Une seule balle pour toucher cette cible de l'épaisseur d'un cheveu et la sectionner proprement en deux.

« Ça fait longtemps que tu tires », ai-je finalement observé – ce qui ressemblait le plus chez moi à un compliment.

« Pratiquement depuis toujours, a-t-il répondu en vérifiant que le chargeur et la chambre étaient vides avant de ranger l'arme dans sa mallette rembourrée. À la maison, je t'apprendrai le démontage. Tirer n'est que la moitié du plaisir : ensuite, il faut entretenir son arme. »

Ensemble, nous avons rangé les bouchons d'oreilles, les lunettes de protection, les boîtes de cartouches, la table pliante. J'ai ramassé ce qui restait de la cible. Il a refermé le hayon du pick-up.

Puis il m'a encore considéré, l'œil sérieux. Le visage grave.

« Sais-tu pourquoi nous avons accepté de t'accueillir, Telly ? »

Pas de réponse.

« Nous croyons en toi. Nous avons lu ton dossier. Ce qui s'est passé avec ta famille. Tu te souviens de cette nuit-là, Telly ? »

Inutile de demander de quelle nuit il parlait. Toute ma vie se résumait à une seule nuit.

« Pas beaucoup. » Je ne le regardais pas. J'ai recommencé à étudier la mousse des arbres.

« Est-ce que tu penses que tu as bien fait d'agir comme tu l'as fait ? »

J'ai dit non de la tête.

Frank s'est immobilisé, m'a regardé un moment.

« L'assistante sociale pense que tu devrais envisager de reprendre une thérapie, a-t-il fini par dire. On t'emmènera. On fera notre part, si tu crois que ça peut t'aider.

– Non, merci.

– *Telly, c'est terrible, ce qui vous est arrivé, à toi et à toute ta famille. Et parfois, quand on garde en soi quelque chose d'aussi terrible, ça s'infecte, ça devient encore pire que ça n'était au début.*

– *Je ne me souviens pas*, me suis-je entendu lui dire.

– *Tu ne te souviens pas ?*

– *Non. Des cris de ma mère, oui. Et de mon père… Mais après la batte de base-ball. À partir du moment où j'ai eu la batte entre les mains… je ne me rappelle plus grand-chose.*

– *Quand on est un homme, on fait ce qu'il faut pour protéger sa famille.* »

J'ai fini par lever les yeux vers lui. Je ne comprenais absolument pas de quoi il parlait.

« *Ta sœur a défendu ton geste. Elle a dit que tu l'avais sauvée, que tu les avais sauvés tous les deux, de votre père. C'est ça qui compte, Telly. Peu importe ce que disent les autres : tu as bien agi, cette nuit-là. Il faut que tu t'accroches à cette idée. Ça témoigne du petit garçon que tu étais et de l'homme que tu peux devenir. C'est pour ça que nous avons souhaité t'accueillir, Sandra et moi. Tu penses peut-être avoir mal agi, mais nous, nous voyons un garçon qui a fait ce qu'il avait à faire. Et ce garçon mérite qu'on lui offre un meilleur départ dans la vie.*

– *J'ai blessé ma petite sœur.*

– *Tu lui as cassé le bras. Elle s'en est remise. Aucun doute que si ton père l'avait attrapée en premier, ça aurait été pire.* »

Je n'avais rien à répondre à ça. Je ne mentais pas quand je disais que je n'avais guère de souvenirs de cette nuit-là. Un état de confusion mentale, peut-être même une absence, avait essayé de m'expliquer le premier psy, provoqué par la terreur, le traumatisme, les années de maltraitance. Ce dont je me souvenais, c'était le bruit d'un os se cassant net.

Et le cri de ma petite sœur. Un long cri grêle et suraigu qui n'en finissait pas.

Huit ans plus tard, il résonnait encore dans ma tête.

« Je n'ai pas envie de voir un psy.

– D'accord. Mais on va parler de ce qui s'est passé, Telly, parce que tu en as besoin. Ta vie est en passe de changer. D'ici un an, tu auras dix-huit ans et tu devras voler de tes propres ailes. Notre mission, à Sandra et à moi, c'est de t'y préparer. Tu crois que tu es prêt à être lâché tout seul dans le grand bain ? »

Je ne savais pas quoi dire.

« Telly, m'a-t-il alors expliqué avec patience, personne n'est prêt à affronter le monde tout seul. Et personne ne devrait avoir à l'être. D'accord ? C'est pour ça qu'on est là. On a douze mois pour apprendre à te connaître, douze mois pour que tu apprennes à nous connaître. Ça marche ? »

Je ne savais toujours pas quoi dire.

Il a hoché la tête d'un air compréhensif. « D'accord. Et le tir ? Ça te dirait qu'on recommence ? »

J'ai fait oui de la tête.

Il a frappé à petits coups sur le hayon du pick-up et s'est dirigé vers le volant. « Affaire conclue. Beau boulot aujourd'hui, je dois dire. Tu es vraiment doué, Telly. Calme, posé. Continue comme ça et la prochaine fois, j'apporte les carabines. »

7

Rainie sut que la situation était grave à la seconde où Quincy ressortit de la maison. Pas tant à l'expression de son visage (Quincy se faisait une fierté de sa réserve typique de la Nouvelle-Angleterre) qu'à la crispation de sa mâchoire. Il était tendu. Lugubre. Un homme qui cherchait la meilleure manière d'annoncer une mauvaise nouvelle qu'il aurait préféré taire.

Elle remarqua des zones sombres sur son polo bleu marine. Des taches de transpiration, dans cette chaleur infernale. Déceler une faiblesse si humaine chez son mari connu pour son flegme imperturbable la troubla.

« Toute la famille est morte ? lui demanda-t-elle avec douceur lorsqu'il s'arrêta en face d'elle.

— Les parents, Frank et Sandra Duvall. Tués par balles dans leur chambre.

— Le fils ?

— Non. Il est à Beaverton, un programme d'études en alternance. Rainie… l'adolescent qui avait été placé chez les Duvall, notre meurtrier présumé, c'est Telly Ray Nash. »

Il fallut un instant à Rainie pour comprendre. Dans son désarroi, elle se surprit à penser : mais c'est le nom de famille de Sharlah. Puis le puzzle se reconstitua et elle éprouva une curieuse sensation de nausée au creux de l'estomac.

« Le grand frère de Sharlah, traduisit-elle.

– Est-ce qu'elle aurait été en contact avec lui ? Est-ce qu'elle aurait parlé de lui ? »

En cas de problème, Sharlah était plus susceptible de se confier à Rainie qu'à Quincy et ils le savaient tous les deux. Cela posé, elle n'était de toute façon pas du genre à se confier. Une famille de grands solitaires, pensa Rainie, comme bien souvent.

« Elle ne m'a jamais parlé de lui. Quincy, il a tué leurs parents.

– Je sais. À coups de batte de base-ball, pas avec un pistolet.

– Il a cassé le bras de Sharlah.

– Je sais.

– Elle n'est pas censée être en contact avec lui. C'est stipulé dans son dossier. Et rompre les liens familiaux, ce n'est pas une chose que les services sociaux font à la légère. »

Quincy hocha la tête.

« Il a commencé par tuer les Duvall, c'est ça ? demanda Rainie.

– Oui. »

Rainie travaillait depuis suffisamment longtemps aux côtés de Quincy pour connaître la suite : « Telly Ray Nash est parti pour commettre une tuerie.

– Tu connais la nouvelle expression qu'on propose pour désigner ce genre de meurtriers ? Tueurs fous. » Quincy mit les mains dans ses poches. Il ne regardait plus Rainie, mais, au loin, le bosquet de sapins. Il se calmait en faisant appel à la logique, comprit Rainie. S'il arrivait à définir et analyser la situation, alors il pourrait la maîtriser. Or, comme tout parent, Quincy ne voulait pas que les événements lui échappent quand il s'agissait de sa fille.

« Les tueurs à la chaîne et les tueurs de masse sont mus par le même ressort psychologique, continua Quincy. Un sentiment d'isolement, le désir de se venger d'une société qui les a rejetés. Les tueurs de masse limitent leur passage à l'acte à un seul lieu : une école, un cinéma, leur ancien lieu de travail. Tandis que, par définition, les tueurs à la chaîne tuent à plusieurs endroits en un court laps de temps.

– Des tueurs de masse en mouvement.

– Exactement. Mais il y a des cas de figure où les deux notions se chevauchaient. Kip Kinkel, qui a assassiné ses parents avant d'aller continuer le massacre à son lycée. Adam Lanza, qui a tué sa mère avant d'aller faire un carnage à l'école primaire de Sandy Hook. S'agit-il de tueurs à la chaîne, parce qu'ils ont commis leurs crimes à plusieurs endroits ? Ou de tueurs de masse, parce que l'essentiel de leurs victimes se trouvait dans un même lieu ? »

Rainie attendit que Quincy réponde à sa propre question.

« Les criminologues aiment définir des profils, dit-il à mi-voix. Définir permet de comprendre. D'où la proposition de créer une troisième catégorie – tueurs fous – englobant les deux premières.

– La station-service n'est ni un établissement scolaire ni un ancien lieu de travail, fit remarquer Rainie. Pour autant qu'on sache, c'est une cible prise au hasard.

– Meurtres à la chaîne.

– Il ne va pas en rester là.

– Ce type de tuerie ne s'arrête qu'à la mort du meurtrier lui-même.

– Il faut que j'aille chercher Sharlah. » Rainie parlait d'une voix tendue, pas tout à fait elle-même. « Qu'est-ce qu'on lui dit ?

– L'affaire va être médiatisée. Une chasse à l'homme de cette ampleur ? Toute la ville va en parler.

– Autrement dit, il faut que ce soit nous qui lui annoncions la nouvelle.

– Qu'elle reste dans la maison jusqu'à nouvel ordre, dit Quincy. Et que Luka ne la quitte pas d'une semelle. »

Rainie hocha la tête. Il ne lui apprenait rien de nouveau, et pourtant elle avait curieusement l'impression d'être privée de tous ses repères. Quelques heures plus tôt, elle conduisait sa fille à son stage de natation et rejoignait son mari pour une mission d'expertise auprès de la police locale…

Et voilà qu'à présent on soupçonnait le frère de sa fille, avec qui celle-ci n'avait plus aucun contact, d'être un tueur à la chaîne ou tueur fou. À quel atelier des formations dispensées aux futures familles d'accueil correspondait cette situation ? Comment était-elle censée regarder sa fille dans les yeux et faire une nouvelle fois voler son univers en éclats ?

Contre la peur et l'anxiété, les meilleurs antidotes sont la force intérieure et la confiance en soi. Rainie connaissait ces notions de psychologie élémentaire avant même de suivre cette formation à la parentalité. Une enfant comme Sharlah, qui avait vécu un drame, n'avait pas besoin qu'on l'élève dans le coton ou qu'on lui serve des platitudes. Elle savait déjà que le pire pouvait se produire. Ce qu'il fallait, c'était l'informer, la guider et la rassurer sur ses capacités. Sharlah était solide et la mission de Rainie consistait à le lui rappeler.

Ce qui supposait déjà qu'elle-même rassemble ses propres forces. Vite. « Et toi ? demanda-t-elle à son mari.

– J'ai dit au shérif Atkins que je les aiderais à établir un profil. Par ailleurs… je vais voir si je trouve plus d'informations sur la mort des parents de Sharlah.

– Tu penses qu'il pourrait y avoir un rapport entre les agissements de Telly il y a huit ans et ce qui se passe aujourd'hui ? » Quincy acquiesça. Le passé d'un criminel n'est jamais neutre.

« Mais je croyais qu'il n'y avait pas eu de poursuites. Dans ce cas, est-ce qu'il y a même un dossier à rouvrir ? demanda Rainie.

– Peut-être pas. Mais s'agissant d'une affaire aussi sensationnelle, il y aura bien quelqu'un – le procureur, les enquêteurs, l'assistante sociale – pour s'en rappeler.

– Ça marche. Tu parles aux experts, je parle à Sharlah. Mais elle n'aime pas se repencher sur le passé. Et vu l'âge qu'elle avait, j'ignore si elle a gardé beaucoup de souvenirs de cette époque.

– Bon courage.

– Quelle est sa prochaine destination, tu crois ? reprit d'un seul coup Rainie en pensant à Telly Ray Nash.

– Aucune idée, mais j'imagine qu'on ne va pas tarder à le savoir. »

Rainie arriva à la piscine cinq minutes avant l'heure convenue. Sharlah l'attendait déjà dehors : une grande fille dégingandée dont les cheveux mouillés dégoulinaient dans le dos, un sac de natation jaune poussin sur l'épaule.

À la surprise de Rainie, sa fille-bientôt-adoptive n'était pas seule. Une fillette de six ou sept ans se trouvait avec elle et lui parlait avec animation. Sharlah au contraire restait sur la réserve, tout en acquiesçant à ce que disait la petite.

Rainie s'arrêta à leur hauteur, baissa la vitre.

« C'est ta maman ? demanda aussitôt la fillette. Elle est très jolie. Tu reviendras demain ? Je crois que tu devrais revenir. Tu t'es très bien débrouillée aujourd'hui. On devrait arriver à faire de toi une nageuse, d'ici la fin de la semaine !

– Au revoir », dit Sharlah. Elle ouvrit la portière, monta en voiture, se pencha vers la climatisation réglée à fond. Dehors, la petite fille agitait la main avec exubérance.

« C'est la nouvelle monitrice de natation ? » demanda Rainie en s'éloignant du trottoir. Elle tapotait le volant de l'index. Elle s'obligea à arrêter, à respirer profondément, à se concentrer.

« En quelque sorte.

– C'était aussi nul que tu le craignais ?

– Je ne sais pas nager.

– Mais si, tu sais. Je t'ai vue te baigner plein de fois dans l'océan. »

Sharlah secoua la tête. « Ça ne s'appelle pas nager. Ça s'appelle flotter. Et... barboter. Je sais barboter. Mais nager... Le crawl, la brasse, le dos crawlé. Je ne connais rien de tout ça. Alors on m'a mise avec les petits. Et la plupart nagent mieux que moi. »

Rainie ne savait pas quoi dire. Sharlah parlait de son stage de natation, mais Rainie n'avait que des scènes de crime devant les yeux. Son enfant, déjà aux prises avec des difficultés de socialisation, avait eu une rude matinée et l'après-midi s'annonçait pire encore.

Rainie se surprit une nouvelle fois à tapoter le volant. Puis elle s'aperçut que Sharlah l'avait remarqué. Le visage de celle-ci se ferma. Elle ne demanda pas ce qui n'allait pas ; ce n'était pas son genre. Mais, d'une manière que Rainie trouva beaucoup plus poignante, elle comprit que quelque chose ne tournait pas rond et se prépara à accuser le coup.

La procédure d'accueil d'un enfant en vue d'une adoption était aussi rigoureuse que l'imaginaient la plupart des gens. Les services sociaux de l'Oregon avaient exigé des montagnes de papiers de la part de Rainie et Quincy. Il y avait eu les visites à domicile, les contrôles d'antécédents, les démarches d'habilitation. Et des tonnes de listes à cocher. Leur référente semblait avoir un stock inépuisable de listes à cocher.

Pour recevoir leur agrément, Rainie et Quincy avaient également dû suivre une formation initiale de trente heures qui abordait tous les sujets, depuis les droits de l'enfant placé jusqu'à ceux de ses parents biologiques et de ses frères et sœurs. C'était à ce moment-là qu'ils avaient appris que Sharlah avait un grand frère, mais qu'il était sorti de sa vie. Il y avait eu un drame. Le père des enfants, toxicomane, avait été pris de folie meurtrière et avait agressé sa famille. Telly, l'aîné, avait répondu à coups de batte de base-ball. À l'arrivée, les deux parents étaient morts et Sharlah avait le bras cassé. Les autorités avaient jugé préférable que Sharlah ne voie plus son frère. Telly avait d'ailleurs dans son dossier une note interdisant son placement dans une famille comptant de jeunes enfants.

En huit ans, Rainie se disait que la situation avait pu évoluer. Suivi psychologique pour Telly, thérapie pour Sharlah. Malgré son bras cassé, la fillette avait défendu l'attitude de son frère, ce qui laissait supposer qu'elle était attachée à lui.

Mais jamais Rainie ne l'avait entendue prononcer le nom de Telly. Et jamais, en décrochant le téléphone, elle n'avait eu un adolescent repentant au bout du fil.

Pour la première fois, Rainie regretta qu'ils n'aient pas cherché à approfondir le sujet. Leur formateur le leur avait pourtant seriné : dans la vie d'un enfant placé, les relations avec la fratrie sont souvent les principales, sinon les seules, relations stables. Quincy et elle auraient dû poser plus de questions, à Sharlah et aux services sociaux, même si des deux côtés on préférait fermer les yeux.

La vérité, c'était que ça arrangeait bien Rainie et Quincy que son frère soit sorti de la vie de leur fille. Ils n'avaient pas envie d'avoir à tenir compte d'autres membres de la famille.

La situation était plus claire, plus simple, s'ils avaient Sharlah rien qu'à eux.

Rainie prit une grande inspiration. Puisque Sharlah était déjà en alerte rouge, autant se jeter à l'eau et aller droit au but.

« Il y a eu un incident ce matin, dit-elle. Un double meurtre dans une station-service de la ville. La police possède une vidéo du tireur. Ils sont remontés jusque chez lui, et ils ont découvert qu'il avait déjà abattu ses parents d'accueil... Sharlah, ce tireur a été identifié : il s'agit de Telly Ray Nash, ton grand frère. »

Sharlah se détourna. S'enfonça dans son siège, fixa la route. « D'accord », dit-elle.

Rainie attendit que, le premier moment de stupeur passé, Sharlah pose des questions. Mais elle continuait à regarder droit devant elle, le visage neutre.

« Tu te souviens de ton frère ?

– Oui.

– Sharlah... Est-ce que tu te souviens de tes parents ? De ce qui leur est arrivé ?

– Oui. »

Sharlah eut enfin une réaction : elle se massa l'épaule gauche.

« Est-ce que tu as vu ton frère depuis l'accident ? Est-ce que tu lui as parlé ?

– Non.

– Est-ce que tu aimerais lui parler ? Est-ce qu'il te manque ? »

Sharlah se massa l'épaule de plus belle.

« Chérie, à ce que nous avons compris, tu as défendu le comportement qu'il a eu ce soir-là. D'après tes déclarations, il vous avait tous les deux sauvé la vie face à votre père.

– Il avait un couteau.

– Ton père ?

– Il avait un couteau. Et il fonçait droit sur nous. »

Rainie ne dit rien.

Et un instant plus tard, Sharlah ajouta, si bas que Rainie l'entendit à peine : « C'est moi qui ai donné la batte à Telly. Ils couraient tous les deux dans le couloir. Mon père était si près de Telly. J'ai pensé qu'il allait le rattraper. Qu'il allait le tuer. Alors j'ai donné la batte à Telly.

– Et Telly t'a frappée avec ?

– Il ne voulait pas.

– C'était un accident ?

– Il ne me voyait pas.

– Tu t'étais cachée ? Ou bien tu te tenais trop près ? Il t'a frappée en prenant son élan ? »

Sharlah secoua la tête, le visage toujours inexpressif, le regard dans le vague. « Il ne pouvait pas me voir. J'étais là, mais il ne me voyait plus. Il lui ressemblait tellement, tu sais. Quand il frappait avec la batte. Il ressemblait à notre père. »

Rainie comprit à demi-mot. Et ce fut à son tour de détourner les yeux. Huit ans plus tôt, Telly était un petit gringalet de neuf ans. Son énergie décuplée par l'adrénaline et la peur, il s'était pour ainsi dire absenté de lui-même quand il avait réduit son père en bouillie. Rainie imaginait le spectacle qu'il avait dû offrir à une gamine de cinq ans. Le geste de Telly leur avait permis à tous les deux de survivre. Mais il les avait changés à jamais.

« Sharlah, tu sais ce qu'est devenu ton frère après cette nuit-là ?

– La police l'a emmené.

– Et ensuite ?

– Je ne sais pas.

– Tu as pris de ses nouvelles ? Tu as demandé à le voir ?

– Non.

– Pourquoi ? »

Sharlah haussa les épaules, continua à se masser le haut du bras. Elle y avait une cicatrice. À l'endroit où les médecins avaient dû intervenir pour poser une broche sur l'os cassé. Que le dernier souvenir que gardait une enfant de cinq ans de ses parents, de son frère, soit associé à une telle douleur… Rainie n'était nullement surprise que Sharlah n'ait pas envie de revenir sur le passé.

« Quel est ton principal souvenir de Telly ?

– Comment ça ? demanda Sharlah en lançant enfin un regard vers Rainie.

– Un souvenir en particulier. Quand je dis son nom, quelle est la première image qui te revient ?

– Celle des Cheerios.

– Pourquoi des Cheerios ? »

Sharlah plissa le front, fouillant dans sa mémoire. « Il les sortait du placard pour moi. Il me préparait mon petit déjeuner.

– Et vos parents ?

– Je ne sais pas.

– Ils étaient à la maison ?

– Ils dormaient. Il ne fallait pas faire de bruit. Ne pas déranger.

– Est-ce que vos parents vous battaient, Sharlah ? »

La jeune fille se détourna, ce que Rainie prit pour un oui. « Est-ce que ton frère te battait ? » insista-t-elle.

Non, d'une petite voix.

« Et ta mère ?

– Non.

– Donc, c'était ton père…

– Je n'ai pas envie d'en parler. Peu importe ce qu'il s'est passé aujourd'hui. Je n'ai pas envie d'en parler.

– Est-ce que ton frère te manque ? »

Mais Sharlah ne répondit pas.

« S'il essaie d'entrer en contact avec toi, par téléphone, e-mail ou SMS, il faut nous prévenir. Tout de suite. »

Sharlah resta mutique.

« Et dans les jours qui viennent, du moins tant qu'on n'en saura pas plus, mieux vaut que tu restes à l'intérieur de la maison.

– Il a tué ses nouveaux parents ?

– C'est ce qu'on pense.

– Les anciens parents, les nouveaux », dit Sharlah, songeuse, avant de demander : « Il avait de nouveaux frères et sœurs ?

– Les Duvall avaient un fils, plus âgé. Nous pensons qu'il est indemne.

– Alors il ne va pas en rester là.

– Pourquoi tu dis ça ? »

Sharlah secoua la tête et répéta : « Il ne va pas en rester là.

– Sharlah…

– Il faut l'arrêter. Il ne peut pas s'arrêter tout seul. Il faut que quelqu'un d'autre le fasse. » Elle se massa l'épaule. « C'est comme ça que ça marche. Que quelqu'un d'autre l'arrête, pour son propre bien.

– La police va le retrouver, Sharlah. Elle l'arrêtera. Ce n'est plus ton problème. »

Mais Rainie voyait bien que sa fille ne la croyait pas.

8

Cal Noonan appartenait depuis une douzaine d'années à la brigade de secouristes du comté, le SAR, aux côtés d'une soixantaine d'autres bénévoles. Formé aux techniques de recherche, d'orientation, de pistage, de sauvetage et de premiers secours, il était aussi à l'aise dans les espaces sauvages de son enfance que dans son salon. Peut-être même plus. Cal faisait partie de ces gens qui ont des fourmis dans les jambes dès qu'ils passent trop de temps enfermés entre quatre murs. Il avait toujours été comme ça. Lorsqu'il était plus jeune, sa mère ne cessait de lui répéter avec exaspération : « Cal Noonan, va jouer dehors avant de me rendre chèvre ! » Son père lui avait offert sa première canne à pêche à cinq ans, un pistolet à air comprimé à six.

C'était seulement au lycée que Cal s'était découvert un goût pour la chimie qui l'avait conduit, au grand étonnement de ses parents, vers un métier en rapport avec les arts culinaires. Ayant grandi au pays du lait, Cal s'était passionné pour les aspects scientifiques de la production de fromage, de la fabrication de yaourt, et tout le toutim. Du haut de ses quarante-sept ans, il était désormais responsable de production à l'usine où il supervisait la confection et la maturation d'un des meilleurs fromages au monde, un produit exceptionnel vendu dans les épiceries fines. Ses fonctions l'amenaient à voyager davantage qu'il ne l'aurait souhaité, mais il s'en consolait par la fierté qu'il tirait de son travail.

Celui-ci lui offrait de surcroît de vivre à Bakersville, avec ses plages rocheuses, ses prés verdoyants à perte de vue et, bien sûr, sa chaîne côtière qui dominait le tout. Pendant le week-end et les vacances, on le voyait toujours arpenter les bois, pêcher dans les cours d'eau ou même flâner sur la plage.

Quand il n'était pas mobilisé comme secouriste volontaire.

Les services du shérif recherchaient un fugitif armé. On avait retrouvé le véhicule du suspect abandonné un peu au sud du lieu de ses derniers meurtres connus. L'individu se déplaçant désormais à pied, il s'agissait maintenant de mener une bonne vieille chasse à l'homme entre le bitume de la route côtière et les contreforts des montagnes déchiquetées. Certains policiers auraient été intimidés par l'étendue de la zone de recherche. Cal et ses collègues, au contraire, adoraient ce petit jeu.

D'autres membres du SAR étaient en train de se garer lorsqu'il arriva. Il les salua d'un signe de tête tout en effectuant sa manœuvre. Il avait en permanence des chaussures de randonnée et un sac à dos contenant tout le matériel nécessaire dans son véhicule, mais il était repassé chez lui prendre sa carabine.

L'alerte avait été déclenchée trente minutes plus tôt. Étant donné que l'organisation comptait des bénévoles des quatre coins du comté, il faudrait une heure pour qu'ils soient tous sur site et qu'une cellule de coordination soit sur pied. Mais dans les affaires exigeant une grande réactivité, les premiers arrivés formaient aussitôt une équipe et démarraient les recherches. Cal, qui faisait partie des meilleurs pisteurs, s'attendait à partir sur le terrain dans le quart d'heure suivant. Il n'avait besoin que d'un point de situation et de quelques coéquipiers.

Il repéra le poste de commandement mobile du comté, un camping-car amélioré garé de l'autre côté de la route, face à une station-service supérette défraîchie. On n'avait pas lésiné sur la rubalise pour interdire l'accès à ce qui devait être la dernière position connue du tireur. Hochant la tête, Cal se dirigea vers le poste de commandement.

Sur le seuil du camping-car, le shérif Atkins briefait les premiers bénévoles, pour la plupart luisants de sueur.

« La cible est un jeune homme de dix-sept ans, soupçonné de quatre meurtres par balles. On pense qu'il est en possession d'au moins six armes à feu, dont trois carabines. Comme sa voiture a été retrouvée en panne (une surchauffe de moteur) à trois kilomètres au sud d'ici, on pense aussi qu'il est à pied, ce qui limite forcément le volume de ce qu'il peut transporter.

– Téléphone portable ? demanda une voix à la périphérie du groupe.

– Nous avons retrouvé son téléphone personnel dans la boîte à gants de la voiture. Il est possible qu'il ait un appareil jetable sur lui, mais rien dont nous ayons connaissance et qui nous permettrait de suivre ses déplacements.

– Quoi d'autre, comme matériel ? demanda Jenny Johnson, la responsable de Cal, à la droite du groupe.

– On ne sait pas. À part le téléphone portable, la voiture est vide, donc si on suppose qu'il n'a pas voulu se coltiner tout un arsenal, il est possible qu'il ait planqué certaines armes. Sur les dernières images dont on dispose, il est vêtu d'un sweat à capuche noir et armé d'un 9 mm. De l'autre côté de la route, vous verrez son dernier point de passage connu. C'est une supérette, donc il a pu se servir en eau et en vivres après les meurtres. Si c'est le cas, il n'en a pas pris assez pour que ça saute aux yeux, mais on ne peut pas non plus en déduire qu'il est reparti les mains vides. »

Les volontaires approuvèrent. Règle numéro un en matière de pistage : raisonner comme la cible. Par ces fortes chaleurs, s'hydrater était une priorité. Le fugitif allait avoir besoin d'eau – des litres et des litres. Un plein sac à dos de bouteilles ou bien des comprimés de purification pour se fabriquer de l'eau potable en chemin.

Question suivante, venue de l'arrière du groupe : « Aptitude à la survie en milieu naturel ?

– Inconnue », répondit le shérif.

Ça grognait dans les rangs. Elle leva la main.

« Désolée, les enfants, mais les premières victimes de notre suspect ont été ses parents d'accueil. *A priori*, il les a abattus en tout début de matinée, avant de quitter le domicile peu après sept heures et demie. Après quoi, il a descendu les seules personnes qu'il a croisées. Inutile de vous dire que ça limite la quantité d'informations dont nous disposons. »

D'instinct, Cal se redressa légèrement. L'ordre de mobilisation stipulait qu'il s'agissait de pister un fugitif considéré comme armé et dangereux. Mais il découvrait seulement à quel point il l'était, armé et dangereux. Il lui était déjà arrivé de traquer des hommes recherchés (accusés pour l'un de violences conjugales, pour l'autre de cambriolage avec effraction) mais jamais un meurtrier présumé.

« Ce que je peux vous dire, continua le shérif, c'est que le suspect est passé par une demi-douzaine de familles d'accueil. Parmi ses faits d'armes : violation de propriété, vandalisme et délit de rébellion. Ce matin, Telly Ray Nash est entré dans la chambre des parents et les a tués par balles. Après quoi, tout laisse à penser qu'il a fait main basse sur le contenu de l'armoire forte, emportant les six armes et une quantité inconnue – mais sans doute considérable – de munitions. Ensuite, il est parti vers le nord au volant de la voiture de son père, qui est tombée en panne. On suppose qu'il a continué à pied et qu'il est arrivé un peu avant huit heures à la station-service où il a tué un client et la caissière... et depuis, personne ne l'a vu. »

Le shérif se tut et leur laissa le temps de digérer ces nouvelles.

« J'attire maintenant votre attention sur ceci, reprit-elle en désignant une immense carte topographique scotchée à la paroi du camping-car. Voilà notre périmètre de recherche initial. Étant donné que trois heures se sont écoulées depuis les meurtres, nous avons tablé sur un rayon de quinze kilomètres, peut-être moins, vu la chaleur. »

Cal le savait, la première étape d'une traque consistait à circonscrire une zone de recherche, définie en fonction de la distance maximale qu'avait pu parcourir le fugitif. Un individu à pied se déplaçant en moyenne à cinq kilomètres à l'heure, le shérif avait tracé un énorme cercle d'un rayon de quinze kilomètres autour de la dernière position connue du tireur (la station-service supérette), signalée par une grosse croix rouge. Les trois heures d'avance que possédait le fugitif lui ouvraient déjà beaucoup plus de possibilités que Cal ne l'aurait souhaité. Et comme, heure après heure, le périmètre reculerait de cinq kilomètres, la zone de recherche était vouée à s'étendre. Heureusement, la géographie jouait en leur faveur, ainsi que l'expliqua le shérif :

« En regardant notre carte, on constate qu'en parcourant quinze kilomètres vers l'ouest, notre fugitif se serait retrouvé en plein milieu de la baie de Tillamook. Étant donné que c'est la saison des bains de mer et qu'aucun touriste n'a encore signalé de tireur en noir sur la plage, on peut raisonnablement penser que notre suspect n'est pas parti dans cette direction. Même chose, avancer plein nord ou plein sud l'aurait conduit à longer la route côtière. Une demi-douzaine de nos véhicules patrouillent dans le secteur depuis que l'alerte a été donnée, et le suspect n'a été signalé dans aucune zone commerciale ou résidentielle. Ce qui, toujours au vu de la carte, nous laisse la moitié est de la zone. Les contreforts de la chaîne côtière. »

Le shérif descendit les marches, s'approcha de la carte et désigna une immense étendue colorée en vert. « Je suis prête à parier que notre fugitif est parti à travers la cambrousse et qu'il a grimpé jusqu'à la forêt pour pouvoir longer les contreforts dans l'une ou l'autre direction tout en restant à couvert. Ce qui expliquerait qu'il n'ait encore été repéré nulle part, alors que l'ensemble des forces de police est sur le pied de guerre. »

Cal et plusieurs de ses collègues opinèrent du chef.

Bref, la cellule opérationnelle avait commencé par délimiter une zone de recherche d'une superficie considérable. Grâce au découpage du littoral et à l'aide d'un raisonnement simple, le shérif avait déjà coupé le cercle en deux. À présent, les pisteurs chevronnés comme Cal allaient encore affiner l'analyse en identifiant des itinéraires naturels : par exemple, une rivière ou une coulée de cerf que le fugitif aurait logiquement pu suivre. Depuis l'épicentre du drame, plusieurs équipes rayonneraient dans différentes directions en s'attachant à repérer ces cheminements naturels. Ce serait alors à qui trouverait la trace du fuyard en premier.

Et là, les choses deviendraient intéressantes.

Le shérif conclut son briefing en leur donnant sa parole que ses enquêteurs étaient en train de rassembler tous les renseignements possibles sur le fugitif ; à la minute où l'on en saurait davantage, elle veillerait à leur transmettre les informations. En attendant, le SWAT assurerait la protection de chaque équipe. Une brigade cynophile était aussi en route. Dernière chose : la priorité absolue pour elle était que chacun rentre chez lui sain et sauf.

La réunion prit fin. Le SAR avait sa propre chaîne de commandement. Cal vit sa responsable, Jenny Johnson, devant la carte. Elle leur faisait signe de la rejoindre.

Une des fausses idées les plus répandues concernant le pistage de fugitif voudrait que ce soient les limiers eux-mêmes qui tombent miraculeusement sur le râble de leur cible. Mais même expérimenté et travaillant en terrain connu, un pisteur comme Cal ne pouvait progresser qu'à un kilomètre à l'heure. Étant donné que le fugitif se déplaçait, lui, à cinq kilomètres à l'heure, Cal et ses coéquipiers n'avaient guère de chances de le rattraper. Leur objectif était plutôt d'établir dans quelle direction il était parti. Quand on aurait retrouvé sa trace et déterminé le sens de son déplacement, l'équipe de Cal deviendrait un fer de lance qui pousserait leur cible vers l'avant, certes en la talonnant mais aussi, que cette cible en ait ou non conscience, en la contraignant à opérer des choix. Assez vite, les coordonnateurs comme Jenny Johnson, qui auraient suivi la progression de Cal sur la carte topographique, auraient un avis très arrêté sur le prochain point de passage obligé de leur cible. À ce stade, on déploierait une équipe qui se rendrait sur place au pas de charge pour l'intercepter.

Pister un fugitif restait néanmoins dangereux. Une cible paniquée, aux abois, pouvait décider de décrire une boucle pour prendre ses poursuivants à revers ou, se sentant acculée, se positionner en surplomb pour livrer un baroud d'honneur. Chaque équipe serait donc épaulée par des officiers du SWAT. La mission de Cal serait de lire la piste, celle des flanqueurs de s'assurer que chacun rentre chez lui sans égratignure ce soir.

À supposer que la traque soit alors terminée. Il n'était pas rare en effet que les missions du SAR durent trente-six heures et Cal avait même effectué un jour une sortie de quarante-huit heures. Dans ce cas, des collègues montaient à pied ravitailler les pisteurs en eau et en vivres au fur et à mesure des besoins. Telles étaient les exigences d'une chasse à l'homme.

Cal était survolté. Ce qui pouvait être une bonne comme une mauvaise chose. L'adrénaline donne des ailes et pousse à l'action, mais il ne fallait pas non plus perdre de vue que, dans une traque comme celle-ci, mieux valait être tortue que lièvre.

Jenny entreprit de former les équipes. Cal, en tant que chef pisteur, était dans les starting-blocks. Ne lui manquaient qu'un pisteur assistant (en gros, une deuxième paire d'yeux) et deux flanqueurs du SWAT.

Jenny lui attribua Norinne Manley comme binôme. Cal approuva. Malgré ses cheveux gris fer, Nonie, grand-mère de quatre petits-enfants, pouvait battre à la marche des pisteurs qui n'avaient pas la moitié de son âge et consacrait son temps libre à donner des cours d'alphabétisation pour adultes à la paroisse. C'était peu dire qu'elle était appréciée. En tout cas, Cal se félicita de l'avoir dans son équipe.

Du côté du SWAT, Jenny lança les noms d'Antonio Barrionuevo et de Jesse Dodds. Deux hommes en vert se détachèrent de l'escouade pour rejoindre Cal et Nonie.

Les deux officiers portaient de minces gilets pare-balles ; vu la chaleur, Cal était désolé pour eux. Mais peut-être qu'avant la fin de la journée, c'étaient eux qui éprouveraient le même sentiment au-dessus de son cadavre. Allez savoir.

Ils portaient des fusils d'assaut AR-15 de calibre 223 sur l'épaule. Cal devina qu'ils étaient équipés d'un viseur holographique EOTech. En outre, leurs gilets étaient bourrés de matériel (chargeurs, trousse de secours, menottes en plastique, matraque) et les poches de leur pantalon militaire étaient alourdies par des barres protéinées, des comprimés de purification, des piles, sans doute même un ou deux couteaux. Cal n'avait pas souvent l'occasion de travailler avec des agents des forces spéciales. À ce stade, c'étaient surtout leurs chaussures qui l'intéressaient : rien ne freinait tant une équipe de recherche que les ampoules. Simplement contrariantes au début, elles finissaient par devenir une torture qui pouvait tous les paralyser. Mais ses deux flanqueurs avaient l'air de porter des chaussures qu'ils aimaient particulièrement – une pièce maîtresse de l'équipement, aux yeux de Cal.

Il leur fit son topo avec un débit de mitraillette, pressé d'y aller. Le fugitif avait déjà trois heures d'avance, inutile de lui en donner davantage.

« N'oubliez rien dont vous pourriez avoir besoin, mais ne prenez rien d'inutile, dit-il en soulevant son barda. Le rythme ne va pas être soutenu, mais une fois partis, on ne reviendra peut-être pas avant plusieurs jours. »

Nonie, qui n'en était pas à sa première sortie, bâilla. Antonio et Jesse cillèrent à peine. Des costauds. Logique.

« À la première sensation de frottement sur le pied, vous le dites ! J'ai du sparadrap. Mieux vaut prévenir que guérir, avec les ampoules. Parce que, je me répète, on sait quand on part, on ne sait pas quand on revient. »

Toujours leurs airs de durs à cuire.

Cal continua : « Je fais des repérages jusqu'à une distance de dix mètres, en cherchant des indices, c'est-à-dire des endroits où l'ordre naturel des choses a été modifié : une branche cassée, de la mousse piétinée ou encore, on peut rêver, une trace de chaussure dans la boue. Il a plu il y a deux jours, donc, avec un peu de chance, à l'ombre les conditions pourraient être propices à la présence d'empreintes. Nonie sera ma deuxième paire d'yeux : comme on dit, deux têtes valent mieux qu'une. Si je perds la piste, on retourne à la dernière position connue et de là on progresse en spirale jusqu'à retrouver des signes. Vous aurez parfois l'impression qu'on fait un pas en avant, deux pas en arrière, mais il faudra nous faire confiance. Et au cas où vous n'auriez jamais travaillé avec des pisteurs : nous ne sommes pas des chiens limiers. On ne passe pas notre vie à regarder sous notre nez. La meilleure façon de repérer une trace est de s'en approcher de biais. Donc on regardera davantage devant nous qu'à nos pieds ; ça ne veut pas dire que nous ne faisons pas notre boulot. »

Antonio et Jesse hochèrent la tête, toujours imperturbables.

« Surveillez les hauteurs, leur conseilla Cal. Beaucoup de chasseurs dans la région, donc beaucoup de miradors qui feraient tous d'assez bonnes planques, au mieux pour se cacher, au pire pour nous canarder. Si j'en connais dans le coin, je vous les signalerai, mais les chasseurs en construisent tout le temps de nouveaux et ce secteur ne figure pas vraiment sur les cartes de randonnée. »

Double hochement de tête.

« Vous avez déjà fait de la marche ?

— J'ai grandi à Bend », répondit Jesse. Une ville de l'autre côté de la chaîne des Cascades, véritable eldorado en matière d'activités de plein air.

Cal vit le tableau : ces officiers avaient été choisis pour leur aisance à évoluer en milieu naturel. Il les gratifia d'un grand sourire.

« Désolé. La hiérarchie... vous savez ce que c'est ! »

Remarque qui lui valut enfin deux larges sourires en retour. Ils connaissaient tous la hiérarchie. Et il y avait des jours où les officiers de terrain n'en revenaient pas de tant d'incompétence.

Ils finirent de s'équiper, les flanqueurs prirent leurs fusils en main, puis, en peloton, ils traversèrent la route.

Cal commença par observer la supérette. Dernière position connue de leur cible, kilomètre zéro des recherches. Tout en étudiant le bâtiment, il fit ce qu'il faisait le mieux : raisonner comme un homme en fuite.

Un jeune de dix-sept ans. Qui, pour une raison quelconque, avait descendu ses deux parents d'accueil au saut du lit. Après quoi, il avait pris la fuite, vidant le coffre-fort de ses armes, volant la voiture. Et il était parti vers le nord.

Pourquoi le nord ? Première décision qui méritait réflexion.

La voiture avait lâché. Surchauffe, par cette canicule infernale. (Mais où était donc passée cette fichue brise marine ?)

Le garçon avait donc continué à pied. Avec les six armes ? Trop voyant. Alors il en avait planqué une partie. À proximité de la voiture, certainement, où les enquêteurs ne tarderaient pas à les découvrir. Cal et son équipe seraient reconnaissants des informations qu'on pourrait leur fournir à ce sujet. Quand on court après un fugitif armé, mieux vaut connaître la composition de son arsenal.

Le shérif avait parlé d'un 9 mm. Et Cal aurait parié que le garçon avait aussi gardé une carabine. Une arme de courte portée, une autre de longue portée : l'alliance parfaite pour un suspect résolu à faire un carnage.

Ce qui ramena Cal à sa première question : pourquoi le tireur avait-il choisi de partir vers le nord ? Avait-il une destination en tête ? La station EZ Gas, par exemple, où il avait fait deux nouvelles victimes ?

Cal n'était pas criminologue. Il ne comprenait pas les ressorts de la violence. Non, son talent à lui consistait à envisager les questions logistiques, à raisonner comme un fugitif. Or celui-là, après avoir abattu deux personnes...

Cal s'approcha du périmètre de la scène de crime ; ses coéquipiers restèrent en arrière, attendant son signal. Nonie observait elle aussi les alentours, mais elle avait déjà eu l'occasion de travailler avec Cal et préférait lui laisser la main.

Le pisteur alla se placer devant la porte de la station-service, dans le sens de la sortie, puis, se mettant dans la tête du tireur, tourna vers le nord. Il longea alors le ruban de scène de crime jusqu'à se retrouver avec, sur sa gauche, la route étroite qui miroitait sous les ondes de chaleur et, sur sa droite, la benne à ordures, à proximité d'une épaisse haie de buissons mal taillés. Au bout du terrain, pas de départ de sentier pédestre identifiable. Pas de signe d'intrusion récente ni de piétinement.

Et pourtant, il sentit son pouls s'accélérer.

Il s'accroupit. Scruta les abords poussiéreux du parking, à la recherche de traces. Observa les buissons à l'abandon sous un autre angle. Et, de l'autre côté de la vieille benne, il aperçut vaguement quelque chose. Une empreinte de pas ? Une tache sombre.

Il fit le tour de la benne et là, juste derrière, touchant presque la roue bloquée, il eut la satisfaction de trouver son premier signe de la journée.

Il se retourna vers son équipe, une quinzaine de pas derrière lui.

« Hé, lança-t-il, prévenez le shérif : on a du vomi. »

9

Quincy avait déjà rencontré le procureur du comté, Tim Egan, à maintes reprises. Deux fois lorsque Rainie et lui avaient été sollicités comme consultants sur des affaires locales, mais le plus souvent à l'occasion de réceptions : une soirée de levée de fonds par-ci, un barbecue chez des amis d'amis par-là. Quincy estimait connaître relativement bien le procureur, mais en tant que profileur il savait qu'on ne connaît jamais parfaitement quelqu'un.

Peut-être Egan en pensait-il autant à son sujet.

Il occupait ce poste depuis plus de quinze ans. C'était donc certainement lui qui, huit ans plus tôt, avait pris la décision de ne pas engager de poursuites contre le frère de Sharlah pour le meurtre de leurs parents.

À cet instant, Egan était en train de conclure une conversation téléphonique. D'un signe, il invita Quincy à prendre un siège, ce qui était plus facile à dire qu'à faire étant donné que la pièce était envahie de cartons de dossiers. Quincy finit par renoncer et resta debout. Il était déjà bien content de se trouver dans un bureau climatisé et d'avoir la bouteille d'eau que la secrétaire d'Egan lui avait d'autorité mise dans la main.

Egan reposa le combiné, leva les yeux vers Quincy et sembla s'apercevoir pour la première fois de l'absence de siège disponible dans la pièce.

« Désolé, le comté a décidé de faire des économies sur les mètres carrés d'archivage, expliqua-t-il avec une grimace. En théorie, les procédures sont censées être dématérialisées, donc on a besoin de moins de place, n'est-ce pas ? Sauf que l'an dernier, ils ont aussi décidé de faire des économies sur la masse salariale. Alors que me reste-t-il comme personnel pour dématérialiser tout ce papier d'un coup de baguette magique ?

– Ça ressemble à une mission toute trouvée pour des stagiaires, suggéra Quincy.

– Ah ! si les étudiants en droit ambitieux voyaient les choses comme vous. La nouvelle génération a appris à croire de ses parents qu'elle va commencer au sommet. Très peu pour eux, les basses besognes. Ils préfèrent attendre dans le sous-sol de leurs parents qu'on leur offre un poste d'associé sur un plateau. »

Egan se leva enfin et tendit la main à Quincy, qui la serra. En public, on voyait rarement le procureur sans son blazer gris et la cravate en soie de couleur vive qui était sa signature. Aujourd'hui, la veste était posée sur le dossier de son fauteuil, ainsi qu'une bande d'étoffe fuchsia ; le procureur ne portait donc que sa chemisette Brooks Brothers, les deux boutons du haut défaits. Il hocha la tête en voyant la tenue également décontractée de Quincy.

« Pas souvent qu'on a aussi chaud, dit-il.

– Fichue canicule », renchérit Quincy.

Quincy n'ayant nulle part où s'asseoir, le procureur renonça à son propre fauteuil et le rejoignit de l'autre côté du bureau. Une réserve de bouteilles d'eau était posée sur une pile de cartons. Le procureur en prit une.

« Il paraît qu'il y a eu de l'animation ce matin », dit-il.
L'homme n'était pas tombé de la dernière pluie : Quincy et
lui n'étaient pas du genre à rendre des visites de courtoisie.

« Multiples meurtres par balles, dit Quincy en évitant d'em-
ployer le terme "tuerie". Le suspect, un jeune de dix-sept
ans placé en famille d'accueil, a tué la sienne ce matin. Puis
deux autres personnes dans une station-service de la ville. »

Egan hocha la tête : on l'avait certainement déjà mis au
courant.

« Le shérif Atkins m'a demandé un coup de main. »

Nouveau hochement de tête : Egan le savait aussi.

« Sur la deuxième scène de crime, nous avons une vidéo.
Et le suspect a été identifié : Telly Ray Nash. Qui n'en est
manifestement pas à ses premiers faits de violence. En fait, il
a tué ses propres parents quand il était petit. »

Le visage du procureur s'était fermé. Il dévissa le bouchon
de sa bouteille. La leva. Prit une longue gorgée.

« Telly Ray Nash, répéta-t-il. La mort de ses parents.

– Voilà.

– Il n'y a pas de dossier. Il n'a jamais été inculpé.

– Je comprends.

– Mais si vous êtes là… » Quincy entendit la foule d'hypothèses contenues dans ces points de suspension. Et dont la
plupart n'étaient pas agréables pour un homme dans la position d'Egan. Quincy était-il là dans le but de comprendre
pourquoi Egan n'avait pas poursuivi un garçon désormais
soupçonné de quatre autres meurtres ? Pour mettre le doigt
sur tous les signaux d'alerte qu'il n'avait pas su voir ? Pour
soulever des questions qui ne feraient que devenir plus déplai-
santes pour les services du procureur à mesure que les jours
passeraient ?

Conscient de tout cela, Quincy décida d'abréger son supplice.

« Je crois que vous savez que ma femme et moi-même sommes famille d'accueil pour une adolescente. Nous avons lancé une procédure d'adoption, que nous espérons voir aboutir avant Thanksgiving. »

Egan hocha la tête, le front creusé de fines rides de perplexité devant ce changement de sujet.

« L'adolescente en question s'appelle Sharlah May Nash. C'est la petite sœur de Telly. »

Aussitôt le procureur se redressa. « Oh.

– Comme vous dites.

– Donc, si vous êtes là…

– C'est autant pour des raisons personnelles que professionnelles. »

Egan reprit une gorgée. Puis il soupira en croisant les bras sur sa poitrine. « Vous savez quoi ? Quand j'ai pris ma décision, il y a huit ans, je n'ai eu aucun état d'âme. Devant certaines affaires, on se pose des questions existentielles : où est le bien, où est le mal ? Il y en a d'autres dont on pressent tout de suite qu'elles vous reviendront comme un boomerang. Mais Telly Nash, cette histoire avec ses parents, sa sœur… Quand la police a rendu son analyse de la scène et la psychiatre judiciaire sa radiographie de la cervelle du gamin, je n'ai eu aucun doute. C'est fou, non ? Pas le moindre doute.

– Vous me rappelez les faits ? » suggéra Quincy.

Ce que fit le procureur : « Ce sont des voisins du parc de mobil-homes qui ont donné l'alerte. Il y avait eu une violente dispute, suivie de hurlements. Quand les premiers intervenants sont arrivés, ils ont trouvé Telly, neuf ans, au milieu du salon, couvert de sang, une batte de base-ball ensanglantée à la main.

Deux cadavres et sa petite sœur (qui avait quoi, quatre ou cinq ans ?) roulée en boule à ses pieds, en larmes. »

Quincy frémit, ne dit rien.

« Telly n'était pas un gamin costaud. Plutôt chétif, en fait. Pas d'antécédents de violence, mais des parents connus des services de police. Des signalements pour querelle conjugale, tapage nocturne, ce genre de choses. Toxicomanes, d'après les policiers. L'aide à l'enfance avait été alertée deux fois, mais avait laissé les enfants à la garde des parents.

» Mes services ont été avertis. Étant donné la nature des faits et l'âge du meurtrier, je me suis personnellement rendu sur place. Je me souviens que le gosse était là, pétrifié, muet. En état de choc, j'imagine. Mais ça valait le coup d'œil, je vous assure. Ce gamin maigrichon et couvert de sang, le visage parfaitement inexpressif. J'en ai eu la chair de poule.

» Il a été établi qu'il avait également donné un coup de batte à sa sœur et qu'il lui avait cassé le bras. Mais elle défendait quand même son frère. Elle disait que son père avait poignardé leur mère et pourchassé les deux enfants d'un bout à l'autre de la maison. Qu'en fait, c'était elle qui avait trouvé la batte et qui l'avait donnée à Telly. Il s'est dressé contre son père dans le séjour, mais apparemment, une fois la machine lancée, il ne s'est plus arrêté de frapper, jusqu'à réduire le crâne de son père en bouillie. Et quand la petite sœur a voulu s'interposer, il l'a frappée à son tour. Elle s'est effondrée et ça l'a ramené d'un seul coup à la réalité. En tout cas, ça a mis fin au carnage. Il était encore en état de sidération quand nous sommes arrivés et n'avait pas l'air conscient de ce qu'il venait de faire. »

Egan regarda Quincy.

« Je croyais qu'il avait tué les deux parents, dit celui-ci, mais vous me dites que c'est le père qui aurait tué la mère.

– C'est là que ça se pimente. Parce que, d'après le légiste, outre la plaie du thorax par arme blanche, la mère présentait une trace de coup à la tête. Mais aucun des enfants n'a voulu s'en expliquer. Chaque fois que nous abordions le sujet, leurs visages se fermaient. C'est seulement quelques jours plus tard que nous avons eu un semblant de réponse. Nous avions présenté à Telly de nouveaux éléments recueillis sur la scène de crime en espérant l'encourager à parler. Il n'a eu qu'un seul commentaire : "Ça doit être moi, alors." Curieux comme formulation. Il n'avouait pas, il disait que ça *devait* être lui. »

Quincy aussi trouvait ça curieux.

« La plaie par arme blanche était mortelle ?

– La mère souffrait d'une hémorragie interne. Impossible de savoir si les secours auraient pu la sauver.

– Intéressant. »

Egan haussa les épaules.

« Est-ce que vous auriez conservé le bilan psychiatrique ? demanda Quincy.

– Mais certainement. Quelque part. Je pourrais, euh, vous repêcher ça. Mais spontanément, je dirais que trois raisons principales m'ont conduit à renoncer aux poursuites. D'une part, la toxicomanie et la violence avérées des parents. D'après le voisinage et tout l'entourage, il était prévisible qu'un drame se produirait un jour dans cette maison. D'autre part, Telly présentait plusieurs plaies par arme blanche, ce qui confirmait les dires de sa sœur : il se trouvait en situation de légitime défense. Enfin, la mère aussi avait été poignardée avant de recevoir un coup de batte sur la tête et les traces de sang dans le couloir accréditaient la version donnée par la sœur.

– Telly n'a jamais fourni un récit complet ?

– Non, juste son fameux "ça doit être moi, alors".
Conformément aux règles de procédure, nous l'avons fait
examiner par une spécialiste, le docteur Bérénice Dudkowiak. J'étais inquiet d'un tel déchaînement de violence : je
voulais un avis d'expert avant de décider d'engager ou non
des poursuites. Mais d'après le docteur, ce type de dérapage est classique quand un enfant avec le passé de Telly
explose...

– Lui-même ne sait sans doute pas combien de fois il a
frappé son père.

– La psychiatre s'intéressait davantage aux capacités d'adaptation dont il avait fait preuve avant l'"incident tragique". Tout
indiquait que les meurtres eux-mêmes avaient été commis sous
le coup d'une impulsion, pas prémédités mais déclenchés par
la fureur d'un père sous l'influence de la drogue...

– Les analyses toxicologiques ?

– Les deux parents étaient shootés à mort. Encore un point
qui plaidait en faveur du garçon. La question s'est posée de
savoir s'il souffrait d'un TRA. Trouble...

– Trouble réactionnel de l'attachement.

– C'est ça. Et bien sûr le docteur Dudkowiak voulait vérifier
s'il n'aurait pas présenté des symptômes de la triade Mac-
Donald.

– Énurésie, pyromanie, cruauté envers les animaux.

– Exactement. Mais rien à signaler de ce côté-là. Au
contraire, le garçon montrait des capacités de comportement
maternant, étant donné le soin avec lequel il s'occupait de
sa petite sœur. Et même si le docteur redoutait un TRA,
entre la toxicomanie des parents et le degré d'exposition des
enfants à la violence...

– Il était normal que l'attachement n'aille pas de soi. »
Quincy était bien placé pour le savoir, après avoir lu le dos-

sier de Sharlah. Et, naturellement, après avoir passé les trois dernières années avec une enfant capable de s'enfermer dans sa tête pendant de longues périodes et ensuite de les regarder, Rainie et lui, comme si c'étaient eux les fous.

Egan prit une nouvelle gorgée d'eau. « L'argument décisif aux yeux de la psy a été la relation qu'entretenait Telly avec sa sœur.

– Vraiment ?

– Vraiment. D'après les dires de Telly, corroborés par ceux des enseignants et autres, le garçon prenait soin de sa sœur. C'était lui qui l'élevait, en fait. Il lui préparait son petit déjeuner, s'occupait de son linge, la conduisait à l'école. Il l'emmenait aussi à la bibliothèque l'après-midi et lui lisait des livres – pour retarder le retour à la maison, apparemment. Et d'après Sharlah, Telly intercédait aussi en sa faveur quand leur père devenait violent ; il avait pris des coups à sa place, ce genre de choses. »

Quincy hocha la tête. Ce scénario, qui voyait un enfant élever un frère ou une sœur encore plus jeune, n'était que trop fréquent dans les familles frappées par la toxicomanie.

« Aux yeux du docteur Dudkowiak, l'attitude de Telly prouvait deux choses, dit Egan en les énumérant sur ses doigts. D'une, que le garçon avait la capacité de nouer des liens, puisqu'il tenait de toute évidence à sa petite sœur. Et de deux, que Telly avait fait de son mieux. Je crois que c'est mot pour mot l'expression qu'elle a employée. Le fait qu'il ait endossé tous ces rôles d'adulte montrait qu'il avait essayé de compenser les défaillances de leurs parents. Chez un enfant aussi jeune, on s'attend à rencontrer trois ou quatre stratégies d'adaptation. Telly les avait toutes mises en œuvre. Malheureusement, son père avait tout de même choisi de se shooter et de s'armer d'un couteau de cuisine. C'est à ce moment-là que Telly a renoncé aux méthodes traditionnelles pour choisir l'option batte de base-ball. Du point de vue de la psychiatre, c'était un dénouement regrettable mais assez prévisible.

– Qu'est devenu Telly ?

– Je ne sais pas. Les premiers jours, il a dû bénéficier d'un placement en urgence. Et ensuite, j'imagine que les services sociaux ont dû lui trouver une famille d'accueil susceptible de lui convenir. Plus de proches encore en vie, donc pas de solution de ce côté-là.

– Sharlah a été placée séparément, indiqua Quincy. Le dossier qu'on nous a communiqué interdit tout contact avec son frère.

– Il faut dire qu'il lui avait cassé le bras avec une batte.

– Ce qui n'a pas empêché Sharlah de le défendre. »

Egan haussa les épaules : il n'était que procureur, après tout, pas chargé des affaires familiales. « Quoi qu'il en soit, Telly avait perdu les pédales cette nuit-là. Les autorités concernées ont sans doute jugé préférable de donner un peu d'air à Sharlah. Elle avait déjà passé sa petite enfance auprès d'un père violent. Pourquoi y ajouter un frère violent ? »

Ce qui, au vu des événements de la matinée...

Le silence se fit entre les deux hommes.

« Est-ce que le docteur Dudkowiak exerce encore ? reprit Quincy.

– Son cabinet se trouve à Portland. Ma secrétaire pourra vous fournir le numéro. À mon tour : je viens de voir une image de la vidéo de ce matin. Telly. Qui regarde droit vers la caméra. Sans la moindre expression sur le visage. Rien. »

Quincy ne répondit que par un silence qui en apprit suffisamment long au procureur.

Celui-ci poussa un profond soupir : « Ça va mal finir, n'est-ce pas ?

– Si on se fie aux statistiques ? » Quincy vida sa bouteille d'eau, la reposa sur un carton. « Ça va se terminer par une fusillade avec un gamin de dix-sept ans. S'il ne nous tue pas avant. »

10

Rainie refuse que je sorte jouer avec Luka. « Trop chaud », dit-elle. Ce qui est exact, mais nous savons toutes les deux que ce n'est pas la vraie raison de son inquiétude. Alors je prends mon bol de yaourt saupoudré de muesli et je descends au sous-sol. S'il fait trop chaud dehors, elle ne peut rien trouver à redire à la fraîcheur de la cave, n'est-ce pas ?

J'aime bien cette maison. J'ai de la chance d'avoir atterri ici et je le sais. Pas seulement parce que Rainie et Quincy veulent m'adopter ou parce qu'ils ont un boulot cool qui consiste à coincer des tueurs, mais parce qu'ils ont réussi dans la vie et qu'ils ont une maison qui le prouve. Comprenez-moi bien : la maison de ma première famille d'accueil était propre et agréable. Et, dans mon souvenir, celle de la famille numéro trois était aussi mignonne comme tout, si on aime le genre patchworks cousus à la main et nains de jardin aux joues rouges.

Mais la maison de Rainie et Quincy... J'aime qu'elle soit perchée au sommet d'une colline, au bout d'une allée de gravier très abrupte qui empêche quiconque d'approcher sans se faire repérer. J'aime aussi la profusion de fougères et de fleurs sauvages qui monte jusqu'au porche de la maison, où trône une paire de fauteuils à bascule Adirondack. Le jour où mon assistante sociale m'a amenée ici pour la première fois, j'ai eu l'impression d'entrer dans un catalogue L. L. Bean.

La maison est grande. Mais pas trop, affirme Quincy. Je crois que c'est lui qui l'a dessinée. Elle est quand même immense aux yeux d'une enfant de l'Assistance publique. Des espaces de vie ouverts, des poutres apparentes, une cheminée en pierre monumentale. Beaucoup de fenêtres et de verrières, qui nous empêchent, Rainie et moi, de devenir folles dans la grisaille des mois d'hiver.

Et il y a les petits détails amusants. Un sol à cabochons de pierre dans l'entrée. Un escalier sur mesure avec des balustrades en branches de bouleau. Pour faire entrer la nature dans la maison, m'a un jour expliqué Quincy. J'aime la nature. Plus tard, j'aimerais bien construire une maison dans ce style. Peut-être que je pourrais suivre la voie de mes futurs parents adoptifs et devenir à mon tour experte en monstres.

Alors que je descends au sous-sol, Rainie reste à la table de cuisine, à pianoter sur son ordinateur portable. Elle ne m'informe pas de ce qu'elle cherche et je ne lui pose aucune question. C'est comme ça dans notre famille.

Une fois en bas, Luka ouvre grande la gueule, comme s'il bâillait, mais en réalité je crois qu'il essaie d'inspirer un maximum d'air frais. Le sous-sol reçoit de la lumière naturelle grâce aux soupiraux percés dans le mur du fond, mais c'est surtout un espace dédié à la détente. Dans un coin, des équipements de sport : un tapis de course et un vélo elliptique, pour les jours où ces deux obsédés ne peuvent pas sortir faire leur jogging du matin. Au milieu, un canapé marron clair en forme de U face à une télé à écran plat d'une taille spectaculaire. Un bon endroit pour glander. Je pourrais y inviter des copains, a un jour suggéré Quincy, avant d'apprendre à me connaître.

Même Luka a son espace à lui. Une énorme niche, avec des montagnes de coussins pour chien, quelques précieuses balles de tennis et bien sûr une grande gamelle d'eau. L'ensemble a quand même un petit côté cachot médiéval, ce qui a conduit Quincy à ironiser sur les profileurs et ce qu'ils cachent dans leur sous-sol, avant de s'apercevoir que j'écoutais. Comme Rainie le lui a fait remarquer : « Quincy, nous avons une enfant, maintenant. Et les enfants ont *toujours* une oreille qui traîne. »

Luka est censé passer ses heures de repos dans sa niche. Du moins, c'était l'idée de Quincy quand il l'a fait installer. Mais la plupart du temps, Luka dort sur mon lit ou couché aux pieds de Rainie. Quincy vous dira qu'il sait reconnaître ses défaites.

Je pose mon yaourt sur la table basse en bois foncé. Luka n'y touchera pas. Trop professionnel pour s'abaisser à du chapardage.

Non, il tourne tranquillement en rond autour du canapé, prend ses repères, profite de la fraîcheur de l'air. Je le laisse se détendre. Nous avons pris du retard dans son programme d'exercices physiques, sans parler du dressage, mais je mets ça sur le compte de la canicule. Comment voulez-vous vous concentrer par une telle chaleur ? Lui, au moins, on ne l'a pas obligé à aller à un stage de natation. Dès que je suis rentrée, je lui ai dit à quel point il avait de la chance et j'ai vu à son air grave qu'il me croyait.

Je n'allume aucune lampe. Le soleil radieux qui entre par les soupiraux suffit. Et puis il fait plus frais comme ça.

Mon yaourt posé sur la table, Luka en orbite autour de moi, je sors de ma poche arrière le véritable objet de ma présence au sous-sol : mon iPhone. Je lance une recherche sur Safari : *Meurtres, Bakersville, Oregon.* « Dernière minute, m'informe le premier titre : double meurtre par balles dans une station EZ Gas. Plus de détails à suivre. »

Mais les articles ne donnent que peu d'informations et cela m'agace. Luka vient s'asseoir à côté de moi. Il pose sa tête sur mes genoux et me regarde avec ses grands yeux marron. Luka a des sourcils expressifs et il en lève justement un d'un air interrogatif. Je lui flatte la tête et prends une cuillère de yaourt.

« Il doit bien y avoir quelqu'un qui sait quelque chose, lui dis-je. Quel est l'intérêt d'avoir tout un Internet rempli d'actualités si on ne peut pas trouver les informations dont on a besoin ? »

Je tente ensuite ma chance sur le site du journal local, le *Soleil de Bakersville* (publicité mensongère, dit Quincy).

Bonne pioche : une photo. Une image de vidéosurveillance, en fait : un adolescent en sweat à capuche noir qui pointe un pistolet. La dégaine classique du voyou, je dirais. Sauf que ce voyou a les yeux de Telly et qu'il regarde droit vers moi.

Je le considère longuement. Qu'est-ce que j'attends ? Je ne sais pas. Une révélation ? Un flash de souvenir ? Un pincement au cœur ?

Mais je regarde cette photo et je ne ressens rien. Strictement rien.

Puis, presque comme en réponse, mon épaule me brûle.

Luka pousse un gémissement sourd. Je lui caresse les oreilles, mais c'est surtout moi que je veux réconforter.

Je m'arrache à la contemplation de la photo pour parcourir le texte. La fusillade de la station-service s'est déroulée peu avant huit heures du matin. À peu près au moment où je devais me lever, en traînant des pieds parce que je redoutais la journée qui m'attendait. À huit heures, je sortais Luka et j'avais un mouvement de recul en percutant le mur de chaleur à l'extérieur, de plus en plus nerveuse à l'idée de devoir passer ma matinée coincée à la piscine.

L'information la plus intéressante arrive au pied de l'article. Le suspect a pu être identifié : Telly Ray Nash, dix-sept ans. Également recherché dans le cadre d'une enquête sur le meurtre de Frank et Sandra Duvall. Considéré comme armé et dangereux.

Enfin, j'ai une réaction : je frissonne. Et, volontairement ou non, je revois le couteau. J'entends la voix de mon père qui cherche à nous amadouer de l'autre côté du canapé. Et je sens les mains de Telly, qui m'attrapent et me jettent dans la première pièce venue pour que je ne sois plus sur la trajectoire de mon père.

Mon poing s'est refermé au-dessus de la tête de Luka, sur son beau pelage noir et fauve. Il gronde, si bas qu'on dirait un roulement de tambour au fond de sa gorge, et je desserre les doigts, je lui flatte une nouvelle fois la tête doucement.

« Tout va bien », lui dis-je, mais cette fois-ci il ne me croit pas.

Je ne sais pas quoi penser. Quoi ressentir. Je ne mentais pas à Rainie, tout à l'heure. Je ne me souviens pas vraiment de mon frère. Ni de mes parents. Ce sont plutôt de vagues instantanés qui me reviennent. Une boîte de Cheerios jaune. Une odeur de cigarette. *Clifford le gros chien rouge.*

Mon frère qui m'emmenait à la bibliothèque pour me lire des histoires pendant que je sirotais du jus de pomme.

Mon épaule me fait souffrir. Je suis en nage et pas seulement à cause de la chaleur. Je n'ai pas envie de penser à lui. Ni à mes parents. Mais maintenant c'est irrépressible, je suis envahie d'un mélange de tristesse, de peur, et aussi... de désir.

Mon frère, mes parents me manquent. Affreux ou non, ils étaient quand même ma famille.

Pas vrai ! me dis-je. Aujourd'hui, j'ai Rainie et Quincy. Et ni l'un ni l'autre ne me poursuivrait dans toute la maison avec un couteau ensanglanté ni ne me casserait le bras avec une batte.

J'ai gagné au change.

N'empêche... je suis triste.

Je me surprends à toucher le visage sévère de Telly. Comme si j'essayais d'y retrouver une qualité qui n'a probablement jamais été là.

Reprenons. Je tape une nouvelle recherche sur le petit clavier tactile de mon téléphone : *Frank et Sandra Duvall, Bakersville, Oregon*. Il se trouve que Sandra possède une page Facebook où elle partage des recettes pour mijoteuse, publie les photos d'un étudiant qui porte des tenues orange de l'université d'Oregon, et donne des idées de travaux manuels.

Je me demande si c'était une bonne mère d'accueil. En tout cas, elle a l'air fière de son fils, l'étudiant. Et son mari, Frank ? Est-ce qu'ils ont spontanément offert d'héberger Telly ? Est-ce qu'ils savaient où ils mettaient les pieds ?

Je trouve une dernière photo, publiée récemment. Un grand gaillard en tenue de camouflage militaire des pieds à la tête et un adolescent accoutré de même à sa droite. Je reconnais aussitôt Telly. Ils ont tous les deux une carabine à la main, un animal mort à leurs pieds. « Le tableau de chasse des garçons aujourd'hui », dit la légende. Portrait de mon frère en chasseur.

Une fois de plus, je ne sais pas quoi penser. Est-ce que Telly s'est amusé, ce jour-là ? Instants privilégiés pour tisser des liens avec son père d'accueil ? Est-ce qu'il était content d'être au grand air, de connaître le frisson de la chasse ? Ou bien est-ce qu'il se disait que tout ça aurait été plus simple avec une batte de base-ball ?

Je ne sais pas, je ne sais pas, je ne sais pas.

J'aimerais savoir tirer. J'ai demandé à Quincy de m'apprendre. Il a voulu savoir pourquoi. Pour me défendre, j'ai dit. Tu sais, juste au cas où.

Tu as Luka, il m'a répondu. *Tu n'as besoin de rien d'autre.*

Mais je suis revenue à la charge : *Il y a des armes dans la maison. Je devrais au moins connaître le b.a.-ba, les règles de sécurité.*

Il a souri et j'ai cru que j'avais emporté le morceau, mais il ne m'a jamais emmenée au stand de tir. Plus tard, a-t-il dit, mais je ne sais pas très bien ce qu'on attend.

Je regarde cette photo en ligne et je m'interroge sur mon frère. Est-ce qu'il aimait les Duvall ? Est-ce qu'il habitait chez eux depuis un certain temps, est-ce qu'il les considérait comme sa famille ? Ou bien est-ce qu'il avait été ballotté par le système, grand adolescent qui traînait déjà une réputation de violence ?

Il me donnait des Cheerios, je crois.

Il m'a cassé le bras.

Il m'a sauvé la vie.

Et il ne m'a jamais reparlé depuis. Est-ce que c'était ma décision, la sienne ? Je ne m'en souviens plus. Je n'étais qu'une petite fille et la soirée avait été un tel cataclysme... J'ai pleuré, j'ai hurlé, ça je m'en souviens. Est-ce que je lui ai crié dessus ? Est-ce que je l'ai traité de monstre en lui disant que je ne voulais plus jamais le voir ?

Ou bien est-ce que lui m'a fait des reproches ? Est-ce qu'il a regardé sa petite sœur qui sanglotait comme une malheureuse à ses pieds en se disant que tout était sa faute ? Que si elle avait été plus calme, plus sage, notre père n'aurait jamais piqué sa crise, et lui n'aurait pas été obligé de tuer nos parents ?

J'ai honte maintenant. Mais peut-être que j'ai honte depuis toujours et que c'est simplement la première fois que je me l'avoue.

Mes parents sont morts. C'est mon grand frère qui les a tués.

Et je suis partie. Sans jamais me retourner. Je me suis trouvé une nouvelle famille dans une plus jolie maison avec un super chien. Et j'ai tout oublié des miens.

Dernière recherche, sur la station EZ Gas, lieu du dernier crime connu de mon frère. Ensuite, je demande l'itinéraire pour s'y rendre depuis mon emplacement actuel. Une vingtaine de kilomètres à l'ouest, indique la carte. Vingt-cinq minutes en voiture, beaucoup plus à pied.

Près, mais pas trop près.

Exactement la façon dont nous vivons depuis huit ans.

Je m'adosse au canapé, perdue dans mes pensées. J'ai l'impression que je devrais faire quelque chose, mais je ne sais pas quoi.

Le passé est un luxe que ne peuvent pas s'offrir les enfants placés. Nous sommes trop occupés à vivre dans l'instant. Si j'ai autrefois eu des pensées au sujet de mes parents, je ne m'y plonge plus. Si j'ai eu des émotions devant le geste de mon frère, je ne les éprouve plus.

Je me demande si Telly avait lui aussi tiré un trait sur le passé. Jusqu'à ce matin où il s'est levé, a chargé une première arme et pressé la détente.

11

« Comment ça, aucune trace des armes manquantes ?

– Désolé, shérif, mais on a ratissé mètre carré après mètre carré entre la voiture de Frank Duvall et la station-service : pas de planque. »

Shelly se renfrogna, remonta son chapeau sur son front en sueur et résista à grand-peine à l'envie de gratter la racine de ses cheveux. De même, d'ailleurs, que la cicatrice en relief qui serpentait dans son cou. Fichue canicule.

Elle soupira, considéra son responsable des enquêtes criminelles, soupira de nouveau. « Roy, il faut qu'on sache tout ce qu'il y a à savoir sur ce garçon. Depuis la couleur de son slip jusqu'à celle de ses chaussettes, mais surtout avec quelles armes à feu il se promène. Nos gars sont à ses trousses.

– Je sais.

– S'il est à pied, il ne peut pas transbahuter six armes et des dizaines de boîtes de munitions. Ce serait trop lourd.

– Je sais.

– Donc, soit il en a planqué une partie quelque part, soit... il a un complice, ajouta-t-elle avec hésitation.

– Ou alors il a volé une autre voiture. »

Shelly poussa un gros soupir. Chacune de ces hypothèses était recevable. Raison de plus pour dépasser le stade des théories et commencer à trouver des réponses.

« Pas d'appel au numéro spécial ? Pas de réponse à l'avis de recherche ? demanda-t-elle.

– Rien.

– Mais où est-il, Roy ? Qu'est-ce qu'il mijote et comment se fait-il qu'on ne puisse pas mettre la main sur un jeune de dix-sept ans ? »

Roy ne répondit pas. Shelly cessa de lutter et se frotta le cou. Le PC mobile dans lequel elle se trouvait était équipé d'une génératrice suffisamment puissante pour faire tourner la climatisation mais pour l'instant, Shelly donnait la priorité à l'alimentation électrique de leur batterie d'ordinateurs, écrans de contrôle et autres moyens de communication par satellite. Leur petit confort devrait attendre.

Shelly était inquiète. Et pas seulement parce qu'il lui fallait retrouver un jeune délinquant qui avait déjà quatre homicides à son actif. Non, elle se faisait du mouron pour ses équipes de recherche. Trois d'entre elles étaient déployées dans les bois derrière la station-service. Et toutes évoluaient sans posséder une idée suffisamment précise de leur cible.

« Reprenons pas à pas », proposa Shelly en passant un bras devant Roy pour afficher une carte de Bakersville sur l'ordinateur le plus proche.

Roy approuva, mais ne s'assit pas. Les seuls sièges disponibles dans cet espace exigu étaient des chaises tubulaires placées devant les divers postes de travail. S'asseoir supposait de prendre place devant des ordinateurs qui dégageaient encore plus de chaleur. Shelly et lui restèrent donc debout pendant qu'elle se penchait vers l'écran et zoomait à l'intérieur de la carte satellite sur les abords immédiats de la maison des Duvall.

« Telly Ray Nash commence sa journée ici. »

Roy confirma : « L'heure de la mort des parents est estimée à six heures du matin.

– Donc la première chose qu'a faite Telly ce matin a été de descendre les Duvall et voler les armes. Est-ce qu'il a emporté des vivres, de l'eau, du matériel ?

– Va savoir. »

Shelly fit les gros yeux mais Roy l'ignora. « La cuisine n'a pas été pillée, rien d'anormal ne sautait aux yeux. Les techniciens ont retrouvé le portefeuille de Frank Duvall intact sur sa table de chevet ; même chose pour le sac à main de Sandra Duvall et sa boîte à bijoux. Il y a des traces du dîner d'hier, mais rien n'indique que quiconque ait pris un petit déjeuner ce matin. Comme il n'y a aucun témoin des agissements de Telly chez les Duvall et qu'il n'a rien laissé dans la voiture, nous ne savons pas ce qui s'est passé entre les meurtres de six heures du matin et le moment où il est entré dans la station-service peu avant huit heures. »

Shelly restait contrariée, mais une chose lui paraissait curieuse : « La station-service non plus n'a pas été pillée. »

Roy ne dit rien.

« Ça donne à réfléchir, continua-t-elle. Pour un adolescent en pleine crise de folie meurtrière, il fait les choses très proprement. »

Toujours ce silence. Peut-être cette observation n'appelait-elle aucun commentaire.

Shelly se repencha vers l'écran d'ordinateur. « Telly quitte le domicile des Duvall, direction... »

Sur la carte, on distinguait plusieurs routes autour de la maison. La plupart étaient des culs-de-sac, simples voies d'accès résidentielles. Deux conduisaient à la grand-route, qui menait au centre-ville de Bakersville, puis à la route 101, celle qui longeait la côte.

« Direction le nord », conclut Shelly à mi-voix en suivant du regard la 101, qui traversait Bakersville, passait devant l'usine de fromage et, plus loin, devant la station EZ Gas. « Une vingtaine de minutes de trajet, mais il a dû faire la dernière partie à pied puisque la voiture était tombée en carafe. Ça nous laisse tout de même un bon bout de temps pendant lequel on ne sait pas ce qu'il a fabriqué. Téléphone portable ?

– La famille en avait quatre, un forfait familial. Nous avons retrouvé ceux des Duvall dans leur chambre et le troisième dans la boîte à gants de la voiture de Telly. Le quatrième est celui du fils, l'étudiant.

– Donc Telly avait emporté un téléphone, mais il l'a laissé dans la voiture ? Pourquoi ? Quel adolescent digne de ce nom se sépare de son téléphone ?

– Un adolescent qui ne veut pas être suivi à la trace. Il avait déjà tué les Duvall. Il suffit qu'il ait regardé n'importe quelle série policière pour savoir que nous pouvons nous servir du GPS de son téléphone pour le localiser.

– Dans ce cas, pourquoi l'avoir emporté ?

– Peut-être qu'il l'a pris par habitude et qu'ensuite, pendant le trajet, il s'est rendu compte qu'il risquait de se faire repérer. Je ne sais pas, moi. Je ne suis plus vraiment un ado. »

Shelly étudia la question. « Ou alors, il s'est procuré un téléphone à carte prépayée, un autre moyen de communication. Pour pouvoir se passer de son téléphone personnel. » Elle montra un point sur la carte. « Il a dû passer devant le Walmart. On devrait vérifier s'il ne s'y serait pas arrêté pour faire des achats.

– J'envoie un agent. En attendant, Dan Mitchell passe en revue les noms et contacts trouvés dans le téléphone de Telly.

Jusqu'ici, nous avons sa conseillère de probation, le standard du lycée et ses parents. Mais pas de camarades de classe, ni d'amis ou de relations. La plupart de ses textos sont d'ordre strictement pratique : vérifier auprès de sa conseillère l'heure de leur entretien, informer ses parents qu'il sera en retard pour le dîner, ce genre de choses. Pas une vie sociale très développée, du moins à en juger par son téléphone.

– Et Erin Hill, la caissière d'EZ Gas ?

– Pas dans ses contacts. Mais comme je te le disais, on n'y trouve pas grand monde.

– Telly est un solitaire. » Profil qui correspondait à celui de nombreux tueurs de masse.

Roy hésitait.

« Quoi ?

– Mitchell a quand même trouvé une chose intéressante dans le téléphone. Des photos, récentes. Pas de très bonne qualité. Il a l'impression qu'elles ont été prises de loin et ensuite agrandies. Des images d'une adolescente. Environ treize ans. » Roy lança un regard à Shelly. « Mitchell me les a fait suivre. Je ne l'ai rencontrée qu'une fois, mais je crois… j'ai la quasi-certitude qu'il s'agit de Sharlah, la fille de Rainie et Quincy. »

Shelly marqua un arrêt, se redressa. Il fallait qu'elle prenne le temps de peser cette information parce que son instinct lui disait que c'était une très, très mauvaise nouvelle.

« Sharlah est aussi la petite sœur de Telly », dit-elle. Elle avait su que quelque chose se tramait à la seconde où elle avait prononcé le nom de Telly Ray Nash et vu Quincy se figer. Ce qu'il avait pu lui apprendre du passé de leur suspect avait de quoi inquiéter, sans parler de l'existence d'un lien de parenté avec sa fille. « D'après Quincy, Telly Ray Nash a tué ses parents il y a huit ans, en situation de légitime défense – en gros, il leur aurait sauvé la vie, à sa sœur et à lui. Par la suite, les deux enfants ont été séparés. Sharlah a fini par atterrir chez Quincy et Rainie. Les pérégrinations de Telly l'ont conduit chez les Duvall. Quincy est formel sur le fait que Sharlah n'a eu aucun contact avec son frère depuis le drame. Rainie et Quincy n'ont jamais rencontré Telly, ils ne savaient même pas qu'il vivait toujours dans la région. Ce qui semble confirmer que Sharlah et son grand frère n'entretiennent plus aucune relation.

– Pas si simple, dit Roy. Je ne sais pas très bien quelle conclusion en tirer, mais la galerie photo du téléphone a été vidée. Autrement dit, les photos de Sharlah sont les *seules* qui s'y trouvent encore. »

Shelly retint l'objection. « Comme si c'était délibéré. Quand ont-elles été prises, déjà ?

– Il y a cinq jours.

– Et dans l'historique de navigation ? Est-ce qu'il aurait cherché à se renseigner sur Sharlah ? Ou sur Quincy et Rainie ?

– L'historique aussi a été effacé. »

Shelly regarda son sergent. Son premier instinct ne l'avait pas trompée : rien que de fort mauvaises nouvelles, tout ça. Mais elle ne savait pas encore très bien quel sens leur donner. « Et l'ordinateur familial ? Quelque chose à en tirer ?

– Les Duvall n'avaient qu'un seul ordinateur de bureau, commun à toute la famille. On a jeté un premier coup d'œil, mais l'historique aussi a été supprimé récemment. Je l'ai envoyé à la police d'État pour analyse. Si de précieux indices ont été effacés, leurs experts les trouveront, mais ça prendra du temps.

– D'accord. Donc, Telly emporte son téléphone en partant de chez les Duvall, mais ensuite il change d'avis et l'abandonne. L'historique a été supprimé, la messagerie et la liste des contacts sont pour ainsi dire vides et la galerie photo ne contient que des images d'une sœur qu'il est censé ne pas avoir vue depuis des années. » Shelly secoua la tête. « Ça ressemble de moins en moins à un gamin qui aurait oublié son téléphone et de plus en plus à un suspect qui chercherait à nous faire passer un message. »

Elle jeta un nouveau coup d'œil vers l'écran d'ordinateur. La dernière position connue de Telly Ray Nash se trouvait à plus de quinze kilomètres à l'ouest de la maison de Quincy. Si le gamin se déplaçait à pied, il n'y avait pas d'inquiétude immédiate à avoir. Et cependant...

« Bon. Une dernière fois : que savons-nous ? reprit-elle, davantage pour elle-même que pour Roy. Telly Ray Nash tue ses parents. Il vide l'armoire forte de ses six armes à feu. Ensuite, il part vers le nord par la 101 jusqu'à ce que le moteur fasse une surchauffe. À ce moment-là, il enfile un gros sweat noir alors qu'il fait déjà une chaleur infernale. Dans son arsenal, il choisit un 9 mm. Et il continue à pied vers le nord jusqu'à la station-service. Où il tue deux autres personnes, apparemment prises au hasard. »

Roy hocha la tête.

« Vous avez bien ratissé les alentours de la voiture ? insista Shelly. Et la voiture elle-même, vous l'avez fouillée de fond en comble ? S'il avait caché des armes sous la banquette ? Ou s'il les avait coincées sous le châssis ?

– On a déposé les panneaux de porte, éventré les sièges, inspecté le châssis. Tu peux me croire : il n'y a rien. On a aussi passé les alentours au peigne fin dans un rayon de plusieurs centaines de mètres. Je ne sais pas ce qu'il a fait des armes de Frank Duvall, mais elles ne sont pas à proximité de la voiture.

– Donc on en revient à nos précédentes théories. Peut-être que Telly a donné rendez-vous à un complice et qu'il lui a confié une partie des armes. À moins qu'il ne les ait vendues pour se faire de l'argent.

– Dans ce cas, il a eu la bonne idée de se servir d'un deuxième téléphone pour prendre ses dispositions. »

Shelly n'était pas satisfaite. « Il nous manque une pièce du puzzle. Trop de suppositions, pas assez de faits. Des images. Voilà ce qu'il nous faudrait. Celles des caméras de surveillance de la circulation, les flux vidéo, tout ce qui pourrait nous aider à reconstituer les déplacements de Telly entre le domicile des Duvall et la station EZ Gas.

– Pas beaucoup de caméras sur cette portion de la route », objecta Roy. Cependant, penché sur la carte, il réfléchissait déjà aux possibilités qui s'offraient à eux. « Dans le centre-ville, en revanche... Là, au croisement de Third Avenue et Main Street. Je suis presque certain qu'il y en a une.

– Et une rue plus loin, ajouta Shelly en montrant un point sur l'écran. La First Union Bank. Le distributeur de billets est à l'extérieur. La caméra aura peut-être filmé quelque chose.

– D'accord. Je m'y colle.

– Établis une chronologie des faits et gestes de Telly Ray Nash ce matin. L'heure à laquelle il s'est levé, ce qu'il a mangé, à qui il a parlé. Et ensuite, ce qu'il a fait entre le moment où il a tué ses parents et celui où il est arrivé à la station-service. »

Roy hocha la tête.

« Étape suivante : son passé. Toutes ses anciennes familles d'accueil, tous les gens à qui il a un jour dit bonjour, tous les camarades de classe qu'il a pu bousculer dans les couloirs du lycée. Il faut qu'on connaisse la vie de Telly Ray Nash dans ses moindres détails et plus encore. »

Nouveau hochement de tête.

« Tu disais qu'un de ses contacts était sa conseillère de probation, Aly Sanchez ?

– Oui. C'est elle qui nous a renseignés sur les Duvall.

– Très bien. Je vais reprendre contact avec elle, au cas où elle pourrait nous éclairer sur l'état d'esprit de Telly. Saurait-elle, par exemple, s'il est entré en contact avec sa sœur ou s'il envisageait de le faire ?

– Est-ce qu'on devrait affecter un agent à la protection de Sharlah ?

– Laisse-moi d'abord en parler à Quincy et Rainie. L'avantage, c'est que Sharlah dispose en quelque sorte de gardes du corps attitrés. Et puis elle a un chien. » Shelly secoua la tête, peinant toujours à comprendre la logique de ce qu'ils savaient. « Deux doubles homicides. D'abord des proches. Puis des victimes apparemment prises au hasard. Et un téléphone portable contenant les photos d'une petite sœur que notre suspect n'a pas vue depuis des années. »

Shelly gratta la cicatrice boursouflée dans son cou. « Il va refaire surface. Besoin de ravitaillement, soif de vengeance, que sais-je. Mais on va forcément avoir de ses nouvelles. La seule question, c'est de savoir ce que ça va nous coûter. »

12

Cal Noonan avait découvert un fossé de drainage. Parallèle à la route, dont il épousait les sinuosités. En partie masqué par d'épais ronciers, il était juste assez profond pour soustraire un homme aux regards. Pour l'heure, Cal et son équipe le suivaient vers le nord, progressant de signe en signe : ici une empreinte de talon dans la boue, là une toile d'araignée déchirée, partout de l'herbe piétinée.

Quelqu'un avait manifestement parcouru cette étroite ravine dans les vingt-quatre heures qui venaient de s'écouler. Restait à savoir s'il s'agissait de leur suspect.

Dans les films, on représente généralement le pisteur comme un solitaire taciturne et à moitié sauvage qui lit sans effort une piste invisible à tous les autres en proférant des sentences aussi invraisemblables que : « D'après le goût du vent, le suspect vêtu d'une chemise à carreaux est passé ici il y a treize minutes, un Snickers à moitié mangé à la main ».

Rien de tel dans la vraie vie. Cal trouvait un signe. Le signe lui faisait plaisir. Traces de pas, branches cassées, fougères écrasées : autant d'indices qui lui confirmaient qu'on était bien passé par là. Mais rien ne disait qu'il s'agissait de leur meurtrier présumé. Pour ce que Cal et son équipe en savaient, ils pouvaient aussi bien être sur la piste d'une trentenaire danseuse à Las Vegas qui avait suivi ce fossé la veille après avoir acheté un paquet de chewing-gums à la station-service.

Des éléments tangibles, voilà ce que Cal voulait à présent. Un lambeau de tissu noir arraché par les ronces. Une bouteille d'eau vide avec un numéro de lot dont les enquêteurs pourraient établir qu'il avait été livré à la station-service. Ou une cartouche, tiens, ce serait sympa. Le gamin se promenait avec un 9 mm, les poches bourrées de munitions. La moindre des choses aurait été d'en semer une ou deux.

Au lieu de cela, au début de la rigole, à l'endroit où celle-ci rejoignait le parking de la station-service, Cal avait trouvé une demi-empreinte de talon dans la terre humide et molle. La taille pouvait correspondre au pied d'un homme, mais pas de dessin de semelle. Un moulage serait réalisé et mis dans le dossier. La mission de Cal restait d'identifier la piste de leur cible.

Il avait déjà à moitié bon, se disait-il, puisqu'il avait une piste.

Jesse et Antonio avançaient lentement dans son sillage, cinq bons mètres derrière lui, fusils en main. Ce fossé ne leur plaisait pas. Par définition, c'était un creux au fond duquel ils se sentaient enfermés. D'un point de vue stratégique, si un homme armé surgissait au-dessus d'eux... il n'aurait plus qu'à les tirer comme des lapins.

Cal avait conscience du risque. Malheureusement, c'était leur meilleure piste.

Encore une branche cassée, à douze heures. Le cœur blanc, extrémité encore fraîche et souple entre les doigts de Cal : la cassure était récente, le bois n'avait pas encore eu le temps de sécher. Le fossé allait se resserrant et perdait peu à peu en profondeur. Bientôt, ils se retrouveraient au même niveau que la route, ce qui signifiait que leur cible avait été contrainte de faire un choix et qu'il leur faudrait en faire autant.

« Cal », lança Nonie.

Il s'immobilisa et tourna la tête vers sa collègue, à deux mètres derrière lui sur la droite. « Oui ?

– Je vois un truc planqué au milieu des ronces. »

Cal rebroussa chemin jusqu'à Nonie pour observer le buisson sous le même angle qu'elle. Aucun doute, mamie avait un œil de lynx. Quand il était passé à cet endroit, Cal regardait droit devant lui, mais Nonie avait eu la bonne idée de lever les yeux.

En outre, même en suivant la direction de son index, ce fut à peine s'il distingua ce qui avait attiré son attention. De prime abord, on aurait dit une ombre plus épaisse, peut-être même des ronces un peu plus denses. Mais non.

Nonie avait des mains plus fines que les siennes. À toi l'honneur, lui signifia-t-il d'un geste.

Elle commença par enfiler des gants. Tous les membres des équipes du SAR étaient formés au recueil de preuves. Même la plus urgente des chasses à l'homme n'était jamais que le premier acte d'un drame judiciaire de plus grande ampleur. Si l'on commettait une erreur dans le traitement des pièces à conviction, on courait le risque d'être obligés de relâcher le suspect qu'on s'était donné tant de mal à coincer.

Il fallut quelques instants pour dégager l'objet du fourré d'épines, mais Nonie extirpa petit à petit le tissu bouchonné de sa cachette.

Antonio et Jesse s'étaient rapprochés ; fusils toujours en main, ils ne regardaient pas Nonie, mais continuaient à scruter les quatre points cardinaux.

« Je l'ai », murmura Nonie.

Elle finit de descendre le vêtement du buisson. Un gros sweat à capuche noir. Elle le renifla. « Vomi », confirma-t-elle stoïquement.

Alors, pour la première fois depuis le début de la traque, Cal et elle sourirent.

« On tient notre piste, dit Cal.

– On tient notre piste », confirma Nonie.

Cal l'annonça par radio.

Jenny, sa responsable, accueillit l'information avec joie et consulta leur carte de référence. À vue de nez, le fossé continuait sur une centaine de mètres, puis ils arriveraient à une intersection avec un chemin de terre. Celui-ci, orienté est-ouest, partait de la grand-route et filait vers l'est pour desservir un lotissement isolé. Cinq ou six propriétés, apparemment. Toutes situées sur de grandes parcelles.

Cal et Nonie se regardèrent. Pas très réjouissantes, ces nouvelles. Une fois sortis du fossé, ils se retrouveraient sur un chemin de terre compacte. La piste serait plus difficile à lire sur un tel terrain. Quant à cette demi-douzaine de maisons nichées à l'ombre des sous-bois...

Antonio et Jesse, trempés de sueur sous leurs minces gilets pare-balles, ne firent aucun commentaire.

Cal laissa le sweat bien en évidence, signalé par un fanion orange vif à l'intention des policiers qui prendraient le relais. Un deuxième fanion indiquait l'endroit d'où Nonie l'avait tiré des broussailles. Les techniciens allaient vouloir emporter le vêtement pour analyse, mais aussi procéder à leurs propres constatations sur site. Pour ce qu'il en savait, ils allaient tailler à la serpe des pans entiers de ronciers dans l'espoir de trouver des épines ensanglantées sur lesquelles le suspect se serait écorché.

Ces questions n'étaient pas du ressort de Cal. La cellule de commandement avait sa mission, les enquêteurs et techniciens de scènes de crime la leur. Quant à son équipe et lui...

Ils se remirent en chasse.

Ils marchèrent jusqu'au bout du fossé, où celui-ci rejoignait le chemin de terre. Bruits de la grand-route à gauche. Ombrage des sous-bois vert foncé à droite.

Cal n'avait pas besoin de la trace suivante (une empreinte de bout de chaussure sortant vers la droite de ce qu'il restait du fossé) pour savoir dans quelle direction le fugitif était parti.

Vers l'ombre et la fraîcheur relative des sous-bois, où ils apercevaient le toit de la première maison.

13

« Ça, c'est une 22 Long Rifle à verrou. Une arme d'entraînement, donc tu remarqueras qu'elle n'a pas beaucoup de
recul. Cela dit, entre une carabine et une arme de poing, les
sensations au tir sont fondamentalement différentes. Regarde-
moi ça. »

Nouvelle séance dans les bois. Même clairière. Même décor,
la table pliante, la cible sur une palette en bois, le sol jonché
d'étuis de cartouches. Mais pour la leçon du jour, une longue
housse noire sur la table. J'avais déjà deviné à sa forme fuselée
qu'elle contenait une carabine. Frank avait manœuvré la fermeture à glissière, et de fait...

Une arme qui en jetait. Différente du Ruger compact et noir
sur noir avec lequel nous avions tiré deux semaines plus tôt.
Cette carabine me rappelait les westerns, le nouveau shérif de
la ville bien décidé à faire le ménage. La crosse en bois avait
un magnifique grain doré et une gravure en forme de losange
sur la poignée.

Un long canon. 635 mm, m'avait dit Frank en sortant la
carabine de la housse. Comme il l'avait fait avec le pistolet,
il l'avait posée sur la table, chargeur éjecté, culasse tirée pour
exposer la chambre vide.

« J'ai ajouté la lunette moi-même, continua-t-il en repoussant la housse sur le côté. Rien de spécial. Juste une Bushnell de base. Ça t'habituera à viser en te servant du réticule. Comme le Ruger, cette carabine a un chargeur. Celui-là a une capacité de cinq cartouches. C'est petit, tu vois. Le bouton, là-devant, tu le relèves et ça éjecte le chargeur dans ta main. Tu le remplis et tu le remets simplement à sa place. Au lieu d'être intégré à la poignée, il se trouve devant le pontet, mais tu ne le remarqueras presque pas. Il n'est pas bien gros, c'est pour ça que je me suis aussi acheté un dix-coups. Mais on verra ça plus tard. Pour l'instant, c'est du confort qu'il te faut, pas de la puissance de feu.

» Bon, comme avec le pistolet, par sécurité, tu vérifies que le chargeur est vide et ensuite la chambre. En l'occurrence, la culasse est ouverte, ce qui permet de constater que la chambre est vide. C'est le mécanisme à verrou qui fait toute la spécificité de cette carabine. Pas de réarmement semi-automatique après le départ de la première balle. Il faudra chambrer chaque nouvelle cartouche manuellement, en manœuvrant la culasse entre deux tirs. Tiens, je vais te montrer. »

Frank souleva la carabine sans effort et fit coulisser la culasse sur le canon, jusque sous la lunette. Il me semblait que ça passait tout juste, mais apparemment il y avait exactement la place pour tout.

Ensuite, il sortit une boîte bizarre qui contenait des cartouches bleu vif, à peu près de la taille des calibres 22.

« Remplis le chargeur », m'ordonna-t-il en désignant la boîte d'un signe de tête.

J'avais les mains qui tremblaient. J'essayais de les garder contre moi pour que Frank ne s'en aperçoive pas. Il semblait apprécier nos séances. Son fils avait quitté la maison pour l'université. J'imagine que cela faisait de moi, le gamin perturbé, le seul candidat à des relations père-fils. Mais les armes me *rendaient nerveux. Le Ruger, une fois que je l'avais eu en main, ça allait encore. La première séance n'avait pas été trop désagréable.*

Mais là, cette carabine... elle me fichait les jetons.

Je mis finalement les cartouches bleues dans le chargeur. Maladroitement. Je sentais le regard de Frank sur moi, qui m'observait, prenait des notes. Mais il ne dit pas un mot.

Il me prit le chargeur. Le mit en place, devant le pontet. « Ces cartouches bleu vif sont des munitions factices, m'annonça-t-il. Elles ne contiennent pas de poudre. Il s'agit juste de t'aider à prendre l'arme en main. »

Il me regardait gentiment. Je suppose. À quoi ressemble la gentillesse chez un homme ? Je n'avais pas souvent eu l'occasion de le voir. Je haussai les épaules, secouai mes bras dans mon sweat à capuche noir préféré, assorti à mon jean baggy noir préféré. Noir sur noir. Quand je m'habillais comme ça, Frank m'appelait Johnny Cash, mais ça ne m'évoquait rien.

« Vas-y, prends-la, me dit-il. Souviens-toi de ce qu'on s'est dit et imagine qu'un rayon laser sort de la bouche du canon. Même si elle est chargée de cartouches factices, ne dirige pas la carabine vers un objet sur lequel tu ne voudrais pas tirer. »

La carabine était lourde. Encombrante. J'essayai de caler la crosse contre mon épaule droite, la main droite près de la détente (mais sans la toucher), la main gauche soutenant ce canon d'une longueur invraisemblable. Aussitôt mon bras gauche fut pris de tremblements. Je ne voyais pas comment on pouvait tenir ce machin longtemps et encore moins passer une journée à chasser en forêt.

« Bien, reprenons depuis le début. » Frank vint se placer à côté de moi. « Décale tes pieds. De profil, pied gauche en avant. Parfait. Ensuite, ton bras droit : sors le coude. Tu vois comme ça forme naturellement un creux devant ton épaule ? Cales-y la

crosse. Voilà, comme ça. Le bras gauche : descends-moi ce coude.
Il faut qu'il reste plaqué contre ton côté. C'est mieux. Bon, on
a affaire à une arme longue. Plus de trois kilos. Ces trois kilos,
s'ils étaient ramassés dans un petit volume, par exemple dans
un haltère, tu les soulèverais sans difficulté. Mais à cause de
la longueur de l'arme, le centre de gravité est loin devant toi.
C'est pour ça que ton bras a du mal et qu'il tremble : à cause
de l'effort qu'il doit fournir pour soutenir le canon.

» Alors il faut que tu appuies davantage le talon de la crosse
contre ton épaule. Enfonce-le dans le creux. Tu verras, ça sou-
lagera tout de suite ton bras gauche. »

Je suivis son conseil et, comme prédit, mon bras cessa de trembler.

« Bravo. Il faut un moment pour être à l'aise avec une carabine. Tu devras t'entraîner davantage avant que ça te donne
l'impression d'être un prolongement naturel du corps. Maintenant, essaie de regarder dans la lunette avec ton œil droit.
Tu peux fermer l'œil gauche, si c'est plus facile. Mais trouve
le réticule. Dirige-le vers la cible et reste immobile un instant.
Exerce-toi à inspirer et expirer en essayant que le réticule bouge
le moins possible. Excellent. »

Il mentait. Par gentillesse, toujours ? Mon réticule ne tenait
pas en place. Mon bras gauche s'était remis à trembler et chaque
respiration déstabilisait tout le bazar. Mais Frank ne râlait pas.
Il se contentait de hocher la tête à côté de moi comme si tout
se déroulait exactement comme prévu.

La semaine précédente, Sandra m'avait demandé quel était
mon plat préféré. Les macaronis au fromage de chez Kraft, je
lui avais répondu. Non, non, avait-elle voulu m'expliquer : un
plat fait maison ou peut-être quelque chose que j'aurais un jour
mangé au restaurant. Je n'en avais pas démordu : les macaronis Kraft. Alors la veille, c'était ce qu'elle avait fait pour le

dîner. En tout cas, elle avait essayé. Au lieu d'acheter la boîte bleue pas chère avec la sauce en poudre, elle avait pris la version améliorée, « comme à la maison ». Sans doute la seule façon pour elle de se résoudre à acheter de la nourriture industrielle. Dans la version « comme à la maison », il y avait de la vraie sauce, mais au moins elle avait cette couleur orange fluo rassurante. Frank avait vaillamment relevé le défi. Sandra avait mangé du bout des dents. Mais moi, j'avais tout englouti et j'en avais redemandé, même si ce n'était pas la bonne recette. Ça avait eu l'air de faire plaisir à Sandra.

Je ne comprenais toujours pas cette femme. Elle avait l'air heureuse quand ses hommes étaient heureux. Franchement, ça me fichait les jetons.

Le moment était venu de s'exercer à manœuvrer le mécanisme à verrou. Je devais retirer ma main de la détente pour lever, tirer, repousser et redescendre un levier. Plus difficile qu'il n'y paraissait. La première fois, le bout de mon canon a piqué du nez. Mon rayon laser fictif a mordu la poussière. Mais avec un peu d'entraînement, je me suis habitué au mouvement. À la façon dont la cartouche « vide » était éjectée sur la droite avant qu'une autre vienne prendre sa place.

J'avais mal aux bras. Surtout le gauche. J'avais bien aimé le Ruger. Ce n'était pas trop mal. Mais ça...

« Et si on mettait de vraies munitions ? proposa Frank.

– D'accord. » Je reposai avec soulagement la carabine sur la table. En espérant qu'il ne remarquerait pas que je secouais mon bras gauche, que je me massais l'épaule droite.

« Une 22 n'a pas beaucoup de puissance d'arrêt. Donc c'est une bonne arme d'entraînement, mais ça s'arrête à peu près là. Pour la chasse, il te faudra du 308. Pour l'autodéfense, un AR-15. »

Je hochai la tête, mais c'était du chinois pour moi.

Comme s'il lisait dans mes pensées, il me demanda : « Tu connais la différence entre une 22 et une 308 ?

– Le calibre.

– Exact. Une balle de calibre 308 a un diamètre supérieur, elle fera un trou plus gros. Autre chose, de plus important ? »

Frank le prof de sciences me regardait.

Je ne savais pas.

« L'énergie. La balle de 308 sortira du canon avec beaucoup plus d'énergie. Imaginons que la balle soit un bobsleigh : une 22 sera tirée par quatre gars qui se trouvent au même endroit pour la propulser vers l'avant. L'autre soir, on a regardé ce film sur l'équipe jamaïcaine de bobsleigh. Quelle est la meilleure manière de donner de l'élan à l'engin ?

– Courir à côté du bobsleigh pour l'accélérer progressivement et ensuite donner une dernière poussée.

– Exactement. Un fusil de chasse de calibre 308 transmet beaucoup plus d'énergie à une balle plus volumineuse, d'où une efficacité accrue. Avec une carabine comme celle-là, on blesse, dit-il en prenant l'arme d'entraînement rechargée. Avec un 308, on tue. »

Il me remit en position, cette fois-ci pour tirer à balles réelles.

Au premier tir, je ratai la cible. Au deuxième, je l'écornai.

« Prends ton temps. Concentre-toi. Cale bien la crosse au creux de ton épaule. Inspire. Expire. »

Trois rechargements et douze tirs plus tard, j'atteignais la cible.

« Ouais ! » laissai-je échapper malgré moi.

Frank me donna une tape dans le dos.

« Tu veux tirer ? » lui demandai-je en reposant la carabine sur la table et en faisant le nécessaire pour vérifier qu'elle était vide. Je me faisais presque l'effet d'un pro.

« Non, l'heure tourne. On devrait rentrer.

– *Allez. Quelques balles. C'est ta carabine, après tout.* »

J'étais curieux. Avec le pistolet, il avait fait des prouesses. Et avec la carabine ?

« *D'accord, concéda-t-il en levant un œil vers le ciel qui s'assombrissait. Et si tu me la préparais ?* »

Ce fut vite expédié. Cinq tirs. Cinq fois dans le mille. Et alors que je tirais à dix mètres, lui avait reculé à trente mètres. Rien que ça, ça m'impressionnait.

« *Tu es vraiment fort, dis-je, alors que nous commencions à remballer.*

– *J'aime ça, c'est tout.*

– *Tu as été dans l'armée ou quoi ?*

– *Jamais.*

– *Tu as fait de la compète ? Il doit y avoir des concours pour ces trucs-là, non ?*

– *C'est juste un passe-temps. Ce que j'aime dans la vie, c'est enseigner. Le tir n'est qu'un moyen de décompresser. À ce propos, Telly, qu'est-ce que tu aimes dans la vie ?* »

Sa question me prit au dépourvu. Je ne l'avais pas vue venir. Sur la défensive, je haussai les épaules en me concentrant pour remettre la carabine dans sa housse de transport ajustée. « Je ne sais pas.

– *À l'école ou en dehors. Tout le monde a une passion.*

– *Je vais très bien.*

– *Ce n'est pas ce que m'a dit le directeur quand il a appelé après ta bagarre de vendredi.* »

Mes doigts s'immobilisèrent sur la housse. Je détournai les yeux. J'aurais dû m'en douter. Si on allait tirer tous les deux ? *Il y a toujours un piège.*

« *C'est l'autre qui a commencé, grommelai-je.*

– *Le directeur était aussi de cet avis.* »

Je ne répondis pas.

« Mais tu ne peux pas continuer à jouer la tête de Turc. Et chaque fois que tu réponds à la provocation, que tu te lances dans une bagarre, ça augmente les chances que ça se reproduise. »

Je ne dis rien.

« Tu es en colère, Telly. Je le vois bien. Et je le comprends. Bon sang, si j'avais traversé les mêmes épreuves que toi, moi aussi je serais en colère. Contre mes incapables de parents. Mes camarades. La société. Même contre les gens comme Sandra et moi, qui ne faisons que passer, alors que toi toute ta vie tu as dû te battre seul. »

Il s'interrompit. Je ne quittais pas la housse des yeux.

« Est-ce qu'il te reste un bon souvenir, Telly ? Un seul bon souvenir de l'époque où tu vivais avec tes parents ?

– La bibliothèque.

– Ils t'emmenaient à la bibliothèque ?

– Non. J'y allais. J'emmenais ma petite sœur.

– Mais tes parents te lisaient des histoires ?

– Non.

– Ils t'encourageaient à emprunter des livres ? »

Je secouai la tête, complètement désorienté. Lui me regardait avec étonnement.

« Autrement dit, le seul bon souvenir que tu gardes de l'époque où tu vivais avec tes parents n'a strictement aucun rapport avec eux ? »

Je n'y pouvais rien. « J'aimais bien la bibliothèque. Les employés étaient gentils avec nous.

– D'accord. Bien. Alors... peut-être que ça te plairait de devenir bibliothécaire ? »

Maintenant je le regardais comme s'il avait perdu la tête.

Mais il revint à la charge. « Sérieusement, Telly, tu es au lycée. Tes résultats sont à peine passables et entre les bagarres dans les couloirs, cette farce au réfectoire, la dégradation des casiers...

Le couperet va bientôt tomber. Tu ne peux pas rester toute ta vie un jeune voyou en colère. L'an prochain, tu seras en dernière année. Ensuite, ce sera fini. Tu seras livré à toi-même. Quel homme vas-tu devenir, Telly ? Et est-ce que tu te sens prêt ? »

Je n'avais aucune réponse à lui donner.

« Tes parents ne sont plus là. Ta sœur non plus. Le passé appartient au passé. Le haïr, s'en prendre aux autres et à soi-même, c'est une perte de temps. Tôt ou tard, il faudra te libérer de cette colère. Et il faudra arrêter de vivre en regardant dans le rétroviseur. C'est ça, l'enjeu de l'année à venir. Trouver ta voie. Te mettre en situation de réussir. On est là pour toi, Sandra et moi. On comprend ce que tu vis. Alors arrête de penser que tu es tout le temps seul et que la terre entière t'en veut. Tu as au moins deux personnes de ton côté. Ce n'est déjà pas si mal. »

Frank me prit la housse, se dirigea vers la voiture.

« Je ne suis pas libre le week-end prochain, me dit-il en se retournant vers moi. C'est la fête de la science au lycée. Mais peut-être le week-end suivant. Je rapporterai les carabines. C'est un bon entraînement pour toi. »

Je commençai à replier la table.

Il s'arrêta à côté de la voiture et me considéra gravement. « Tu peux y arriver, Telly. Peut-être pas parfaitement. Peut-être qu'il faudra encore en baver. Mais j'ai confiance en toi. Tu as sauvé ta sœur. Maintenant il faut juste que tu trouves comment te sauver toi-même. Encore un an, Telly. Ensuite, ton avenir sera entre tes mains : quel homme deviendras-tu ? »

14

Installée à la table de cuisine, Rainie écoutait le cliquetis des griffes de Luka sur le carrelage : le berger allemand faisait des allers-retours dans la fraîcheur du sous-sol. Elle n'entendait pas Sharlah, mais cela n'était guère surprenant. L'adolescente préférait le silence ; tout pour éviter d'attirer l'attention sur elle. Sharlah lisait, écoutait de la musique avec ses écouteurs, jouait sur son iPad, tout cela dans le plus grand calme. Rainie, Quincy et Sharlah étaient capables de passer des soirées entières dans le salon, chacun le nez dans son livre ou sur son écran, sans faire le moindre bruit.

Au début, ce calme avait inquiété Rainie, mais désormais elle choisissait de le voir comme quelque chose de confortable, encore un point commun grâce auquel leur future fille adoptive leur ressemblait étonnamment, à elle et à Quincy : ils étaient des êtres casaniers qui aimaient le silence.

Rainie se leva et tourna autour de la table. Elle venait de s'entretenir au téléphone avec Brenda Leavitt, l'assistante sociale de Sharlah. Cela avait pris un peu de temps, mais Rainie avait fini par obtenir quelques renseignements sur le passé de la jeune fille. Son interlocutrice avait aussi promis de se renseigner sur les précédents placements de Telly et de revenir très vite vers Rainie.

Celle-ci était à cran, les nerfs en pelote. Certes, elle croyait ce qu'elle avait dit à Sharlah : sa fille n'avait pas à s'inquiéter de Telly. C'était leur boulot, à elle et à Quincy. Mais d'un autre côté, son propre passé lui avait enseigné que le pire était possible et même probable. À vrai dire, plus l'adoption de Sharlah – et le moment où elle deviendrait vraiment leur fille – approchait, plus l'anxiété de Rainie s'était aiguisée.

Les dénouements de conte de fées, les familles aimantes, c'était pour les autres, se disait-elle souvent. Dans son cas, de tels cadeaux du ciel restaient inaccessibles.

Mensonge, se rappela-t-elle alors. Elle avait Quincy, Sharlah et Luka. Elle avait un travail passionnant, une belle maison, une vie formidable. Simplement, elle avait aussi ses démons. Des démons qu'il lui fallait combattre tous les jours, vaincre tous les jours. Tel était le lot d'une alcoolique.

D'où le coup de foudre qu'elle avait eu pour Sharlah dès leur rencontre. Elle avait regardé sa future fille dans les yeux et elle avait lu en elle. Comme dans un livre ouvert. Les peurs de Sharlah, ses angoisses, son fragile espoir, sa force viscérale. Rainie avait vu sa fille tout entière. Et elle l'avait aimée, non pas malgré ses faiblesses, mais à cause d'elles. Sharlah était une battante. Comme Rainie et Quincy.

Et il n'était pas question que Rainie laisse un assassin, ce grand frère perdu de vue, foutre sa famille en l'air.

Son téléphone sonna. Elle consulta l'écran, pensant que c'était Brenda Leavitt qui la rappelait. Mais c'était le shérif, Shelly Atkins.

« On a du nouveau », dit celle-ci sans préambule. Rainie et Quincy travaillaient avec Shelly depuis sa première élection. Échanger des civilités n'était pas leur fort.

« On a retrouvé le téléphone de Telly Ray Nash. Il contient des photos de Sharlah. Datées d'il y a cinq jours. »

Rainie s'arrêta net. Elle sentit son cœur sursauter dans sa poitrine et ses poings se serrer par réflexe. Prenant une grande inspiration, elle s'obligea à se rasseoir à la table.

« Il y a cinq jours », répéta-t-elle. Elle essayait de réfléchir : que faisaient-ils, il y a cinq jours ? Étaient-ils à la maison ? En sortie ? Et comment une policière avertie comme elle n'avait-elle pas remarqué qu'un jeune voyou mitraillait sa fille ?

« Les photos ne sont pas de très bonne qualité. Sans doute prises avec le téléphone et agrandies. Dan Mitchell va vous en envoyer une copie par e-mail. Il a reconnu un des bâtiments à l'arrière-plan : la bibliothèque. »

Exact : cinq jours plus tôt, Rainie avait emmené Luka et Sharlah à la bibliothèque de Bakersville. Luka participait au programme d'été « un chien pour lire ». Le but était d'inviter les enfants en difficulté à faire la lecture à voix haute pour des auditeurs à quatre pattes, ce qui était à la fois plus amusant et moins stressant pour les apprentis lecteurs.

« D'accord, dit Rainie.

— Vous avez parlé de son frère à Sharlah ?

— Elle n'a pas été en contact avec lui depuis la nuit du meurtre de leurs parents. Et elle ne garde de lui qu'un souvenir assez vague. Elle n'avait que cinq ans quand ils ont été séparés.

— Et du côté des e-mails, des textos ? Quelque chose que vous n'auriez pas vu ? »

Rainie sourit. « Le forfait téléphonique de Sharlah est lié au mien : je suis en copie de tous ses textos. Et nous contrôlons régulièrement sa messagerie. Ce n'est pas de tout repos d'être parents, de nos jours.

– Rainie… je ne sais pas ce qu'il faut en penser, mais le téléphone de Telly a été vidé : il a effacé l'historique de navigation, supprimé les photos de sa galerie. Toutes, sauf celles de Sharlah. Comme s'il tenait à ce qu'on les voie. À ce qu'on sache qu'il l'avait épiée. »

Rainie se figea. Son cœur faisait de nouveau des bonds dans sa poitrine. Elle sentait monter le pic d'adrénaline, une réaction de panique instinctive face au danger. Elle avait eu raison d'avoir peur dès le début : le pire était en train de se produire.

Encore une grande inspiration. Raisonner comme Quincy. En pareilles circonstances, sa logique sans faille était aussi sécurisante qu'elle pouvait être irritante.

« Avez-vous progressé sur la localisation de Telly ? » demanda Rainie. Elle parlait d'une voix raisonnablement posée. Encore une inspiration pour se calmer. Puis elle quitta la table pour gagner le bureau de Quincy, au bout du couloir, et le coffre-fort où ils entreposaient leurs armes.

« Un pisteur, Cal Noonan, a retrouvé sa trace. Depuis le parking de la station-service, Telly est parti vers le nord et il semblerait qu'il soit entré dans un lotissement résidentiel : une poignée de maisons, des terrains immenses. Ils sont en train de sonder le secteur. »

Rainie hocha la tête, décrocha la photo de la fille aînée de Quincy, puis posa son index sur le lecteur biométrique. La porte du coffre-fort s'ouvrit. L'arme personnelle de Rainie était un Glock 42, mais ce pistolet était trop volumineux pour être porté discrètement avec sa tenue estivale. Elle choisit donc plutôt son 22 de secours. Quincy portait son arme dans un étui de cheville. Rainie préférait coincer la sienne au creux de ses reins. Plus accessible, pensait-elle.

« Il s'est passé plus de quatre heures depuis la fusillade de la station-service.

– Exact.

– Et personne n'a encore aperçu le suspect ? L'avis de recherche et le numéro d'appel dédié n'ont rien donné ?

– Rien.

– Bref, il se peut qu'il soit encore à pied, dans ce lotissement. Mais il pourrait aussi avoir volé un autre véhicule, avoir filé rencard à un ami. Il peut être absolument n'importe où.

– Je confirme. » L'avantage d'une conversation entre membres des forces de l'ordre : ni l'une ni l'autre n'avait à mentir. « Je peux affecter un policier à votre protection rapprochée, proposa le shérif.

– Et réduire le nombre d'agents qui recherchent un fuyard armé ? Non merci. On a la situation sous contrôle ici. » Rainie ne disait pas cela uniquement parce qu'elle était désormais armée ou que sa fille était flanquée d'un chien policier, mais parce que Quincy avait conçu la maison en songeant précisément à ce genre de situations. Les baies étaient positionnées de sorte à offrir des perspectives dégagées et l'allée de gravier était en elle-même un système d'alarme.

Rainie avait ses angoisses et ses démons. Quincy avait les siens.

« J'ai discuté avec l'assistante sociale de Sharlah, reprit Rainie. Sharlah affirme qu'elle se souvient très peu de ses parents ou de son grand frère. Pour être franche, nous n'avons jamais posé beaucoup de questions sur Telly et sur les raisons pour lesquelles il était sorti de sa vie. Mais avec les événements de ce matin... »

Rainie n'avait pas besoin de voir le shérif pour savoir qu'elle hochait la tête à l'autre bout du fil.

« D'après Brenda Leavitt, Sharlah justifiait les agissements de Telly cette nuit-là. Et le procureur, Tim Egan, a fait évaluer les deux enfants par une psychiatre judiciaire. Sa conclusion a été que Telly avait joué un rôle maternant auprès de sa sœur. Il lui préparait son petit déjeuner, l'emmenait à l'école, ce genre de choses.

– Il aimait Sharlah ?

– Oui, d'après le rapport psychiatrique. Mais c'est là que ça se corse. Quand on lui a confié le dossier, Brenda Leavitt a réalisé son propre entretien avec Sharlah qui était en convalescence à l'hôpital. Comme Telly avait aussi frappé sa sœur (dans le feu de la colère, estimait la psychiatre), Brenda voulait s'assurer que Sharlah se voyait encore sans problème vivre avec son frère. Les services sociaux séparent rarement les fratries ; ils ne le font que s'ils considèrent que c'est dans l'intérêt des enfants.

– Je vois.

– Or chaque fois que Brenda interrogeait Sharlah sur son frère, la gamine devenait très agitée et n'arrêtait pas de répéter qu'il la détestait. Pour finir, Brenda s'est inquiétée de voir que Sharlah avait peur de Telly. Elle s'est dit qu'il risquait de nouveau de s'en prendre à elle. D'où la recommandation de placer les deux enfants séparément.

– Donc c'est Sharlah qui a coupé les ponts, si on peut dire, observa Shelly.

– Oui. Mais je ne sais pas à quel point Telly l'a su... Il n'avait que neuf ans à l'époque et son propre traumatisme à gérer.

– N'empêche. Vu de chez Telly, on pourrait se dire qu'il a tué ses parents pour sauver sa sœur, tout ça pour qu'elle refuse définitivement de le voir.

– Ce n'est pas faux. Et si l'on en croit le rapport de la psychiatre judiciaire, après toutes ces années et les efforts que Telly avait faits pour prendre soin de Sharlah et la protéger…

– Son rejet a dû être d'autant plus difficile à encaisser. En fait, ça a dû le mettre sacrément en rogne.

– Certes, constata Rainie. Brenda va me fournir une liste de toutes les familles d'accueil par lesquelles Telly est passé, mais ça ne sent pas bon. Depuis qu'il a perdu ses parents et sa sœur, il a été d'un endroit à l'autre. Tendances antisociales, trouble oppositionnel avec provocation. C'est un adolescent profondément perturbé. »

Shelly poussa un gros soupir. « Est-ce que ça va être une de ces affaires où tous les voisins diront au journal télé : Je savais que ce gamin était de la mauvaise graine, et ainsi de suite ?

– Possible. Brenda connaissait la précédente famille d'accueil de Telly. La femme n'avait pas un bon contact avec lui. Elle le trouvait trop taciturne. Il faisait ce qu'on lui disait… mais elle s'est toujours un peu méfiée de lui. Pour reprendre ses termes, elle avait peur qu'il les assassine dans leur sommeil.

– Super.

– On leur a retiré Telly en raison d'accusations de vol : de petits objets disparaissaient aux quatre coins de la maison. Telly ne s'est jamais défendu. Sa conseillère de probation est venue le chercher et il est parti. Direction, la maison des Duvall, j'imagine… Mais des mois plus tard, la famille a retrouvé les objets disparus. Il y avait chez eux quatre enfants placés et on s'est aperçu que c'était un autre qui chapardait, qui faisait de l'accumulation compulsive en fait. On a tout découvert dans une boîte sous le lit du gamin. Ils s'en sont voulu d'avoir accusé Telly, mais pas au point de réclamer son retour.

– Donc un adolescent furieux et introverti, qui a grandi dans une famille violente et tué ses parents à l'âge de neuf ans, qui a été rejeté par sa petite sœur (sans doute la seule personne qui ait jamais compté à ses yeux) et auquel le reste du monde n'a ensuite accordé aucune chance.

– Les tueurs fous ont souvent une liste de personnes à abattre, observa Rainie. Tous ceux qui leur ont un jour ou l'autre fait du tort.

– Je vous envoie un agent. Sérieusement.

– Et vous allez aussi en envoyer un à toutes les familles qui ont rejeté Telly ? Au directeur de lycée qui l'a renvoyé, aux camarades de classe qui se moquaient de lui ? La liste des gens qui ont fait du tort à Telly est trop longue, vos effectifs n'y suffiront pas. Le retrouver, voilà ce qu'il faut faire. Le localiser. L'interpeller.

– J'ai une équipe de pisteurs à ses trousses. Et ensuite je dois rencontrer Aly Sanchez, sa conseillère de probation. Histoire de voir ce qu'elle peut nous dire de l'état d'esprit de Telly et de la personnalité des Duvall. Si Telly est du genre rancunier, allez savoir ce qu'ils ont pu faire pour qu'il explose.

– Est-ce que Quincy peut se joindre à vous ? J'aimerais en faire autant, mais je dois rester avec Sharlah.

– Je ne refuse jamais les lumières d'un profileur. Surtout dans une affaire où les zones d'ombre sont encore légion.

– Envoyez-moi les photos.

– C'est en cours. »

Rainie retourna dans la cuisine. Elle s'arrêta pour guetter le bruit des griffes de Luka. Et, ne l'entendant pas...

« Sharlah ? appela-t-elle vivement.

– Oui ? » Sa fille apparut, un verre de citronnade à la main, Luka à ses côtés.

Et une fois de plus, Rainie demanda à son cœur de se calmer et décrispa sa main autour du combiné.

« Sharlah, il faut qu'on parle. »

15

Quincy était à cran. Et ce que lui disait Rainie à l'autre bout du fil n'arrangeait rien.

« Telly a des photos de Sharlah dans son téléphone ?

– Une demi-douzaine, prises ces cinq derniers jours. Quincy, sur la plupart on voit Sharlah et Luka marcher en direction de la bibliothèque. Mais la dernière... c'est le porche de la maison. Il est venu chez nous.

– Je crois qu'il faut que vous partiez, Sharlah et toi. Allez à Seattle. Au Canada. N'importe où.

– Je comprends. Je suis en train d'en discuter avec Sharlah. Elle jure toujours qu'elle n'a eu aucun contact avec son frère. Et qu'elle n'a vu personne la prendre en photo. Pourquoi nous laisser ces photos, Quincy ? Pourquoi tout supprimer de son téléphone, sauf ça ? Shelly pense que c'est un message – ou peut-être un avertissement. Mais dans quel but ? »

Quincy ne savait pas très bien quoi répondre. « Il est en colère ? Dans le passé, Sharlah l'a rejeté. Aujourd'hui, il veut qu'elle sache qu'il peut la retrouver à tout moment.

– Dans ce cas, pourquoi ne pas venir à sa rencontre ? Pourquoi ne pas rappliquer ici après avoir tué les Duvall et en finir une bonne fois pour toutes ? Pourquoi partir vers le nord et tuer deux inconnus ? Si ces photos sont un avertissement...

– Je ne sais pas, finit par dire Quincy.

– D'après tout ce qu'on m'a dit sur Telly, c'est un vrai cas d'école : renfermé, instable, solitaire. Élevé dans une famille maltraitante. Conduit à tuer ses parents à l'âge de neuf ans. En manque de repères depuis cette époque. Un tableau classique pour un auteur de tuerie. Mais, curieusement, j'ai l'impression que nous ne savons rien de lui.

– C'est parce que tu connais Sharlah. Que tu l'aimes. Du coup, tu ne peux pas imaginer que son frère soit mauvais à ce point.

– Possible. Il veillait sur elle. La première chose qu'elle revoit quand elle pense à lui, c'est une boîte de Cheerios. Il lui donnait son petit déjeuner, Quincy. Ce lien qu'il y avait entre eux... ça doit compter, tout de même.

– Il était attaché à sa sœur. C'est bon signe, en théorie, expliqua Quincy. Un enfant qui s'est attaché une fois est capable de s'attacher de nouveau. » Raison pour laquelle ils avaient donné un chien à Sharlah. « Mais quand le lien a été rompu... il est fort possible qu'il se soit senti trahi par sa sœur. Il y a en lui un noyau de colère qu'il nourrit depuis des années. Et maintenant qu'il a explosé...

– Tout est possible, conclut posément Rainie.

– Vous devriez partir, Sharlah et toi.

– Je sais. Donne-moi le temps de rassembler quelques affaires. Et toi ? Tu vas rejoindre Shelly pour l'entretien avec la conseillère de probation ?

– Je suis en route pour le PC.

– Il faut qu'on arrive à cerner ce garçon, Quincy. Pas seulement parce qu'il représente une menace, mais parce que c'est le frère de Sharlah. Elle va avoir besoin de réponses. Tu te rends compte ? D'abord son père essaie de zigouiller toute la famille et maintenant son frère est un tueur de masse. Elle va se poser des questions sur son devenir, forcément.

– Je sais. On va résoudre cette affaire, Rainie. On va coincer ce suspect, comme on l'a toujours fait. Sharlah sera saine et sauve et la vie reprendra son cours.

– Et toi, tu tiens le choc ? »

Question posée d'une voix douce par son épouse, sa complice, pour qui il n'avait pas de secrets. Et qui savait qu'il avait déjà vu une de ses filles assassinée.

« J'aimerais que vous partiez, Sharlah et toi », répéta-t-il.

Et parce que Rainie le connaissait par cœur, elle répondit : « Sharlah n'est pas Mandy. Tu as raison : on va retrouver Telly et Sharlah sera de nouveau en sécurité. On va y arriver, Quincy. Je te le promets. »

Quincy se rendit au PC mobile.

Aly Sanchez, la conseillère de probation, s'y trouvait déjà, au coude à coude avec le shérif Atkins dans ce petit espace.

De prime abord, on aurait facilement pris Aly pour une des mineures qu'elle suivait. Un petit bout de femme. De longs cheveux bruns. Un visage auquel on aurait donné quatorze ans plutôt que quarante. À cet instant, elle était assise en tailleur sur une chaise, position que Quincy n'aurait jamais cru possible. Vêtue d'un short et d'une blouse à fleurs fluide, elle sourit devant la tenue plus conventionnelle de Quincy.

« Vous devez être le profileur.

– Je plaide coupable. » Il se fraya un chemin pour serrer la main de Sanchez, puis battit en retraite vers l'entrée. Vu l'exiguïté des lieux, aucun risque de ne pas se faire entendre.

« J'étais en train de dire au shérif que je connaissais Telly depuis un an. On me l'a confié quand il avait seize ans. Un tempérament colérique : au moindre mot ou geste de travers, Telly défonçait un casier du lycée. D'où une condamnation pour trouble à l'ordre public. Il a aussi été renvoyé cinq jours de l'établissement, mais comme c'est une forte tête, il est revenu au bout de deux au mépris des ordres du directeur. Nouvelle bagarre dans les couloirs et le directeur appelle la police pour expulser Telly *manu militari*. Disons que Telly n'y a pas mis beaucoup de bonne volonté, ce qui lui a valu une condamnation pour délit de rébellion et l'ouverture d'un dossier chez moi. Et depuis, on tourne en rond.

– Drogue, alcool ? demanda Shelly.

– Dans le cadre de son suivi judiciaire, Telly est soumis à un dépistage aléatoire de consommation de drogue. Je lui ai fait passer quatre tests en un an. Tous négatifs.

– Et vous croyez à ces résultats ? » Quincy posait la question parce que les toxicomanes patentés connaissaient de nombreuses méthodes pour fausser les tests.

« En fait, oui. Je ne dirais pas que Telly est un saint, mais je ne crois pas que la drogue fasse partie de ses nombreux problèmes. Au contraire, j'ai l'impression qu'après ce qu'il a vécu auprès de ses parents, il y est violemment hostile.

– L'exception qui confirme la règle », observa Quincy, les enfants de toxicomanes ayant statistiquement beaucoup plus de chances de tomber à leur tour dans la drogue.

« Ça, Telly est un cas particulier. Parmi les jeunes que je suis, il fait partie de ceux devant lesquels on se dit : méfions-nous de l'eau qui dort. Est-ce que je l'aime bien ? Oui, absolument. Est-ce que je me serais doutée qu'on m'interrogerait parce qu'il aurait perpétré une tuerie de masse ? Non. Mais, je le répète, il faut se méfier de l'eau qui dort. Or je ne vois Telly que de loin en loin et depuis moins d'un an. Je ne peux pas dire que je le connaisse bien. Surtout qu'avec son caractère... Telly garde tout pour lui. Alors quand la cocotte-minute explose...

– Tout devient possible, conclut Shelly.

– Il n'avait aucun souvenir d'avoir défoncé les casiers du lycée. Quand il a regardé les images de la vidéosurveillance, il a été le premier surpris, même si le sang qui dégoulinait de ses poings aurait dû lui mettre la puce à l'oreille. »

Sanchez se pencha vers eux :

« En probation, une partie du travail consiste à élaborer des stratégies qui permettront au jeune de s'en sortir. Je ne me contente pas de surveiller Telly parce qu'il a commis de mauvaises actions par le passé, je l'accompagne pour trouver avec lui des moyens d'éviter que ça se reproduise. En l'occurrence, Telly a plusieurs handicaps à surmonter. Déjà, il est insomniaque. Le trauma, la surexposition à la violence, l'anxiété, tout ce que vous voudrez. Résultat, il dort rarement plus d'une ou deux heures par nuit, ce qui, vous l'imaginez bien, ne facilite pas la scolarité et la concentration. »

Vivant lui-même avec deux insomniaques, Quincy l'imaginait bien, en effet.

« Sandra Duvall s'était renseignée sur le sujet, continua Sanchez. Les somnifères provoquaient des réactions paradoxales chez Telly. Mais la dernière fois que nous nous étions rencontrées, elle avait commencé à lui donner de la mélatonine, un complément naturel, pour voir si ça apporterait une amélioration.

– Verdict ? demanda Shelly.

– Je ne sais pas. C'était il y a un mois.

– D'autres difficultés ? demanda Quincy.

– Telly a du mal à se tenir à l'écart des problèmes. Si vous le bousculez, il vous bousculera en retour. Or vu son passé et les idées que beaucoup de ses camarades se font à son sujet...

Il suffisait qu'entre deux cours un autre élève lance une pique dans les couloirs ou lui donne un coup d'épaule pour que ça tourne à la bagarre en un rien de temps. Au mois de mai, je lui ai conseillé de se mettre des écouteurs dans les oreilles entre les cours, de se concentrer sur sa musique et de rester dans sa bulle. Je crois que ça l'a aidé, mais à l'époque, il était déjà en train de rater son année, si bien qu'il a passé ces deux derniers mois en cours de rattrapage. Pour Telly, scolarité égale stress.

– Ça fait monter la pression, traduisit Quincy.

– Exactement.

– Est-ce qu'il appréciait sa famille d'accueil ? » demanda Shelly.

Sanchez haussa les épaules. « Il avait l'air de les supporter, ce qui n'était déjà pas si mal dans son cas. À signaler que c'était moi qui avais recommandé les Duvall, j'avais pris sur moi de contacter l'assistante sociale de Telly. Dans le système de placement, chaque famille a son créneau ; de celles qui sont là pour l'allocation de vingt dollars par jour, à celles qui veulent des placements de courte durée et la satisfaction d'offrir un havre de sécurité à un enfant avant qu'il ne parte dans la famille qui l'accueillera définitivement ; en passant par celles qui visent l'adoption et qui veulent offrir une solution permanente. Frank et Sandra se situaient à une extrémité du spectre : ils voulaient un enfant déjà grand auprès de qui ils pourraient jouer un rôle de tuteurs. Par exemple, un adolescent comme Telly est trop vieux pour imaginer s'intégrer à une famille. En revanche, il a besoin d'être soutenu. D'ici un an, il sortira du dispositif et sera livré à lui-même. Comment trouver un logement ? Un premier emploi ? Ouvrir un compte en banque, payer ses factures ? J'aborde aussi certains de ces sujets avec les jeunes que j'accompagne, mais les premiers pas dans la vie sont souvent semés d'embûches. Devenir majeur est un défi pour tout le monde, mais c'est particulièrement difficile pour les enfants de l'Assistance.

— Nous avons vu des photos sur la page Facebook de Sandra Duvall, dit Shelly. Apparemment, Frank emmenait Telly tirer avec des armes à feu. Vous étiez au courant ?

— Frank m'avait prévenue avant de donner sa première leçon à Telly. Il pensait que cette activité pourrait lui apprendre à focaliser son attention. Toucher une cible exige discipline et concentration. Et si l'élève n'est pas trop mauvais, cela peut également renforcer sa confiance en lui, or Telly en manquait cruellement. En tout cas, c'est l'argumentaire que Frank m'a servi.

— Est-ce que Telly parlait de ces séances ? demanda Quincy.

— Non. Jamais.

— Est-ce qu'il était bon tireur ? insista Shelly.

— Aucune idée.

— Et Sandra ? reprit Quincy. Que pensait-il d'elle ?

— Un jour, il m'a vanté ses talents de cordon-bleu.

— Est-ce qu'il parlait de son passé ? De la mort de ses parents ?

— Non.

— Et vous, est-ce que vous abordiez le sujet ?

— Oui et non. On tournait autour de la question. Comme les faits n'avaient donné lieu à aucune poursuite, il n'existe aucun dossier officiel au nom de Telly concernant la mort de ses parents. Cela dit, j'ai contacté certains des policiers qui étaient intervenus, pour me renseigner. Et puis, il y a les rumeurs. Ses camarades du lycée en avaient même fait un petit couplet : *Telly Ray Nash assomme sa mère à coups de batte, Telly Ray Nash tabasse son père et le latte...* Je vous le disais, mieux valait qu'il se bouche les oreilles dans les couloirs.

— Mais lui-même refusait d'en parler ? demanda Quincy.

– Oui. Et si j'insistais, son regard devenait vide... Comment vous décrire cette expression ? Comme s'il était complètement absent. »

Quincy se pencha vers elle. « Et sa sœur, Sharlah ? Est-ce qu'il vous aurait parlé d'elle ? »

Pour la première fois, Sanchez hésita. « Telly, non. Mais Frank Duvall, oui. Il y a... cinq mois. Dans le courant du mois de mars. Il m'a appelée pour savoir si j'avais des informations à son sujet.

– Et c'était le cas ?

– Non. Je suis conseillère de probation, pas assistante sociale. »

Quincy ne la lâchait pas du regard. « Pourquoi cette question de la part de Frank ? Que cherchait-il à savoir ?

– Il s'était mis en tête que Telly n'arrivait pas à se libérer de ce qui était arrivé à sa famille biologique. Tuer ses parents, même quand votre père vous pourchasse dans toute la maison avec un couteau, c'est lourd. Ajoutez à cela que, dans son accès de violence, Telly avait aussi cassé le bras de sa sœur... Frank se disait que si Telly avait pu voir, ou du moins savoir, que sa sœur allait bien, ça aurait pu l'aider à aller de l'avant. À se réconcilier avec le passé. Ce qui paraissait indispensable à Frank si nous voulions que Telly puisse un jour tourner la page.

– Je veux voir les photos », dit Quincy. Il regardait Shelly et c'était une affirmation, pas une demande.

Avec un soupir, le shérif s'approcha d'un des ordinateurs portables pour pianoter sur le clavier. « Le téléphone est encore en cours d'analyse, mais l'adjoint Mitchell m'a copié les photos. Il y en a six, qui remontent à cinq jours, d'après la date des fichiers. »

Comme le lui avait indiqué Rainie, les cinq premières avaient été prises devant la bibliothèque publique. Sharlah traversait le parking, Luka à ses côtés, Rainie quelques pas derrière. Sanchez regarda par-dessus l'épaule de Quincy, curieuse.

« Telly passait beaucoup de temps à la bibliothèque ? demanda Quincy.

– Je ne crois pas lui avoir jamais posé la question. Mais c'est un grand lecteur. Les trois quarts du temps, il se promène avec un livre de poche corné dans son sac. Du Tom Clancy. Du Brad Taylor. Des thrillers militaires. »

Est-ce que ça pouvait être aussi simple que ça ? Cinq jours plus tôt, passant à la bibliothèque, Telly avait repéré cette sœur perdue de vue depuis des années. Et là...

En la voyant si heureuse avec son chien, il avait décidé de buter toute la ville, en commençant par sa famille d'accueil ? Quincy secoua la tête. Ça ne collait pas. Il y avait trop d'éléments qui leur manquaient. Trop de choses qu'ils ignoraient sur Telly, sur ces meurtres.

La dernière photo s'afficha plein écran. Sauf que, cette fois-ci, Sharlah ne se trouvait plus devant la bibliothèque mais sous un porche, assise dans un fauteuil à bascule Adirondack qui faisait la paire avec un autre. Devant sa maison.

Chez Quincy.

« Quelle date ? » demanda-t-il sèchement.

Shelly répondit d'une voix égale : « Même après-midi.

– Il a suivi Rainie et Sharlah depuis la bibliothèque.

– J'imagine.

– Pourquoi ? » Il se retourna d'un seul coup vers Sanchez, qui avait eu la bonne idée de regagner son siège. « Pourquoi ces photos ? Pourquoi ce soudain intérêt pour sa sœur, alors que, d'après vous, il n'en avait jamais parlé ?

– Je ne sais pas.

– Est-ce que Frank Duvall avait fait des recherches sur ma fille ? Est-ce qu'il avait creusé la question ?

– Je suis désolée, mais je l'ignore. Il faudra demander à Frank... »

Sa voix se brisa. Impossible d'interroger Frank Duvall, abattu au petit matin par Telly.

Shelly, debout entre eux, tenta de remettre la conversation sur ses rails : « Telly Ray Nash est un jeune en colère. »

Sanchez arracha son regard de Quincy pour se tourner vers le shérif. « Vous voudriez que je le mette dans une case : bon ou mauvais. Noir ou blanc.

– Il a tué quatre personnes ce matin. Mon opinion est faite sur le sujet.

– Je vous comprends. Et comme je connaissais personnellement Frank et Sandra et que c'est moi qui ai recommandé qu'on leur confie ce garçon... » La voix de Sanchez se mit à trembler et Quincy entendit pour la première fois les émotions qu'elle s'était manifestement donné beaucoup de mal à contenir.

« Je ne peux pas ranger Telly dans une case pour vous faire plaisir, reprit-elle après quelques instants. Oui, il est impulsif, sujet aux accès explosifs, mal dans sa peau et très remonté. C'est aussi un môme de dix-sept ans qui essaie de se dépatouiller d'une enfance violente tout en s'entendant dire qu'il ne lui reste que quelques mois pour décider du reste de sa vie. Est-ce que je voudrais être à sa place ? Pas franchement.

» Quand il fait des efforts, Telly n'est pas un méchant garçon. Le Telly qui prenait sa mélatonine et qui se mettait des écouteurs dans les oreilles entre les cours, ce Telly-là espérait arriver à s'en sortir. Il coopérait avec moi. Peut-être même qu'il écoutait Frank. Une fois qu'on a dit ça... » Sanchez laissa sa phrase en suspens et prit une grande inspiration. « Il est stressé. Son passé, son avenir, le présent et ses cours de rattrapage. Les raisons ne manquent pas. Telly est un adolescent soumis à une pression phénoménale et les précédents nous montrent que, sous pression...

– Il explose, dit Quincy.

– Voilà. Et dans ces moments-là, il devient capable de presque n'importe quoi.

– Y compris de frapper sa petite sœur avec une batte de base-ball ?

– Exactement. »

Sanchez se tut. Quincy, de son côté, n'était pas certain d'avoir grand-chose à ajouter. Il s'abîma de nouveau dans la contemplation de la photo de sa fille, prise à leur insu devant leur propre maison.

Comment ce garçon avait-il pu s'approcher autant ? Et pourquoi maintenant ? Qu'attendait-il de sa sœur ?

La radio accrochée à l'uniforme de Shelly donna brusquement signe de vie. L'appel résonna avec d'autant plus de force qu'un silence crispé régnait dans le poste de commandement.

« Coups de feu signalés, coups de feu signalés ! De Team Alpha à la base. Demande de renforts immédiats. Je répète : coups de feu signalés ! »

16

Cal Noonan aimait les arbres. Il admirait leur beauté élancée, appréciait leur ombre profonde et, en un jour comme celui-ci, les respectait pour la couverture stratégique qu'ils offraient. Quand on prend en chasse un fugitif armé, il ne fait jamais de mal d'en être séparé par autant d'arbres que possible.

L'approche de la première habitation n'en était que plus éprouvante pour leurs nerfs. Une petite maison blanche, tout au bout d'un chemin de terre. Le terrain avait été déboisé des décennies sinon des générations plus tôt, de sorte qu'un vaste espace à découvert s'étendait entre l'équipe de Cal et la porte d'entrée. D'ailleurs, ce n'était même pas la maison qui intéressait le plus le pisteur. Il avait repéré une empreinte de chaussure au bord de la route, vers le côté gauche de la propriété, où Cal apercevait une baraque toute branlante. Le genre de remise où le propriétaire pouvait garer une voiture mangée par la rouille, un vieux tracteur ou, dans la région, un quad.

Si Cal avait été un jeune fuyard de dix-sept ans, il aurait voulu un quad.

Antonio prit la tête de la colonne, suivi de Cal et Nonie, Jesse fermant la marche. Ils avançaient le dos bien droit, restant le plus possible à l'ombre des broussailles qui bordaient la propriété. Une progression lente et régulière. Fusils en main. À l'affût du moindre mouvement.

Sauf Cal, qui cherchait, sur le sol devant Antonio, de nouvelles traces de passage.

Si bien qu'il ne vit pas venir le premier coup de feu. Il était en train d'inspecter un pan de pelouse particulièrement piétiné, quand soudain...

Un coup de fusil claqua. Net et précis.

Antonio poussa un juron. Cal et Nonie se jetèrent à terre. Puis Jesse, à plat ventre, fusil devant lui, rampa jusqu'à eux en demandant : « Vous êtes blessés ? Qu'avez-vous vu ? »

Antonio réclamait déjà des renforts par radio.

Cal se promit que, si par bonheur il s'en sortait, il s'en tiendrait à fabriquer du fromage jusqu'à la fin de ses jours.

Deuxième coup de fusil. En provenance de la maison, jugea Cal. Après quoi, alors qu'une troisième balle déchiquetait le buisson au-dessus de sa tête, il aperçut le miroitement d'un fusil à une fenêtre de l'étage.

« Police, cessez le feu ! » cria Antonio, accroupi, tout en communiquant par gestes avec Jesse. Son collègue hocha la tête et, en trois rapides roulés-boulés, prit position à l'abri d'un rhododendron.

« Vous êtes sur une propriété privée ! dit une voix râpeuse de vieil homme. Sortez de chez moi. Rien à voir. Rien à voler. Ouste !

– Monsieur ! C'est la police. Nous sommes à la poursuite d'un fugitif armé. Posez votre arme. Ne tirez plus !

– Si vous voulez mon arme, il faudra l'arracher des mains de mon cadavre ! » rétorqua le maître des lieux.

Cal baissa la tête. Il allait mourir à cause d'un vieillard paranoïaque. La bonne blague.

« Monsieur », lança Cal, tentant à son tour sa chance, quitte à s'attirer un regard noir d'Antonio. « Nous sommes sur la piste d'un jeune homme de dix-sept ans. Il a tué une caissière et un client à la station EZ Gas, à deux kilomètres d'ici. Vous avez peut-être vu ça aux informations.

– Il y a eu des meurtres à la station-service ?

– Voilà. Je dois retrouver le coupable. Nous avons des raisons de penser qu'il est passé par chez vous.

– Le jeune qui s'est introduit dans ma remise, vous voulez dire ? Vous bilez pas, je lui ai tiré dessus aussi. Voyou. Il s'imaginait qu'il pouvait se servir comme ça.

– Est-ce qu'il est toujours dans la remise ? C'est important. Il est lourdement armé et considéré comme dangereux.

– Pensez-vous. Deux coups de fusil et il est reparti à travers les fourrés. Il doit être en train de dévaliser la maison de la voisine à l'heure qu'il est – pas qu'elle ait quoi que ce soit à voler, d'ailleurs.

– Monsieur, je vais me relever. Ce serait bien aimable à vous de ne pas me tirer dessus. Dans la vraie vie, je suis responsable de production à l'usine de fromage, alors si vous comptez remanger un jour du cheddar... » Avec beaucoup de prudence, Cal ramena une jambe sous lui, puis la seconde. Il se redressa ; Antonio tenait toujours la fenêtre de l'étage en joue pour le couvrir.

Cal leva les mains en l'air. « Il faut qu'on retrouve ce tireur. Avant qu'il ne fasse d'autres victimes. Vous dites qu'il est entré dans votre remise ?

– Ouais. Jusqu'à ce que je balance quelques pruneaux en direction de son arrière-train.

– Vous l'avez touché ?

– Non. J'ai visé largement au-dessus de la tête. Comme avec vous. » Sa voix était descendue de plusieurs tons. De celui de la confrontation à celui de la conversation.

« Il faut qu'on fouille votre remise. Au cas où il y aurait des indices. Pour continuer à suivre sa trace. C'est important.

– Qui il a tué à la station-service ?

– Euh, la caissière. Une fille du coin...

– Erin ? Il a tué Erin ? Nom de... Petit salopard, j'aurais dû le descendre quand j'en avais l'occasion. Bon. J'arrive. Je vous retrouve à la remise. »

Le fusil disparut de la fenêtre. Accroupi devant Cal, Antonio secoua la tête et se releva au ralenti. « Il y a des gens et il y a des jours...

– Ouais. Et cette journée ne fait que commencer. »

Cal et Nonie furent les premiers à s'approcher de la remise. Antonio et Jesse se positionnèrent entre les pisteurs et la porte du papi flingueur. Ils tenaient leurs fusils devant eux avec décontraction : toujours prêts à tirer, mais donnant des gages de confiance.

Cal repéra deux nouveaux creux, traces de pas dans des zones où le terrain était plus meuble, et ils arrivèrent à la remise.

À peu près de taille à abriter une voiture, c'était une baraque poussiéreuse et délabrée. La porte de côté, entrebâillée, laissait deviner l'intérieur, noir et crasseux. Il manquait des carreaux aux deux fenêtres latérales, à travers lesquelles les rayons du soleil brûlant éclairaient les volutes de poussière soulevées par un récent passage.

Un grincement venu de la maison derrière lui. Cal se retourna et vit un vieux monsieur, en jean, tee-shirt blanc et bretelles rouges, descendre péniblement le perron. Au moins avait-il laissé son arme à l'intérieur.

« Jack, se présenta-t-il en s'approchant de leur petit groupe. Jack George. Ici, c'est chez moi. Et voilà ma remise. Qu'avez-vous besoin de voir pour retrouver la petite ordure ? »

À la requête de Cal, M. George les autorisa à ouvrir la grande porte pour laisser entrer davantage de lumière. Cal vit alors encore plus de traces de passage dans la poussière. Des empreintes fraîches sur un large établi, où leur suspect avait cherché son chemin à tâtons, peut-être en quête d'objets susceptibles de lui être utiles ou même d'une autre arme.

La remise contenait un assortiment d'outils de jardinage et d'outils électriques, ainsi qu'un tracteur de tonte, relativement neuf et embaumant l'herbe coupée. Mais le plus intéressant se trouvait au fond : un quad, tendu de toiles d'araignée, deux pneus à plat.

« Je l'avais acheté pour mes petits-enfants, expliqua M. George. Je pensais que ça les amuserait de faire les fous avec ce bolide dans la propriété. Mais ça fait un moment qu'ils ne sont pas venus. Sûr qu'il faudrait regonfler les pneus, et probablement changer le carburant, mais il marche. Si je n'avais pas vu l'autre voyou rôder devant la remise, il l'aurait volé, c'est certain. »

Cal hocha la tête. Il distinguait clairement des empreintes de pas à côté du quad, à l'endroit où leur cible avait pris le temps d'évaluer la situation. Dans la mesure où ce véhicule était garé dans l'obscurité du fond de la remise et non visible par les fenêtres, Cal avait quelques doutes sur la théorie de M. George.

Leur meurtrier présumé était bel et bien entré dans la remise. Selon toutes probabilités, les pneus à plat et le réservoir piqué de rouille l'avaient convaincu de renoncer au quad. À ce moment-là, à lire les empreintes sur le sol poussiéreux, il était ressorti par la porte de côté. Et c'est alors que M. George avait finalement repéré l'intrus et ouvert le feu : à sa sortie, et non avant qu'il entre.

Ensuite, une fois les premiers coups de feu tirés...

Cal sortit de la remise et reprit son examen de la pelouse. Apparemment, le suspect avait déguerpi vers l'arrière de la remise. Les empreintes, plus profondes, plus espacées, indiquaient qu'il courait, la tête certainement rentrée dans les épaules pour esquiver les balles.

Derrière la bâtisse, Cal découvrit deux empreintes plus légères, côte à côte : l'individu s'était arrêté pour reprendre son souffle et trouver la meilleure porte de sortie.

Précisément, face à l'arrière de la remise, une épaisse haie présentait une brèche étroite à l'endroit où l'un des buissons était mort sans être remplacé. Cal et les commandos du SWAT auraient eu du mal à se faufiler par là, mais un gamin de dix-sept ans, maigre et nerveux...

Cal s'approcha, examina la brèche. Il repéra plusieurs brindilles cassées, le bois vert encore visible, et des feuilles fraîchement tombées. Il fit signe à son équipe de lui accorder un instant pendant qu'il interrogeait de nouveau M. George.

« Votre voisine, de l'autre côté, elle aime autant que vous les armes à feu ?

– Aurora ? Non. Je ne pense même pas qu'elle soit chez elle. Un de ses enfants est venu la chercher l'autre jour pour l'emmener chez eux à Portland. Elle n'a pas la climatisation et supporte très mal les grosses chaleurs.

– Donc il se pourrait très bien que sa maison soit vide ?

– C'est ça. » Cal se tourna vers Antonio.

« À quelle heure avez-vous vu le suspect ? demanda celui-ci à M. George.

– Voyons voir. Je regardais le journal du matin. Donc il y a bien cinq ou six heures de temps ? »

Cal confirma. Comme la fusillade de la station-service avait eu lieu à huit heures et qu'il était maintenant presque quatorze heures, il était acquis que Telly Ray Nash possédait une bonne longueur d'avance. Mais, au vu de la piste, le fugitif était aussi contraint de prendre des décisions au fur et à mesure. Par exemple, tourner à droite vers le lotissement résidentiel, s'approcher furtivement de la première maison et explorer les possibilités qui s'offraient à lui dans la remise avant de devoir fuir les lieux.

Telly progressait plus vite qu'eux, mais il devait aussi prendre le temps de réfléchir. Et la maison vide de la voisine avait dû représenter une nouvelle cible tentante. Peut-être même un refuge où se terrer et se reposer...

« Avec un peu de veine, dit Cal à Antonio, le gamin a essayé d'entrer par effraction chez la voisine. Pour y trouver de l'eau, de la nourriture, du matériel. C'est peut-être notre première occasion de regagner du terrain. »

Antonio se tourna vers M. George. « Monsieur, est-il possible de voir chez votre voisine depuis les fenêtres de votre étage ?

– Dites donc, qu'est-ce que vous insinuez...

– Simple repérage, monsieur. J'aimerais voir s'il y a du mouvement chez votre voisine avant qu'on se pointe à sa porte la bouche en cœur.

– Oh. Dans ce cas. Oui. Maintenant que vous le dites, depuis la fenêtre de la salle de bains... »

Antonio suivit M. George vers la maison. Cal reprit son examen de la brèche. Eux-mêmes ne traverseraient pas à cet endroit, ce qui aurait détruit des indices. Non, ils feraient tout le tour et retrouveraient la piste de l'autre côté de la haie. Nonie et lui disposèrent de nouveaux fanions orange pour les techniciens qui passeraient après eux.

Dix minutes plus tard, Antonio ressortait de la maison.
« Aucun signe d'activité. J'ai donné notre position par radio.
L'hélico arrive pour un passage aérien au-dessus du secteur.

– Bien. On progresse. »

La file indienne se reforma et, quittant la propriété de
M. George, ils reprirent le chemin de terre ombragé pour
faire le tour de la haie.

La maison de la voisine était une charmante demeure de
style Cape Cod, à bonne distance du chemin. Cal entra le
premier dans la propriété.

Un nouveau coup de feu retentit.

Pas en provenance de la maison de M. George, sur leur
gauche. Ni de la mignonne maison de la voisine, sur leur droite.

Cela venait de derrière eux. De l'autre côté du chemin.

Cal en était encore à se retourner, encore à réaliser à quel
point il s'était fourvoyé, à quel point il s'était fait balader,
quand Antonio s'effondra dans une giclée rouge. Quand
Nonie poussa un hurlement.

Tandis qu'au loin, une carabine les canardait encore et
encore et encore.

17

Rainie et Quincy discutent dans la cuisine. Ils parlent à voix basse ; ils ne veulent pas que j'entende. Ce n'est pas une conversation « pour les enfants ». Et pourtant, il n'y est question que de moi.

Quincy est rentré il y a un quart d'heure. Il faisait une de ces têtes… je ne vous raconte pas. J'ai eu envie à la fois de me sauver en courant et de me précipiter pour le serrer dans mes bras. Mais comme on ne se refait pas, je n'ai pas bougé d'un pouce. Rainie est venue à côté de moi, en scrutant son visage.

« Sharlah, va dans ta chambre, s'il te plaît », m'a-t-elle dit tranquillement.

J'y suis allée. Sans un mot de protestation. Ce qui, pour le coup, ne me ressemble pas du tout.

Maintenant j'ai des fourmis dans les jambes. Impossible de m'asseoir. Ou de tenir en place. Mais je fais de mon mieux, allongée à plat ventre par terre, l'oreille collée à la fente au pied de ma porte. S'ils parlent de choses qui ne sont pas pour moi, de choses terrifiantes même, raison de plus pour que j'écoute.

« Deux blessés, dit Quincy. Un des flanqueurs a été touché à l'épaule. La deuxième pisteuse, Norinne Manley, a pris une balle dans le bras. Ils sont tous les deux évacués par voie aérienne vers Portland. L'officier du SWAT est dans un état critique.

– Tu es sûr que c'est Telly ?

– Évidemment que c'est lui ! Ils avaient suivi sa piste jusqu'à une maison isolée où il s'était introduit dans une remise. Mais le propriétaire l'a surpris et a tiré quelques coups de semonce. Le gamin a fui par le jardin derrière la remise, vers la maison de la voisine, apparemment. Sauf qu'en fait il n'y est pas allé. Ou alors si, mais il en était déjà reparti. C'est un point que Cal Noonan, le pisteur, doit encore éclaircir. Quoi qu'il en soit, Telly les a pris à revers. Et alors qu'ils se dirigeaient vers la maison de la voisine, il a ouvert le feu depuis l'autre côté de la rue. Résultat, une équipe de recherche a perdu la moitié de ses membres. »

Un silence. Puis j'entends un bruit feutré, du mouvement. Peut-être Rainie s'est-elle rapprochée de Quincy pour poser une main réconfortante sur son épaule, comme je l'ai vue faire cent fois.

« Est-ce qu'on sait où il est allé ?

– Il est reparti par le fond du lotissement, un vrai dédale de sentiers, paraît-il. Il a volé le quad d'autres voisins, ce qui lui donne vitesse et souplesse dans ses déplacements. Shelly fait survoler la zone à basse altitude par un hélico, mais je vois mal comment les caméras thermiques pourraient permettre de repérer quoi que ce soit avec cette chaleur. »

Soupir. Un long et profond soupir de frustration. Quincy, je suppose, qui bout en son for intérieur, lui qui se vante pourtant de ne jamais se laisser envahir par ses émotions. Peut-être que c'est mon frère qui provoque ça chez les autres. En ce qui me concerne, je lutte contre une envie quasi irrépressible de frotter ma cicatrice à l'épaule.

« Qu'est-ce qu'il veut, tu crois ? continue Rainie.

– Je n'en ai aucune idée.

– Si c'est un tueur à la chaîne, dit-elle d'une voix plus sereine que celle de Quincy, sa colère le conduira à sa perte. Il détruira autour de lui jusqu'à s'autodétruire. »

Pas de réponse. Parce que Quincy n'est pas bavard ? Ou parce que, en tant que profileur, il connaît déjà la réponse à ces questions et qu'elle est trop terrible à dire ?

« On sait que les tueurs à la chaîne sont dominés par le sentiment d'être incompris et injustement traités par le monde entier, dit Quincy. Cela correspond à ce qu'on nous a dit de Telly. »

Je colle encore plus mon oreille à la fente. Est-ce comme cela que mon frère a tourné ? Est-ce vraiment ce qu'il éprouve ?

Je revois les Cheerios. Une boîte jaune pétant sur une table miteuse. Et je suis triste, je ne peux pas vous dire. Pour le petit garçon qui me donnait ces céréales. Ou peut-être à cause du sentiment que cela me procurait : le sentiment que lui, au moins, serait toujours avec moi, jusqu'à la fin des temps.

Mais ça ne s'est pas vraiment passé comme ça, pas vrai ?

« D'après sa conseillère de probation, dit Quincy, Telly peut être un bon gamin quand il s'en donne la peine. Mais en situation de stress, il peut aussi se livrer à des gestes de violence incontrôlés. S'en prendre à toute sa famille avec une batte de base-ball. Défoncer les casiers du lycée à mains nues. Sous pression, Telly explose. Et après coup, il ne se rappelle souvent même pas ce qu'il a fait.

– Et quel aurait été le facteur déclenchant, en l'occurrence ?

– Le facteur temps, il semblerait. Telly n'a plus qu'une année de lycée devant lui, or il n'a aucune idée de ce qu'il veut devenir. Il va aussi sortir du dispositif de placement sans projet défini. De l'avis général, Frank et Sandra Duvall étaient des gens bien. Ils avaient demandé un adolescent en exprimant le désir de l'accompagner dans sa prise d'autonomie. Tout cela était bien beau, mais tout changement, même pour le mieux, est source de stress. Peut-être que Frank et Sandra, malgré leur bienveillance, ont été trop exigeants. Ils lui en ont trop demandé et il a explosé.

– Je ne suis pas convaincue. Tout ce que tu évoques – l'inquiétude de voir arriver ses dix-huit ans, les affres de l'adolescence –, c'est une angoisse diffuse. Avec les tueurs à la chaîne, il y a toujours un incident qui provoque le passage à l'acte. Qu'est-ce qui a pu faire basculer Telly pour qu'il se lance dans ce jeu de massacre ? »

Silence : tous deux passent en revue les diverses possibilités. Quand il réfléchit, Quincy plisse le front. Je l'imagine avec cette tête et ça me fend le cœur.

Mon père est stressé. Cela tient à son métier, je suppose, mais en l'occurrence c'est aussi qu'il a peur. Je l'entends. Il est inquiet. À cause de moi.

Tout ce qui a trait à cette affaire est plus difficile à vivre à cause de moi.

« À ce stade, je n'ai connaissance que d'un seul élément nouveau dans la vie de Telly, conclut-il finalement, et c'est Sharlah. D'après la conseillère de probation, Frank Duvall était convaincu que Telly avait besoin de solder le drame d'il y a huit ans. Autrement dit, il plaidait pour une rencontre entre Telly et sa sœur. Je ne sais pas ce qu'est devenu ce projet, mais ce qui est certain, c'est que personne ne nous a contactés...

– Il aurait fallu qu'ils passent par l'assistante sociale, Brenda Leavitt, objecta Rainie. Je l'ai eue au téléphone tout à l'heure. Elle n'a pas parlé du fait que Telly ou les Duvall se seraient rapprochés d'elle.

– Alors peut-être que Frank n'est pas passé par les canaux officiels. Mais clairement, il diffusait l'idée, remettait Sharlah au centre des préoccupations de Telly. Jusqu'à ce qu'il y a cinq jours… est-ce que Telly était là exprès pour voir sa sœur ? Est-ce qu'il est tombé sur vous par hasard sur le parking de la bibliothèque ? Je n'en sais rien. Le fait est qu'il a pris ces photos avec son téléphone et qu'ensuite il a attendu et suivi Sharlah jusqu'à chez elle. »

Silence, ni l'un ni l'autre ne commente.

Rainie m'a mise au courant pour les photos. J'en suis encore atterrée, je me sens un peu violée. Le moins que mon frère aurait pu faire, ça aurait été de venir me dire bonjour. En même temps, si c'était moi qui l'avais aperçu, est-ce que j'aurais eu ce courage ? J'en doute. Alors que celui de voler une photo, peut-être. Comme quoi, des années après, mon grand frère et moi sommes toujours des âmes sœurs.

Sauf que moi, je ne viens pas de passer ma journée à tirer sur des innocents.

« Sharlah ? La nouvelle variable serait Sharlah ? dit Rainie avec anxiété.

– C'est *une* nouvelle variable dans la vie de Telly. Mais est-ce que c'est la seule explication ? On ne le sait pas encore, Rainie. Il y a encore trop de choses qu'on ignore sur ce gamin.

– Il n'aura pas Sharlah. Il peut se promener avec un arsenal et voler tous les quads qu'il veut, elle est à nous, Quincy. Tireur fou ou pas, Telly ne la reprendra pas. »

Vu le ton de sa voix, je la crois.

« Cela va de soi, dit Quincy en écho. J'en reviens à ce que je disais : Sharlah et toi devriez partir. Rejoindre Seattle en voiture. Ou, mieux encore, aller voir Kimberly à Atlanta. Peu importe. Mais étant donné l'intérêt de Telly pour Sharlah, il est exclu qu'elle reste dans la région. À l'heure qu'il est, il a tiré sur six personnes et il en a tué quatre. Je refuse qu'il entraîne Sharlah dans sa chute. »

Rainie n'hésite pas : « J'ai commencé à regarder ce qui était possible. Il y a un vol de nuit pour Atlanta qui décolle à vingt-trois heures. Mais en attendant ?

– L'un de nous reste avec elle en permanence. »

Armé, cela va sans dire. J'ai remarqué un renflement dans le bas du dos de Rainie : le 22, qu'elle dissimule sous son léger tee-shirt à capuche.

Ils vont exercer une protection rapprochée et ensuite m'exfiltrer.

Pour que mon Grand Méchant Frère ne m'attrape pas.

Mon épaule me lance. Cette fois-ci, je roule sur le dos et je cède à l'envie de la frotter. J'aimerais comprendre toutes ces émotions qui tourbillonnent dans ma tête. De la gratitude envers Rainie et Quincy qui ont l'air bien décidés à rester à mes côtés jusqu'au bout. Mais de la peur, aussi. Parce qu'empêcher Telly de s'en prendre à moi ici et m'emmener ailleurs sont deux choses différentes. Un tueur comme lui, qui descend des caissières innocentes et se débrouille pour prendre ses poursuivants à revers, ne va pas se pointer désarmé et ouvert à la conversation. Si la caractéristique de ces criminels est d'être en colère contre la terre entière, s'apercevoir de mon absence ne va pas franchement le calmer.

Alors peut-être qu'il ne pourra pas me tirer dessus.

Mais ce n'est pas pour autant qu'il n'aura plus les moyens de me faire souffrir.

Boîtes de Cheerios. *Clifford le gros chien rouge. Va dormir, Sharlah, je m'occupe de tout...*

Et ce même garçon qui me regarde, le visage rougeaud, les yeux exorbités, et qui lève bien haut la batte...

Telly, non !

Les derniers mots que j'ai adressés à mon frère.

Telly, non.

Du moins, je crois que c'est ce que j'ai dit.

Zut, plus le temps de réfléchir : j'entends un nouveau bruit. On marche dans le couloir. Je me relève précipitamment et je fais de mon mieux pour me préparer à l'inévitable.

Luka est allongé de tout son long sur mon lit. Quand Rainie entre dans la chambre, il lève sa tête noire et bâille. Assise à côté de lui, j'en fais autant et je lui gratte le dos. Rainie n'est pas dupe de notre petit numéro de duettistes.

Elle avance dans la pièce, prend ma chaise de bureau et s'assoit. Elle se tient avec raideur à cause du 22 au creux de ses reins. Elle suit mon regard, esquisse un faible sourire.

« Dis-moi, tu as entendu toute la conversation ou seulement la moitié ?

— L'essentiel, avoué-je.

— Est-ce que ça va, Sharlah ? » me demande-t-elle avec bienveillance.

Haussement d'épaules en guise de réponse. Je ne sais pas comment je vais.

« Il ne faut pas avoir peur. Tu sais que nous sommes des policiers expérimentés, Quincy et moi. Nous ne laisserons pas quoi que ce soit arriver à notre fille.

— Pourquoi vous voulez m'adopter ? » La question est sortie toute seule. Je ne sais pas qui de nous deux est la plus surprise. Je ne l'avais jamais posée, cette question. Même l'après-midi où ils m'avaient officiellement annoncé qu'ils voulaient devenir ma famille pour la vie. *Qu'est-ce que tu en dis ?* m'avaient-ils demandé. *D'accord*, j'avais répondu. Parce que *d'accord*, c'était ce que je pouvais trouver de mieux pour exprimer les émotions contradictoires qui m'habitaient. Parce que *d'accord*, c'était moins engageant que bien d'autres réponses et qu'une fille comme moi ne peut pas s'empêcher de se protéger. D'où les nouveaux amis que je ne me suis jamais faits. Et ces nouveaux parents qui ne m'ont jamais entendue dire que je les aimais.

Je repense à ces boîtes de Cheerios et mes yeux me piquent pour une raison que j'ignore.

Je vais perdre quelque chose. Je ne sais pas quoi, mais je le sens. Et je sais que la douleur de ce deuil sera profonde et durable. Une souffrance indicible.

« Nous t'aimons, Sharlah », répond Rainie. Elle quitte la chaise, vient s'asseoir à côté de moi sur le lit. Quincy est apparu dans l'embrasure de la porte. Il hésite et je sais que ce sont ses émotions qui le retiennent. Ses sentiments les plus profonds sont ceux qu'il a le plus de mal à exprimer. On a ça en commun, lui et moi, tout comme Rainie et moi avons en commun les nuits sans sommeil et le goût des films de super-héros.

Rainie, Quincy, Luka et moi. Une famille.

Je me tourne légèrement, pose ma tête sur l'épaule de Rainie. Un câlin à ma manière, me dis-je, et je sais, à la façon qu'a Rainie de se tenir immobile, qu'elle le comprend.

« Je suis désolée, dis-je.

– Tu n'as aucune raison de t'excuser, répond Quincy sur le pas de la porte, d'une voix chargée d'émotion. Tu n'es pas responsable des agissements de Telly.

– C'est mon frère.

– Il te manque ? » La voix de Rainie, douce au-dessus de ma tête.

« Je me souviens à peine de lui.

– S'il y a un quelconque moyen de l'aider, tu sais que je le ferai, dit Quincy.

– Il a tué des gens. Plein de gens.

– Tous les meurtriers ne sont pas foncièrement mauvais, Sharlah, répond Rainie, et son souffle ébouriffe le sommet de mes cheveux. Certains sont malades. Telly n'a peut-être même pas conscience de ce qu'il fait. Il est peut-être dans une espèce de transe ; il n'est plus lui-même, si tu veux. »

Comme la nuit où il a tué mes parents ? Celle où il m'a blessée ? C'est la question qu'on ne pose pas. Et combien de fois a-t-on le droit de ne « plus être soi-même » avant que les gens comprennent que c'est notre vraie personnalité ?

Je devrais relever la tête, interroger Rainie sur ce départ au pied levé pour Atlanta, les affaires à mettre dans ma valise. Mais non. Je reste exactement comme je suis, la tête sur son épaule. Et je sens la masse réconfortante de Luka contre ma hanche, le regard sécurisant de Quincy posé sur moi.

La famille.

On peut s'en trouver une. On peut s'en fabriquer une. L'assistante sociale m'a seriné ça pendant des années, mais je n'y ai jamais vraiment cru. Même quand Rainie et Quincy m'ont annoncé la nouvelle, je suis restée sceptique. Je me disais que, peut-être, quand on se retrouverait tous devant le juge en novembre et que les papiers seraient officiellement signés, j'aurais le déclic. Je comprendrais. J'accepterais.

Mais c'est maintenant que j'ai le déclic. Une famille. Ma famille. Des gens qui veulent de moi, malgré mes genoux osseux et mes cheveux rebelles. Des gens qui m'acceptent, même si je suis incapable de lever la main en classe, de parler devant des inconnus ou de faire toutes ces choses qu'on attend de moi. Des gens qui m'aiment, assez pour se plier en quatre pour me protéger, parce que je suis à eux et qu'ils ne renonceront pas à moi sans livrer bataille.

Une famille. Ma famille.

Je me redresse. Je m'essuie les yeux parce que, bizarrement, j'ai les joues toutes mouillées.

« Je vais partir avec Rainie, dis-je tout bas.

– Donne-moi une heure, dit-elle. Le temps d'appeler Kimberly, de régler les détails. »

Elle regarde Quincy par-dessus ma tête et je sens le lien qui les unit. Leurs années de vie commune leur permettent de communiquer sans se parler.

« Mets un peu de tout dans ta valise », me conseille Rainie.

Puis elle se lève. Elle me serre dans ses bras. Et, une fois n'est pas coutume, je lui rends son étreinte. Les yeux fermés, je me demande si j'ai un jour serré ma vraie maman dans mes bras comme ça.

L'espace d'une seconde, une bouffée de souvenirs me revient. Fumée de cigarette. Parfum entêtant.

Je me revois avec ma maman, mes bras autour de ses genoux. Je l'aimais, je crois. Du moins, je le voulais. Avant que mon père ne la poignarde. Et qu'on sombre dans la folie furieuse.

Je porte ce fardeau en moi. Tristesse, culpabilité, honte. Les années ont passé, mais ni Telly ni moi ne pourrons jamais échapper à cette nuit-là, à ce souvenir-là, aux gestes que nous avons faits.

Mon frère me déteste. Je me souviens d'avoir dit cela à l'assistante sociale qui se tenait à mon chevet à l'hôpital. *Mon frère me déteste*, je disais tout bas. Et même si je ne peux pas en parler à Rainie et Quincy, même si je ne l'ai strictement jamais confié à personne, je sais très bien pourquoi. Est-ce que c'est ça, le fin mot de l'histoire ? Huit ans plus tard, mon frère a décidé de me faire payer ?

Rainie sort à la suite de Quincy dans le couloir. Je reste sur mon lit avec Luka, qui m'observe de ses yeux sombres pleins d'inquiétude.

« Je t'aime », lui dis-je. Avec Luka, les mots viennent toujours plus facilement.

Il repose la tête sur mes genoux. Je lui caresse les oreilles.

De l'eau, me dis-je. Il va nous falloir des litres et des litres d'eau. Et aussi de la nourriture pour chien, une lampe torche, une trousse de secours.

Rainie et Quincy ont leur plan.

À présent, j'ai le mien.

18

Shelly et le sergent Roy Peterson retrouvèrent Cal Noonan devant la maison depuis laquelle Telly Ray Nash avait tiré ses derniers coups de feu. Après le départ des hélicoptères qui avaient évacué ses coéquipiers, Cal avait disparu pendant une bonne heure.

« Je reviens », avait-il dit, et Shelly n'avait pas douté une seconde qu'il voulait vérifier un point bien précis. Il avait cet air grave et déterminé qui ne trompait pas.

Maintenant il lui faisait part de ses découvertes.

« Le voisin, Jack George, avait raison : après avoir fureté chez lui, Nash est allé chez la voisine. Il a trouvé où elle cachait la clé et il a fait comme chez lui. La propriétaire, Aurora, est partie en visite dans sa famille. Mais elle a laissé le frigo plein et Nash s'est servi. Sur la table de cuisine, il a laissé un demi-litre de soda, un reste de lasagnes et un pot de glace fondue. Donc notre suspect s'est restauré et réhydraté – même si le soda n'était pas le meilleur des choix à faire. Avec cette chaleur, il va vite avoir de nouveau besoin d'eau.

– Des vols ? demanda Shelly.

– À part dans la cuisine, je n'ai rien vu de dérangé. Nous avions été informés qu'Aurora était en voyage, mais Nash n'avait aucun moyen de le savoir, donc il ne s'est sans doute pas attardé. Il a mangé un morceau, à même les emballages, et il a filé. Ça lui a quand même pris un peu de temps de faire un repérage pour s'assurer que la maison était déserte, trouver la clé, etc. Après son repas, Nash est parti pour la maison d'en face, sans doute attiré par une remise qui ressemble à celle de George.

» C'est là que ça devient intéressant. La remise contenait un quad, dont nous savons que Nash a fini par le voler pour s'enfuir. Mais il n'a pas commencé par là. D'abord, il a encore fait un repérage. Il s'est assuré que cette maison aussi était déserte et il est entré par une fenêtre laissée ouverte.

» Il avait déjà mangé. Perdu un peu de temps. On aurait pu penser qu'il serait pressé de prendre le large, mais non : pour un gamin de dix-sept ans censé agir sous l'emprise de la colère et de ses pulsions, il fait montre de beaucoup de jugeote. La première maison lui avait permis de se sustenter. La deuxième allait lui fournir du matériel. Les propriétaires sont un couple…

– Joanne et Gabe Nelson, précisa Roy. Tous les deux au travail aujourd'hui.

– Manifestement, Nash a pioché dans la garde-robe de Gabe. Il a changé de haut, pris une casquette : il y a une boîte à chapeaux sortie de la penderie et un tee-shirt trempé de sueur en boule par terre. J'ai aussi trouvé des boîtes de cirage noir et marron ouvertes à côté du lavabo. Donc soit Gabe Nelson a l'habitude de cirer ses chaussures du dimanche dans la salle de bains, soit – et je parierais là-dessus – Nash s'en est servi pour se maquiller. Un camouflage rudimentaire pour la forêt, voire des traînées de "boue" çà et là sur le visage pour être moins reconnaissable s'il devait regagner la civilisation. »

Shelly regarda le pisteur et son sergent. Elle n'aimait pas ce qu'elle venait d'entendre : « Vous voulez dire qu'il va retourner en ville ?

– Je veux dire qu'il est organisé. Je ne suis pas spécialiste de ces questions, mais depuis quand les auteurs de tuerie prennent-ils le temps de se ravitailler et d'échafauder une stratégie ? Est-ce que ces fusillades à répétition ne sont pas censées être une seule et même longue crise de colère ? Parce que Nash mijote manifestement autre chose et qu'il fait le nécessaire pour arriver à ses fins. »

De mieux en mieux, se disait Shelly.

« Après le repas, l'opération camouflage et pourquoi pas un petit somme, vu le temps qui s'est écoulé, Nash est finalement allé vers la remise des Nelson, où il a trouvé le quad. Malheureusement, il s'est aussi aperçu que nous approchions. Il aurait pu prendre l'engin et s'enfuir. Mais non, il est retourné dans la maison, il s'est posté à une fenêtre de l'étage et il a ouvert le feu. »

Les lèvres pincées, Cal regardait fixement ses pieds. « Vous connaissez la suite. »

Shelly hocha la tête. Ils connaissaient tous la suite. Elle se tourna vers Roy. « Vous disiez qu'on avait un témoin ? Un voisin qui avait vu Telly traverser sa propriété ?

– Jack George. Lequel s'est aussi amusé à balancer quelques pruneaux en direction de l'équipe de recherche. Mais maintenant qu'on l'a mis au courant des méfaits de Telly, monsieur est prêt à coopérer.

– D'accord, allons lui parler. »

Roy et elle traversèrent le chemin. Cal leur emboîta le pas et Shelly ne le congédia pas. Interroger un témoin n'était généralement pas du ressort du SAR, mais elle se disait qu'après tous ces événements, Cal prenait un intérêt personnel à l'enquête. Elle n'allait pas lui reprocher de vouloir en savoir un maximum sur leur suspect.

Dans son jardin, Jack George profitait du spectacle de la police ratissant les bois à la recherche d'indices sur les faits et gestes de Telly Ray Nash. Dès le matin, Shelly avait reçu l'appui d'autres services de maintien de l'ordre, mais à présent qu'un collègue et une bénévole du SAR avaient été blessés, c'étaient tous les enquêteurs de l'État jusqu'au dernier qui débarquaient dans son comté. Ces renforts lui étaient indispensables ; d'un autre côté, vu l'organisation que nécessitait la coordination de tant de personnes sur plusieurs scènes de crime avec de multiples victimes en un aussi court laps de temps, elle était à deux doigts d'être dépassée. Il fallait qu'elle se souvienne de bien respirer et de procéder avec méthode. Tout cela était faisable, et ce serait fait. Parole d'honneur.

À leur arrivée, George coinça ses pouces sous ses bretelles rouges. Un vieux monsieur, dans les soixante-dix ans, mais son visage dénotait une vivacité que Shelly appréciait chez un témoin.

Elle alla droit au but et lui montra l'image de Telly Ray Nash à l'instant de dégommer la caméra de la station-service. « Jack George ? Shérif Shelly Atkins. Merci de votre coopération. J'ai cru comprendre que vous aviez surpris un intrus ce matin. Est-ce que c'est lui ? »

George jeta un coup d'œil à la photo. « Oui, shérif.

– À quelle heure, déjà ?

– Je dirais vers huit heures et demie, neuf heures.

– Il était seul ?

– Oui.

– Comment le décririez-vous ?

– Ben, euh, il était tout juste comme sur cette photo. Sauf qu'il ne portait pas de pull noir. Un tee-shirt à manches

courtes. Je n'ai pas vu le devant. Bleu marine, peut-être ?
Mais il portait un sac à dos. C'est ça, surtout, que j'ai vu.

– Quelle taille, le sac à dos ? »

D'un signe de tête, George désigna Cal. « À peu près
comme son sac à lui.

– Un sac de randonnée pour une journée, précisa Cal à
Shelly et Roy. Assez grand pour transporter du matériel de
première nécessité et des armes de poing. Mais pas assez
profond pour une carabine. »

Shelly se retourna vers le voisin. « Auriez-vous remarqué
si cet intrus était armé ? S'il avait une carabine sur lui, par
exemple ?

– Je n'ai rien vu. Mais comme je disais, je l'ai surtout
vu de dos. Si j'avais su qu'il avait une carabine, j'y aurais
peut-être réfléchi à deux fois avant de lui tirer dessus. » Un
temps. « Ou alors, j'aurais mieux visé. »

Shelly regretta amèrement que tel n'ait pas été le cas.
« Est-ce que vous l'aviez déjà vu dans les parages ?

– Oui, à la station-service. Est-ce que c'est vrai qu'Erin
est morte ?

– Je suis désolée, mais c'est exact. Un client et elle ont été
tués en début de matinée, par ce suspect, pensons-nous. Vous
disiez que vous aviez déjà vu Telly Ray Nash à la station ?

– Je confirme. En cette saison, avec tous les touristes, c'est
trop fatigant de descendre en ville. Alors la plupart du temps,
je vais à la station pour mon journal du matin, le lait, le pain,
ce genre de bricoles. Justement, j'ai vu Erin encore ce matin. »
Les lèvres du vieil homme se mirent à trembler. « Je l'avais
taquinée en lui disant qu'elle était trop jolie pour s'enterrer
dans ce trou miteux. Qu'on devrait s'enfuir ensemble. Elle a
ri. Elle était comme ça. Gentille même avec un vieux. Est-ce

que c'était ça, le problème ? Ce jeune, c'était un petit copain qu'elle avait largué ou quoi ?

– On ne sait pas. Vous l'avez souvent croisé à la station ?

– Une ou deux fois.

– Est-ce qu'il discutait avec Erin ?

– Non, la dernière fois, c'était l'après-midi. Elle n'était pas de service.

– Ça remonte à quand ?

– Je ne sais plus très bien, dit George en se grattant la tête sous ses cheveux gris clairsemés. Il y a deux semaines ?

– Est-ce qu'il était seul ? intervint Roy.

– Non, il avait un camarade avec lui. Un autre jeune homme. La vingtaine, je dirais. Ils sont entrés ensemble. Ils regardaient les sodas quand je suis parti.

– Pourriez-vous décrire l'homme qui l'accompagnait ? » demanda Shelly. C'était la première fois qu'on leur parlait de quelqu'un que Telly aurait fréquenté.

« Voyons. Blanc. Un brun aux cheveux courts. Je ne sais pas. Un jeune quelconque. En tee-shirt, short, chaussures de randonnée. Je me souviens de m'être fait la réflexion qu'il devait avoir chaud aux pieds avec ces chaussures. Les yeux marron, peut-être ? Je n'ai pas vraiment fait attention.

– Est-ce qu'ils se parlaient ? intervint Cal pour la première fois. Est-ce que l'un d'eux aurait appelé l'autre par son prénom ?

– Euh… » George se creusait les méninges. « Je ne m'en souviens pas. Je suis désolé. J'avais juste besoin de lait, c'est tout. »

Roy prenait des notes.

Jack George se tourna vers Cal. « Ils vont s'en sortir, vos collègues ?

– On a deux blessés, dont l'un est entre la vie et la mort, répondit sèchement Cal.

– Je suis désolé. Je sais que j'ai moi-même tiré sur vous, mais je vous jure que je visais au-dessus de la tête. Je vous présente mes plus plates excuses. Si j'avais su... Je suis désolé. Sincèrement.

– Pas grave », dit Cal. Le pisteur contemplait le bout de ses chaussures, encore secoué. Shelly le comprenait : la journée avait été rude. Mais elle lui était reconnaissante de ne pas lâcher l'affaire. Elle devinait qu'il faisait partie de ces gens que les revers font redoubler d'efforts. Telly Ray Nash avait peut-être « fait montre de beaucoup de jugeote » cet après-midi, mais il avait commis une grossière erreur en tirant sur une équipe de recherche. Aucun policier de l'État n'accepterait de le laisser s'en sortir impunément. Et encore moins un pisteur comme Cal, désormais d'autant plus déterminé à le coincer.

Elle tendit sa carte à leur témoin.

« Merci de nous contacter si vous voyez ou si vous vous rappelez autre chose. Et si des fois il revenait, prévenez-nous aussitôt. J'ai bien noté que vous étiez vous-même assez adroit avec un fusil, ajouta-t-elle en se disant qu'il valait mieux en prendre acte, mais vous aurez compris que ce fugitif est armé et dangereux. On le veut. Laissez-nous faire le sale boulot.

– Entendu. » George prit sa carte et lui serra la main. Une poigne ferme. Là encore, rien à voir avec un vieillard sénile. Elle se réjouit de l'avoir de leur côté.

Roy prit ses coordonnées. Puis ils quittèrent la propriété et retraversèrent la route pour rejoindre celle des Nelson, dont l'accès était désormais interdit par un ruban de scène de crime.

« Il nous faut le nom du deuxième homme, dit Shelly à la cantonade. Celui qui était avec Telly dans la station-service.

– Si on lance un avis de recherche concernant un homme blanc, cheveux bruns et yeux marron, on sera noyés sous les réponses, dit Roy. On pourrait retourner à la station. Voir s'il y aurait une vidéo d'il y a deux semaines.

– Envoyez quelqu'un. L'adjoint Mitchell, par exemple. Il a trouvé des pistes au Walmart ?

– Il a interrogé les caissiers : personne ne se souvient d'avoir vu un individu correspondant au signalement de Telly dans le magasin ce matin. Or, entre sept et huit heures, les clients ne se bousculaient pas. Les employés étaient pratiquement certains que l'un d'eux l'aurait remarqué s'il y était passé.

– Et les caméras du centre-ville ? On a pu reconstituer l'itinéraire de Telly en début de journée ?

– La caméra d'un distributeur de billets a filmé le passage de la voiture des Duvall vers sept heures et demie. L'image n'est pas suffisamment bonne pour voir le visage du conducteur ou s'il avait un passager, mais on distingue une forme à l'arrière du pick-up. Peut-être un sac polochon noir.

– Les armes à feu ? » suggéra Cal, toujours à leurs côtés. Le pisteur n'avait pas l'air de savoir quoi faire de lui-même. À présent que Telly se déplaçait en quad, sa mission était pour ainsi dire arrivée à son terme, mais il ne semblait pas s'y résoudre.

« Possible, répondit Roy. On n'a toujours retrouvé aucune trace des armes et si Telly n'a sur lui qu'un petit sac à dos…

– Il ne peut pas trimballer trois armes d'épaule », conclut Cal. Il regarda Shelly. « Peut-être qu'il a une planque. Vu son comportement, ces fusillades ne tiennent pas autant du hasard qu'on aurait pu le croire de prime abord, surtout si Jack George a raison et que Telly était client de la station-service. Peut-être que ses parents et la supérette étaient des cibles prédéfinies et que le seul imprévu a en fait été la panne de voiture, qui l'a déstabilisé et forcé à improviser. Maintenant qu'il a retrouvé un moyen de locomotion, il est de nouveau en selle. »

Shelly hochait la tête. « Pourquoi pas. Mais dans ce cas, quel est son plan ? Qui était son ami dans la supérette et que mijote-t-il ?

– Une histoire en rapport avec sa sœur ? proposa Roy. Les photos retrouvées dans son téléphone veulent forcément dire quelque chose.

– Rainie et Quincy affirment que Sharlah n'a eu aucun contact avec son frère et ne s'est pas aperçue qu'il prenait ces photos. Donc si elle fait partie de ses projets, l'initiative vient de lui, pas d'elle.

– Si je puis me permettre ? demanda timidement Cal.

– Je vous en prie, je suis tout ouïe, répondit Shelly en écartant les mains dans un geste d'encouragement.

– Je ne suis pas enquêteur, mais ma spécialité, c'est de me mettre dans la tête de la cible, pas vrai ? Normalement, je fais ça en cherchant des traces, en prenant en compte les aspects pratiques d'une cavale, en suivant une piste. Mais si, en l'occurrence, j'allais voir la maison, histoire de jeter un coup d'œil à la chambre du garçon ? Je suis observateur. Il se pourrait que je voie quelque chose, que je remarque un détail. Je ne sais pas. » Le pisteur soupira, secoua la tête. « Je ne veux pas marcher sur vos plates-bandes, je sais que vous travaillez très dur. Mais c'était mon équipe. Après ce qui s'est passé... je ne me vois pas rentrer chez moi et attendre que le téléphone sonne. Alors si je pouvais me rendre utile, de n'importe quelle manière, je vous en serais très reconnaissant. »

Shelly le considéra. Il n'était pas dans les habitudes qu'un bénévole des équipes de secouristes se rende au domicile d'un suspect. Mais Cal avait raison : il avait l'œil. Et elle comprenait son état d'esprit.

« On n'a pas encore établi le profil complet des victimes, fit-elle remarquer à Roy. Ni eu le temps de fouiller la chambre de Telly dans les règles de l'art. Avec toutes ces fusillades, il nous oblige en permanence à réagir au dernier incident. Prendre du recul et essayer de nous mettre dans la tête du tireur, comme le propose Cal...

– L'idée me plaît, lui assura Roy.

– Et maintenant que nous savons que notre grand solitaire a été vu en compagnie d'au moins un camarade, nous savons un peu mieux quoi chercher », continua Shelly en réfléchissant à voix haute. Elle se tourna vers Cal. « D'accord. Ça marche. Je vous y conduis. Moi-même, je n'aurais rien contre une deuxième visite.

– Et en attendant ? demanda Roy.

– Complète l'avis de recherche avec les infos sur le quad. Vois si M. Nelson serait en mesure de dire quel tee-shirt et quelle casquette ont disparu. Et laissons les hélicos travailler pour nous. Tôt ou tard, entre la surveillance aérienne, les patrouilles au sol et la vigilance de la population, il va forcément se faire repérer. Personne ne peut se cacher éternellement. Pas même M. Telly Ray Nash. »

19

« Le secret pour faire cuire une viande, n'importe laquelle, c'est de la dorer de tous les côtés, pour emprisonner les sucs, et ensuite de la passer au four. Les morceaux les moins nobles, tu peux les attendrir en les laissant toute une nuit dans une marinade ou alors, évidemment, en les frappant avec un rouleau à pâtisserie. Pour la cuisson, 180 °C est toujours une bonne température. Avec ce réglage, tu ne peux pas te tromper. »

Sandra se dirigea vers l'évier. Je la suivis docilement. Frank était absent, ce week-end-là. Un truc à faire au lycée. Il n'était pas du genre à rendre compte de son emploi du temps à sa femme et Sandra n'était pas du genre à poser des questions à son mari. Il avait annoncé le matin qu'il serait absent jusqu'au dimanche soir, alors Sandra avait décidé de consacrer la journée à des leçons de cuisine. Encore quelque chose qui me serait utile pour mon avenir.

Je ne passais pratiquement jamais de temps avec Sandra. Elle restait un peu une énigme pour moi. Elle allait et venait dans la cuisine avec énergie, mais refusait de me regarder dans les yeux. Elle s'approcha du poulet encore emballé à côté de l'évier et je vis que ses mains tremblaient.

Elle était nerveuse. À cause de moi ? À l'idée de se retrouver en tête à tête avec un gamin qui avait tué ses parents ?

Elle était petite. Je ne l'avais jamais vraiment remarqué. Elle mesurait à peine un mètre soixante. Je la dominais d'une bonne tête. Et mes mains, comparées aux siennes, étaient énormes. Le genre de mains bien faites pour manier une batte de base-ball.

Sandra se saisit d'un couteau de boucher.

« Deux ou trois choses à savoir sur le poulet, dit-elle, toujours sans me regarder. C'est plus économique d'acheter une volaille entière à rôtir. Ça demande plus de travail parce qu'il faut retirer les abats, mais le prix, c'est important. Frank et moi, pendant toute notre première année de mariage, on s'est nourris de poulet en promo et de viande à rôtir presque périmée. Et de riz, bien sûr. Je te montrerai comment préparer un accompagnement de riz et de haricots. Pas cher, facile, et ça te fait un repas complet en moins de deux. »

Je ne répondis rien. Je la regardai percer le film plastique du poulet avec le couteau. Ses mains tremblaient toujours.

« Un poulet cru se manipule avec précaution. Il peut contenir des bactéries nocives, donc il est très important de le cuire à cœur. Autre chose : ne jamais poser un poulet cru à même ton évier. Si tu veux le passer sous l'eau, tu le mets dans une passoire et la passoire dans l'évier. Ensuite tu pourras la désinfecter à l'eau de Javel. Sinon tu risques de contaminer ton évier et quand tu y mettras, disons, des fruits, tu te retrouveras avec des salmonelles dessus.

» Ne jamais non plus découper un poulet sur une planche en bois. Il te faut une planche en plastique, que tu pourras laver à la Javel. Ou désinfecter au lave-vaisselle, si tu en as un. Mais comme tu le vois, vingt-cinq ans de mariage et je n'en ai toujours pas. »

Elle sourit. D'un air contrit, gêné, je n'aurais pas su dire.
Mais sa nervosité était contagieuse. Je ne savais pas quoi faire
de mes mains, où regarder. Je n'avais pas envie d'être dans cette
cuisine. Sandra était trop petite, trop délicate. J'aurais voulu
être avec Frank en forêt, à tirer sur une cible.

Il m'y avait encore emmené deux fois. Je commençais à appré-
cier la carabine. Ça me semblait de plus en plus naturel de
l'avoir entre les mains.

« Tu devrais te charger de cette étape », dit Sandra, le couteau
pointé sur moi. Je la regardai sans comprendre.

« Quoi ?

– Préparer le poulet. Il faut enfoncer la main dans la cage
thoracique. Tous les abats sont dans un sac. Il faut le sortir.
Ensuite, le poulet dans la passoire, la passoire dans l'évier. Rincer
et éponger avec du papier absorbant. »

Elle pointait toujours le couteau sur moi. Est-ce qu'elle en
avait conscience ? Je me posais souvent des questions sur le couple
qu'elle formait avec Frank. À côté de lui, elle était réservée.
Soumise. Frank donnait le la. Il avait son idée sur ce qu'on
devait manger au dîner, sur ce qu'on devait faire le week-end.
Sandra suivait le mouvement. Elle lui mitonnait son petit plat
préféré, regardait la cible avec fierté quand il lui racontait nos
exploits de la journée pour la cent cinquantième fois.

Je me demandais même si elle avait eu envie d'accueillir
un enfant de l'Assistance. Peut-être que c'était encore une des
grandes idées de Frank. Et qu'une fois de plus, elle s'était laissé
faire, jusqu'à partager sa maison avec un adolescent perturbé
et connu pour son tempérament explosif.

Elle n'avait sans doute pas tort d'être nerveuse. Mais si on
considère que, des mois après mon arrivée, je ne savais toujours
pas du tout qui elle était, j'avais peut-être aussi des raisons de
l'être.

« Frank m'a dit que tu aimes les bibliothèques. »

Je la regardai avec des yeux ronds. Le couteau tremblait dans sa main. « Pardon ?

– Il dit que tu t'intéresses aux bibliothèques. Tu voudrais peut-être devenir bibliothécaire ?

– Je n'en sais rien. » Je finis par tendre la main vers le couteau. Elle tressaillit lorsque mes doigts frôlèrent les siens, mais se reprit rapidement.

« Moi aussi, j'aime les bibliothèques », dit-elle en se décalant sur le côté.

Je m'approchai du poulet. Examinai la petite cavité. Y enfonçai timidement la main gauche. C'était tout visqueux à l'intérieur. Je savais que je faisais la grimace, mais c'était irrépressible. Mes doigts finirent par rencontrer un petit paquet. Je le sortis d'une main hésitante.

« Beurk. »

Sandra sourit encore. Pour de vrai, cette fois-ci. Elle avait un joli sourire, qui illuminait son visage.

« Avec ça, on peut préparer un fond de volaille, si on veut. »

Je lui lançai un regard dubitatif.

« Plutôt une autre fois », convint-elle. Elle me tint le couvercle de la poubelle de cuisine ouvert et j'y laissai tomber les organes, les abats, ce que vous voulez.

« Il aime ses études, ton fils ?

– Henry ? Il adore sa fac. Il étudie l'informatique. Ils ont un excellent cursus. »

Quand elle parlait de son fils, le visage de Sandra était encore plus radieux. Ma mère d'accueil était une femme au physique assez quelconque, pas de celles sur lesquelles on se retourne. Mais quand elle était heureuse, qu'elle parlait de son fils… je comprenais ce qui avait retenu l'attention de Frank à l'époque.

« C'est un bon étudiant, affirmai-je.

– *Ça oui. Il tient de son père. Dieu sait que ça me passe au-dessus de la tête, ce qu'il étudie. Bon, avant de dorer notre poulet, on va – ou plutôt tu vas – l'assaisonner avec des épices. On peut acheter différents mélanges dans le commerce. Le préféré de Frank, c'est sirop d'érable et poivre de Cayenne, donc c'est ce que je prends. »*

Elle leva le flacon en plastique contenant le mélange. Je compris l'allusion et me lavai les mains dans l'évier. Elle saupoudra le poulet d'épices. Et avec une nouvelle grimace, je commençai à le frotter. Je n'aimais pas la sensation du poulet cru sous mes doigts, la peau grenue, les endroits où il restait du sang frais.

Je n'étais pas trop à l'aise avec les choses mortes. Sauf, bien sûr, quand j'étais fou de rage. Peut-être qu'en secret, j'étais l'Incroyable Hulk. Parfaitement courtois jusqu'à ce qu'on me fasse sortir de mes gonds...

Je me suis souvenu du cri de ma petite sœur.

Je me souviendrai toujours du cri de Sharlah.

« Euh, ça va aller, le poulet », dit Sandra.

Je baissai les yeux. J'avais frotté si fort que la peau s'était en partie arrachée.

« Maintenant, on va le dorer. Personnellement, j'ai une préférence pour les sauteuses en fonte. On pourra peut-être t'en trouver une dans un vide-grenier. Il t'en faut une vieille, imbibée d'années, voire de décennies, de sauce. Ne jamais laver une sauteuse en fonte. Tout l'intérêt, c'est de la laisser absorber les huiles. Alors quand tu auras fini la cuisson, tu pourras gratter les résidus avec une spatule en plastique et ensuite la nettoyer à l'aide d'un torchon humide.

» Oh, et il faut que ta sauteuse soit déjà chaude. C'est le secret. Deux cuillérées à soupe d'huile d'olive et ensuite tu allumes le gaz, feu moyen. Tu peux vérifier la température en faisant

tomber quelques gouttes d'eau dans le fond. Si elles grésillent, c'est bon.

— Pourquoi tu fais ça ? »

Sandra s'arrêta, une main mouillée au-dessus de la poêle. Des gouttes tombèrent. Grésillèrent. « Pourquoi je fais quoi ?

— Ça. M'apprendre à cuisiner. M'offrir un foyer. Tout ça. Tu as déjà un fils parfait à l'université. Alors quoi ? Maintenant tu recueilles les rebuts de la société ? »

Sur le coup, Sandra ne dit rien. Elle prit le poulet épicé sur la planche à découper en plastique et le posa dans la sauteuse, d'où montèrent aussitôt des craquements et des crépitements.

« Je le dore toujours poitrine en bas, murmura-t-elle. Pareil pour la cuisson au four. Ça permet aux sucs de descendre dans les blancs pour éviter qu'ils dessèchent. Et dans un deuxième temps, tu le retournes pour finir de brunir le dessous. Tiens, retourne-le. »

Elle se décala en me tendant une pince métallique. Dans la poêle, le poulet crachait à tout-va. Je reçus des projections d'huile bouillante sur la main. Je ne cillai pas.

Je me sentais morne, détaché. J'avais posé la grande question et, dans son absence de réponse, j'avais trouvé exactement ce à quoi je m'attendais : Sandra ne voulait pas de moi. Elle faisait cela pour faire plaisir à Frank. J'aurais aussi bien pu être un de ses plats préférés, offert à son approbation.

« Je sais ce que c'est que d'être seul », dit-elle d'un seul coup.

Je retournai le poulet, lui jetai un regard du coin de l'œil.

« Mon père... ce n'était pas quelqu'un de gentil. Et je ne dis pas ça comme on peut dire "mon père ne m'aimait pas". Je parle de ses activités professionnelles. Il était au service de mauvaises personnes qui faisaient de mauvaises choses. Ça lui plaisait. Tellement, qu'il a gravi les échelons. Il a acheté une plus grande maison, des voitures plus luxueuses. En contrepartie,

ça voulait dire qu'il devait commettre des crimes de plus en plus graves pour que l'argent continue à rentrer. Un homme comme ça, en permanence dans un climat de violence... Il ne la laissait pas à la porte quand il rentrait à la maison. Peut-être que je comprends mieux que tu ne le penses ce que tu as pu vivre dans ton enfance, Telly. Et peut-être même qu'on se ressemble davantage que tu ne le crois. »

Je ne dis rien. Elle marquait un point : jusque-là, je ne pensais pas qu'une femme comme elle pouvait comprendre quoi que ce soit à ma vie. Ç'aurait été la journée des surprises pour nous deux.

« Quand j'avais seize ans, continua-t-elle, je suis partie de chez moi. Je me disais que je serais forcément mieux ailleurs. » Elle me regarda. « Je n'avais pas tout à fait raison, mais pas tout à fait tort non plus. Pendant un certain temps... j'ai été à la dérive. S'il y avait une mauvaise décision à prendre, je la prenais. S'il y avait un guêpier dans lequel me fourrer, je le trouvais. Mais ensuite, j'ai rencontré Frank. Lui... il m'a aimée. Il m'a acceptée. Même les histoires soigneusement choisies que je lui racontais sur mon père (pas nombreuses, note bien, mais certains détails), il les acceptait. Pour la première fois, je me suis vue dans le regard d'un homme bien. Et ça m'a donné de l'espoir. »

Le poulet commençait à noircir. Sans être spécialiste, j'en déduisis qu'il fallait couper le feu. Sandra alla chercher le plat à rôtir, le posa sur le plan de travail à côté de la cuisinière. J'y transférai le poulet, blancs vers le bas conformément aux instructions.

Le four était préchauffé. Elle ouvrit la porte. J'enfournai.

« Mon père est un sale type, conclut-elle posément. Je ne lui parle plus. Depuis que j'ai quitté la maison. J'ai coupé les ponts, tiré un trait sur le passé.

– Il t'a laissée partir ? » Ça m'étonnait parce que j'aurais pensé qu'un type aussi mauvais n'accepterait pas que sa fille le plaque comme ça.

« Disons que j'ai fait en sorte qu'il y voie son intérêt.

– D'accord », répondis-je après un temps, puisque manifestement elle n'avait pas l'intention d'entrer dans les détails.

« Ce que je veux te dire, ajouta-t-elle, c'est que mon père est l'exception, pas la règle. On peut commettre de mauvaises actions et rester quelqu'un de bien. » Sandra s'essuya les mains dans un torchon et me le tendit.

« J'ai tué mes parents. J'ai détruit du matériel scolaire. J'ai un casier judiciaire. Je trouve que ça fait beaucoup de mauvaises actions pour quelqu'un de bien.

– Mais tu regrettes tes gestes. Tu éprouves des remords. Tu t'efforces de t'améliorer. »

Je ne savais pas quoi dire. C'était vrai que je regrettais. J'essayais de suivre certaines recommandations de ma conseillère de probation. Seulement... ça ne m'empêchait pas de me bagarrer. De perdre mon calme.

« S'il y a du bon en moi, pourquoi j'ai l'impression que c'est toujours le mauvais qui l'emporte ?

– Tu as peut-être seulement besoin qu'on te donne ta chance.

– Et vous allez me sauver, Frank et toi ? »

Sandra me considéra avec gravité. « On veut bien donner un coup de main, mais c'est toi qui vas devoir te sauver. C'est comme ça dans la vraie vie, Telly.

– Est-ce que vous allez me mettre dehors ? » Il fallait que je pose cette question qui me rongeait depuis des mois. « Quand j'aurai dix-huit ans, ce sera fini ? Plus de leçons ? On pousse l'oisillon hors du nid en espérant qu'il saura voler ?

– Tu as peur ?

– Non !

– *Ce n'est pas grave. L'avenir peut être effrayant. La solitude est effrayante.*

– *La solitude ne me dérange pas. C'est bien, d'être seul. C'est plus sûr. Pour tout le monde.*

– *Frank a retrouvé ta sœur.*

– *Quoi ?*

– *Il a fait des recherches, il a localisé sa famille d'accueil. Tu n'es pas seul, Telly. Tu as une famille. Moi, Frank et ta sœur.*

– *Est-ce que Sharlah est au courant ? Est-ce qu'il lui a parlé de moi ? » demandai-je. J'avais durci le ton. Involontairement, mais quand même. Sandra fit un petit pas en arrière.*

« *Il n'aurait pas fait ça, dit-elle doucement. La prise de contact, c'est une décision qui t'appartient.*

– *Je n'ai pas d'avenir.*

– *Bien sûr que si. Tout le monde…*

– *Pas moi ! "J'aime les bibliothèques." À quoi ça ressemble ? On dirait une phrase à la con sur un site de rencontre. Je suis en train de me planter au lycée, donc je n'irai jamais dans aucune université. Pas de diplôme d'ingénieur, pour moi. Rien du tout. Je vais avoir dix-huit ans et… je vais me retrouver chez Losers and Co. Peut-être que je vais devenir alcoolique, comme ma mère, ou toxico, comme mon père.*

– *Tu ne prends pas de drogue, Telly. On a lu ton dossier. Tu n'y touches pas, sans doute à cause de ce que tu as vécu auprès de tes parents.*

– *Tu ne sais rien de moi.*

– *J'en sais suffisamment.*

– *Non, tu… »*

Elle sortit de la pièce. Pivota sur un pied et quitta la cuisine à grandes enjambées. Je la suivis du regard, les poings toujours serrés, encore plus désorienté. Et en colère. Tellement, tellement en colère. Contre… tout le monde, la terre entière.

Parce que j'avais raté, tout foiré, et qu'après toutes ces années j'entendais encore le cri de ma sœur. Frank et Sandra avaient beau dire : je ne savais pas où aller avec un tel bagage. Je ne voyais pas cet avenir que tout le monde me prédisait avec assurance. Je ne voyais que le passé. Ouvrir des boîtes de spaghettis froids pour le dîner. Prier pour que ma mère ne soit pas trop en vrac ou mon père trop violent. Espérer que Sharlah, au moins, aille bien.

Jusqu'au soir où c'est moi qui lui ai fait du mal.

Il y a des choses que tous les Cheerios du monde ne peuvent pas racheter. Demandez à Bruce Banner.

Sandra était de retour. Avec une batte de base-ball.

J'ouvris de grands yeux. Elle me mit la batte entre les mains.

« Voilà. Tu es méchant ? C'est ce que tu crois ? Alors vas-y. Regarde-moi dans les yeux et frappe-moi un grand coup. Frank n'est pas là. Il ne peut pas me protéger. Il n'y a que toi et moi. Vas-y.

– Quoi ?

– J'ai des bijoux. Pas beaucoup. Mon alliance, évidemment, un collier offert par Frank pour nos dix ans de mariage. Oh ! et il y a un peu d'argent liquide dans le freezer. Cherche le paquet emballé dans du papier aluminium sous les petits pois surgelés. Quand tu m'auras battue à mort, tu pourras t'emparer de mes bijoux, de l'argent – et des armes, bien sûr. Tu pourras en tirer un bon prix. Est-ce que Frank t'a donné la combinaison du coffre ? Moi, je vais le faire. »

Elle me donna les numéros. La batte entre les mains, je la regardais avec des yeux ronds.

« Allez. Qu'est-ce que tu attends ? Au boulot. »

Je ne bronchai pas.

« Tu n'es pas encore assez en colère ? C'est ça ? Il faut que tu sois furieux ? Parce que je peux t'aider. Ce ne sont pas les

raisons qui manquent. Un père qui ne t'aimait pas. Une mère qui ne te protégeait pas. Devoir être l'homme de la maison alors que tu avais quoi, cinq ans ? Devoir te lever tous les matins, t'habiller, te nourrir. Et puis il y a eu ta sœur. Elle a dû t'énerver, elle aussi. Toujours à pleurer, à crier, à geindre. Elle ne voyait pas que tu faisais de ton mieux ? Elle ne se rendait pas compte qu'elle avait dix fois plus de chance que toi ? Après tout, personne ne s'occupait jamais de toi. Personne ne t'emmenait à la bibliothèque, ne te donnait ton petit déjeuner, ne lavait tes vêtements préférés.

— Je l'aimais.

— C'était une pleurnicheuse. Elle n'avait aucune idée du mal que tu te donnais, de la gravité de la situation. Ce fardeau reposait sur tes épaules. À cinq, six, sept ans, tu étais déjà complètement seul au monde.

— Elle me souriait. Déjà bébé. Elle me regardait et elle souriait.

— Tu étais seul ! Responsable de tout. Et tu avais peur. Tout le temps. Qu'allait encore inventer ton père ? À quel point allait-il te faire souffrir ? »

Je ne pouvais plus parler, plus dire un mot.

« Le monde n'est pas ton ami. Il ne t'a rien donné, il t'a tout pris. Même ta sœur. Après tout ce que tu avais fait pour elle, où est-elle aujourd'hui ?

— Je lui ai cassé le bras.

— Tu lui as sauvé la vie ! Et elle n'est même pas venue te voir à l'hôpital. Pas un coup de fil, pas un merci, pas un "Salut, grand frère, comment ça va ?" Comment on peut traiter son frère comme ça ? Elle est la seule famille qu'il te reste et voilà comment tu es récompensé. »

Mes mains tremblaient sur la batte. D'un seul coup, j'étais en colère. Hors de moi. Parce que c'était vrai que ma petite sœur me manquait. J'avais fait de mon mieux, mais après le drame... c'était comme si je n'avais jamais existé. Elle était partie et rideau. Depuis toutes ces années, pas un regard en arrière.

Je l'aimais.

Mais cela n'avait pas suffi.

« Vas-y », a soufflé Sandra. Elle avait les yeux brillants, presque fiévreux. C'était à peine si je la reconnaissais. « Je suis ta sœur. Je suis ta mère. Je suis tous ceux qui t'ont un jour laissé tomber. Alors lève-moi cette batte et qu'on en finisse ! »

Mais je n'ai rien fait. Impossible. Je suis resté paralysé à regarder Sandra. J'encaissais.

Une minute s'est écoulée. Une autre.

Il régnait un tel silence dans la cuisine. Un silence de mort.

Et là...

Sandra a souri. Elle a détendu ses épaules et, avec une grande douceur, elle a pris la batte de mes mains tremblantes.

« Je savais que tu ne le ferais pas. Je sais reconnaître les gens méchants et tu n'en fais pas partie, Telly. Je sais, même si toi tu ne le sais pas, que tu ne nous ferais jamais de mal, à Frank et à moi. J'espère simplement que tu le découvriras par toi-même. Avant qu'il ne soit trop tard. »

20

Je suis incapable de penser. Incapable d'attendre. Je peux seulement agir.

Quincy et Rainie sont de nouveau plongés dans une conversation à bâtons rompus, cette fois-ci dans le bureau de Quincy. Je les entends discuter à voix basse, les yeux rivés sur l'ordinateur.

« Je sors Luka faire ses besoins, dis-je par-dessus mon épaule. Je sais, je sais, je ne quitte pas le jardin. »

Et je respecte la consigne. Je laisse Luka faire ce qu'il a à faire et j'entre dans le garage par la petite porte. Je trouve mon vélo, je le sors et je le dépose à l'abri des regards. Le tout prend moins de deux minutes et Luka ne m'a pratiquement pas quittée d'une semelle, un grondement sourd dans la gorge.

Je le ramène vers la maison en essayant d'oublier que mon cœur bat à tout rompre dans ma poitrine, que mon tee-shirt est collé à ma peau et que j'ai à la fois trop froid et trop chaud. Comme si j'allais vomir, ou peut-être juste exploser.

Pas question que je croise Rainie et Quincy en rentrant. Au premier coup d'œil, ils devineront ce que je mijote.

Je m'arrête devant la porte. Et je prends mon chien dans mes bras. Je le serre fort comme je n'ai jamais serré personne. Je ne pleure pas, parce que j'ai la gorge nouée et que certaines émotions... Pleurer serait trop simple et n'en dirait pas assez à Luka sur ce que j'éprouve réellement.

Ensuite je retrouve mon sang-froid.

Je suis une pro, me rappelé-je. Après tout ce que j'ai perdu ou laissé derrière moi. S'il y a bien une fille qui peut le faire, c'est moi.

Je me redresse, scrute les alentours. J'essaie de sentir un regard sur moi, la présence de mon frère. Si on était dans un film, je pourrais me servir du pouvoir de la Force ou je ne sais quoi. Mais je ne sens rien. L'air est tout simplement trop chaud, trop immobile. Luka ne daigne même pas regarder vers les bois.

Je comprends le message et je fais rentrer mon chien dans la fraîcheur merveilleuse de la maison.

Une fois dans la cuisine, je me sers un verre de citronnade, en faisant un maximum de bruit. Pour que personne ne s'inquiète. J'ai appris à connaître Quincy et Rainie. Ils peuvent être plongés dans un livre, absorbés dans leurs pensées devant la télé, perdus dans le regard l'un de l'autre, mais si vous avez ne serait-ce que l'idée de faire une bêtise, ils le sauront tous les deux.

Des profileurs. Pas étonnant que les services sociaux m'aient envoyée ici.

Donc, aucune mauvaise pensée. De l'eau fraîche pour Luka, plutôt. Une grande gamelle. Avec des glaçons. Son délice.

S'hydrater est très important par temps de canicule. Je termine ma citronnade, bourre mes poches de barres énergétiques d'un côté, d'amandes de l'autre. Une chance qu'on n'ait jamais très faim quand il fait aussi chaud parce que je ne peux pas me charger outre mesure. Après la citronnade, j'avale un grand verre d'eau ; j'ai l'estomac plein de liquide, ça clapote, mais je sais que je m'en féliciterai plus tard. Ensuite, je prends une pomme pour moi, un os à ronger pour Luka et je repars vers ma chambre.

Juste une ado qui prend un goûter pour elle et son chien.

Rainie et Quincy sont toujours devant l'ordinateur. En passant, j'aperçois la photo d'un homme en tenue de camouflage, à terre, son uniforme taché de sang. Rainie se décale légèrement pour me dissimuler l'écran.

« Si vous parlez aussi bas, lancé-je au passage, comment est-ce que je suis censée écouter depuis ma chambre ? »

Ils ne répondent pas, mais je les sens pratiquement lever les yeux au ciel en duo derrière moi.

Une fois dans ma chambre, je branche mon iPod sur mes haut-parleurs, sélectionne une liste de chansons au hasard et monte le son. J'ai l'habitude de disparaître dans ma tanière, surtout quand il y a un sujet dont je veux éviter de parler. Ils vont me laisser tranquille un moment, vu qu'eux-mêmes ont des questions « interdites aux moins de dix-huit ans » à étudier. Scènes de crime. Projets de voyage.

Mais tôt ou tard, Rainie viendra frapper à la porte. Elle n'aime pas que je m'enferme trop longtemps. Et puis il y a la question de notre vol de nuit, l'opération « Il faut sauver notre fille adoptive ».

Je ne peux pas me permettre d'attendre. Ni de réfléchir. Il faut que je bouge.

Goûters dans le sac à dos. Il me reste deux bouteilles d'eau dans mon sac de piscine. C'est loin d'être suffisant, vu que le thermomètre affiche pratiquement 40 °C, mais je ne pourrais sans doute pas en transporter davantage. Je me faufile à quatre pattes sous mon bureau. Dans une enveloppe scotchée sous le tiroir des crayons se trouve ma réserve d'argent secrète. Les enfants placés font ce genre de choses. On amasse. On planque. C'est plus fort que nous. Je me demande ce que mon frère a pu accumuler, jusqu'au jour où il a basculé.

Il m'a prise en photo.

Il m'a repérée. Suivie.

Sans rien dire.

Il a juste attendu cinq jours et laissé exploser sa colère à la face du monde.

Est-ce que je connais ce garçon, au juste ? Au bout de huit ans, est-ce qu'il a repensé à nos petits déjeuners de céréales et à nos virées en bibliothèque quand il m'a vue ? Ou est-ce qu'il s'est seulement souvenu de la dernière nuit ? De notre père qui nous courait après, le visage écarlate, les yeux exorbités, un couteau ruisselant de sang à la main.

Du moment où je lui avais tendu la batte.

De celui où nous avions tous les deux regardé notre mère qui, par terre, gémissait, reprenait conscience.

Et je me mets au défi, un bref instant, de regarder en face l'idée qui me fait le plus peur : celle que tout est ma faute.

Si mon frère est un monstre, c'est moi qui l'ai poussé dans cette voie.

L'argent. Deux cent quarante-deux dollars. Je le répartis en plusieurs tas. Une partie dans le sac à dos. Une partie dans les poches de mon short. Une partie dans la chaussette gauche. On ne sait jamais.

Et puis voilà, l'heure est venue. Je suis plus prête que je ne le serai jamais à mettre en œuvre le plan le plus débile de toute l'histoire de l'humanité.

Luka me surveille. Comme depuis toujours. Mon chien.

Il va venir avec moi parce que je ne pourrais jamais le laisser sans qu'il donne l'alerte. Ce qui fait de lui le plus courageux, le plus loyal, le meilleur de tous les chiens du monde entier. Et de moi...

J'ai de nouveau la gorge nouée. Mais je ne le prends pas dans mes bras. Impossible. Sinon je vais m'effondrer. Je l'aime. Plus que je n'ai jamais aimé quiconque. Mais à l'heure qu'il est, c'est toute ma famille qui est en danger.

Mieux vaut réduire le nombre de victimes potentielles, c'est logique. Et si Luka et moi partons, au moins Rainie et Quincy ne seront plus des cibles. Il n'y aura plus que deux joueurs sur le terrain.

On va trouver Telly, Luka et moi. Je ne sais pas pourquoi je pense que c'est tellement important, mais c'est comme ça. Telly n'est pas seulement le grand frère qui m'a autrefois sauvé la vie, autrefois cassé le bras : c'est celui qui a voulu me retrouver.

Et même si je comprends que mes profileurs de parents veuillent m'emmener voir ailleurs, en réalité je ne marche pas. Parce que c'est quoi, l'idée ? Quand on aura enfin abattu Telly, j'aurai la permission de rentrer chez moi ? Combien de personnes seront mortes ? Combien de questions sans réponse se seront accumulées dans ma tête ? C'est hors de question.

Il faut que je le voie.

Il faut que je sache. Est-ce que mon frère est devenu mon père ? Est-ce que ce sera mon tour, après ?

Une dernière réunion de famille.

Je vais perdre quelque chose. Je ne sais pas encore quoi. Je sais seulement que je vais souffrir.

La fenêtre de ma chambre donne sur l'avant de la maison. Grâce au souci de sécurité de Quincy, il n'y a pas le moindre arbuste décoratif le long de la façade. Car figurez-vous que ces jolies plantes représentent autant de possibilités de cachette pour un intrus mal intentionné. On ne trouve donc aux abords de la maison que des massifs de fougères basses et de fleurs sauvages. La nuit, l'alarme se déclenche dès qu'on ouvre une fenêtre ou une porte. Sans parler des projecteurs à détecteur de mouvement qui s'allument pleins phares pour crucifier tout kidnappeur qui essaierait de s'introduire dans la maison, ou pourquoi pas une adolescente idiote qui voudrait faire le mur.

Mais à trois heures de l'après-midi par une chaude journée du mois d'août, ces projecteurs ne sont pas d'une grande efficacité au moment où j'ouvre sans bruit ma fenêtre à guillotine.

« *Rustig* », dis-je à Luka. Ça veut dire *silence* en néerlandais.

Il est déjà aux aguets, les oreilles en avant, la queue en l'air. Un chien policier à la retraite qui reprendrait du service.

Il faut que je déplace ma lampe de chevet pour que nous ayons la place de sortir par la fenêtre. C'est l'étape la plus difficile et je sens que je suis reprise d'un tremblement, le visage ruisselant littéralement de sueur. Rainie et Quincy pourraient à tout moment conclure leur conversation. Ou avoir des questions à me poser concernant notre destination. Ou en avoir assez de ce « vacarme infernal » que j'appelle musique (ce sont les mots de Quincy, pas les miens).

Jamais je ne vais réussir mon coup. Ils vont me surprendre en train d'enjamber la fenêtre. Ou d'enfourcher mon vélo. Ou même un quart d'heure après. Sérieusement, comment une gamine de treize ans et son chien pourraient-ils réellement échapper à deux policiers hors pair ?

Ce projet est idiot. Je suis une idiote.

La lampe est posée par terre. J'attrape d'abord Luka et je lui donne une bonne poussée. Ses griffes peinent à accrocher sur la table de chevet. Nous allons forcément laisser des milliards d'indices derrière nous, mais cela n'a aucune importance. Luka saute tout seul par la fenêtre.

Je laisse ensuite tomber mon sac à dos, qui écrase une fougère. Gagné, encore une trace de notre évasion. À mon tour de passer par la fenêtre. Je fais ça avec beaucoup moins de grâce que Luka. C'est bien moi, ça. Toute en coudes pointus et en genoux saillants, les yeux tellement embués que je n'y vois plus rien.

Me voilà de l'autre côté. D'ici, je ne peux plus atteindre la lampe pour la reposer sur la table de chevet. Quelle importance ? Est-ce qu'il faudra vraiment plus de deux secondes à Quincy et Rainie pour comprendre ce qu'a fait leur impulsive de fille ?

Quincy pincera les lèvres. Quant à Rainie...

Je refuse d'imaginer sa réaction.

Il faut bouger.

Enfiler mon sac à dos. Trottiner, Luka sur mes talons.

Arrivée près du garage, j'enfourche mon vélo. Les bois derrière la maison sont sillonnés de coulées de cerfs très fréquentées. Luka et moi les empruntons tout le temps. Même quand je suis à vélo, Luka me suit toujours sans problème.

Je pars vers la gauche, en ligne droite depuis la maison. Descendre l'allée de gravier serait trop voyant, alors nous allons couper à travers bois, ressortir un peu plus bas. Prendre à gauche sur la route, filer en roue libre vers la grand-route, et ensuite...

La route, la forêt, ce sera du pareil au même. À la seconde où ils s'apercevront de ma disparition, Rainie et Quincy se mettront en chasse. Et ce ne sera plus qu'une question de temps avant qu'ils me retrouvent.

Au mieux, j'ai une heure. Au pire, une demi-heure.

Pour retrouver un frère assassin dont je me souviens à peine.

« *Rennen* », dis-je à Luka.

C'est parti.

Lorsque nous émergeons de la forêt, je prends à gauche sur la petite route secondaire et je descends en roue libre. D'après mes parents, c'est à une vingtaine de kilomètres au nord d'ici que Telly a été vu pour la dernière fois. Mais comme il a piqué un quad, j'imagine qu'à l'heure qu'il est il se trouve partout sauf là-bas.

Quelle direction prendre ?

Je pourrais faire un tour du côté de la maison de sa famille d'accueil, mais vu qu'il les a assassinés, il y a peu de chances qu'il y retourne. Et chez nos parents à nous ? Aucune idée de l'endroit où nous vivions. Je n'étais qu'une gamine. J'ai un vague souvenir de l'intérieur – une image de la cuisine, de ma chambre. Mais l'adresse ? C'est le trou noir. Et pourquoi Telly irait-il là-bas ? Nos parents ne s'y trouvent plus puisque, tiens, eux aussi il les a tués.

Mais dans quoi est-ce que je me suis embarquée ?

Je n'ai pas menti à Rainie tout à l'heure : je n'ai eu aucun contact avec mon frère. Je ne connais pas son numéro de téléphone, il n'y a pas de 06-GRAND-FRÈRE pour le joindre d'un coup de baguette magique et lui dire : « Il faut qu'on se parle. » En plus, j'ai éteint mon portable – ce sera la première chose dont mes parents se serviront pour me localiser.

J'essaie de respirer à fond, de pédaler bien régulièrement pour que Luka puisse tenir le rythme, et j'essaie un instant de raisonner comme mes parents profileurs. Le temps manque, mais c'est toujours comme ça quand ils sont sur une affaire. Il faut réagir vite. Retrouver le fugitif. Ils parlent de ces sujets au dîner. Alors, que feraient-ils en premier ?

Aller voir les adresses connues. Quincy et Rainie commenceraient par répertorier les lieux habituellement fréquentés par le fugitif. Mais j'ai déjà fait le tour de cette liste et ça ne m'a menée nulle part.

Étape suivante : identifier ses amis et sa famille. Bonne question. Je ne connais aucun des amis de Telly et, à part moi, il a tué toute sa famille.

J'arrive au carrefour où la route secondaire rejoint la grand-route qui conduit à la ville. Luka s'arrête à côté de moi, langue pendante. Je prends un instant pour le regarder. Jusque-là, mon chien semble heureux de cette séance de sport impromptue. Il faudra bientôt faire une pause, nous donner de l'eau à tous les deux, mais pour l'instant…

Faute de projet précis, nous tournons vers la ville. Juste une ado et son chien qui font une balade à vélo dans la chaleur accablante du mois d'août.

J'essaie de me remémorer des détails de mon enfance susceptibles de m'aider à retrouver mon frère. Dans mon esprit, il n'y avait toujours que Telly et moi. C'était Telly qui me donnait mon petit déjeuner, qui m'habillait, qui m'accompagnait jusqu'à l'arrêt du bus scolaire. Et qui m'emmenait à la bibliothèque après l'école.

Je lui tenais la main. Ça, je m'en souviens. Ma main dans la poigne solide de mon grand frère.

Un instant, je flanche, mon vélo dix-vitesses titube.

Pourquoi ne l'ai-je jamais revu ou appelé après le drame ? Parce qu'il m'avait blessée ? Parce qu'il m'avait démoli le bras ? J'étais terrifiée. J'ai crié. J'ai hurlé. Mais après ?

La dame des services sociaux est venue dans ma chambre d'hôpital. J'étais dans tous mes états. *Telly me déteste*, je lui ai dit. Je sais que, sur le moment, avec cette douleur toute fraîche à l'épaule, c'était ce que je ressentais.

Et puis...

Et puis.

C'est le fin mot de l'histoire, évidemment. Cette chose dont nous n'avons jamais parlé.

C'est sans doute vrai que mon frère me déteste. Et comment lui en vouloir ? Alors, quand je suis arrivée dans ma première famille d'accueil et que Telly n'y était pas...

J'ai accepté cela comme une punition. Mon frère avait coupé les ponts avec moi. Jamais il ne m'était venu à l'esprit que lui pouvait penser l'inverse, que je l'avais rejeté.

J'ai les yeux qui pleurent. Même le visage dégoulinant de sueur, je reconnais le goût salé des larmes.

Je serre les dents, continue à pédaler.

Le lieu de travail. Les fugitifs retournent parfois chez leur employeur, souvent pour voler des objets utiles qu'ils savent pouvoir trouver là-bas. Mais si Telly avait un travail, personne ne m'en a informée.

Cela laisse les lieux de prédilection. Disons le bar ou le parc du quartier. Luka et moi avons un arbre préféré dans le bois derrière chez moi. Un vieil arbre au tronc épais, l'écorce couverte de tant de sortes de mousses qu'on dirait un tapis vivant. Il nous arrive de rester des heures assis au pied, juste pour trouver de nouveaux motifs dans la mousse en respirant un air moite à l'odeur d'humus. Je me sens toujours mieux après ça.

Je connais un des lieux de prédilection de Telly : il a toujours aimé les bibliothèques. Lui et moi après l'école. Une bibliothécaire. Je me souviens vaguement d'elle. Pas tant les traits de son visage que l'acidité du jus de pomme sur ma langue.

La bibliothèque de Bakersville ne se trouve qu'à huit kilomètres d'ici. Une distance raisonnable pour Luka et pour moi sur mon vélo. C'est aussi là-bas que Telly m'a repérée et qu'il a pris ces photos, la semaine dernière ; ce qui veut dire qu'il y a déjà été et qu'il sait que j'y vais aussi. Un lieu tout indiqué, donc, pour des retrouvailles entre frère et sœur.

Sauf que le bâtiment est aussi en plein centre-ville. Les feux de circulation sont équipés de caméras, je le sais, et les trois quarts des policiers de l'État sont en train de patrouiller. Je ne pourrai jamais aller jusqu'à la bibliothèque sans me faire repérer, surtout avec Luka à mes côtés.

Et comment Telly saurait-il qu'il peut me retrouver là-bas ? Il ignore totalement que je suis moi aussi en fuite. Il est sur ses rails, moi sur les miens, et dans une région aux espaces sauvages aussi étendus...

Je m'agite, mais je n'ai en réalité aucun moyen de trouver ma cible. Ni de la laisser me trouver. Je suis vraiment partie sans idée ni plan établi.

J'ai surtout rendu Rainie et Quincy fous de rage contre moi.

Je devrais faire demi-tour. Tout de suite. Je pourrais prétendre que j'avais juste besoin de me dégourdir les jambes. Que je me suis laissé déborder par la gravité de la situation. Est-ce qu'ils me croiront ? Bien sûr que non. Mais si je rentre de mon propre chef, comment pourront-ils me contredire ?

Le problème, c'est que je suis incapable de rentrer. Je devrais. Je me conduis comme une tête brûlée, déraisonnable et impulsive. Tous ces défauts dont je suis censée me corriger.

Mais c'est peut-être précisément le sujet. Tous ces défauts, Telly les a aussi. C'est pour cela qu'il faut que je le retrouve. Parce qu'au fond, ce n'est pas Telly le tueur que je cherche. C'est Telly mon frère. La seule famille qui me reste.

Si je pouvais seulement lui parler...

Je pourrais le faire changer d'avis ? Obtenir son repentir ? Le sauver ?

Quelle imbécile je fais.

Et là, j'ai une illumination : quand Rainie et Quincy s'apercevront de ma disparition, ils déclencheront un avis de recherche. Peut-être même une alerte enlèvement, même si je ne suis pas certaine qu'on puisse faire ça quand il s'agit *a priori* d'une fugue. Quoi qu'il en soit, en même temps qu'ils se lanceront à mes trousses, ils contacteront les autorités. Après tout, le comté grouille d'agents : autant profiter de toutes les paires d'yeux disponibles.

Et Telly ? Si j'étais lui, en fuite, pourchassé, j'aurais une radio. Réglée sur la fréquence des services d'urgence et de sécurité. Donc, quand l'alerte sera donnée, il l'entendra aussi. La nouvelle que sa sœur est officiellement dans la nature.

À partir de ce moment-là, je n'aurai plus à localiser Telly.

Si j'arrive à rester à l'abri des regards suffisamment long-temps, c'est mon frère, le tueur le plus recherché de tout l'État, qui me trouvera.

21

« Elle a disparu. » Sur le seuil du bureau, Rainie regardait Quincy, toujours penché sur son ordinateur.

« Luka ? »

Elle lui lança un regard appuyé. Jamais Sharlah ne serait allée nulle part sans son chien et ils le savaient tous les deux. Quincy s'écarta de son ordinateur, en pilote automatique – pas seulement parce que c'était un ancien du FBI, mais aussi parce que ce n'était pas la première fois que Sharlah leur faussait compagnie.

Rainie se chargea de la maison, Quincy du jardin.

Ils se retrouvèrent de part et d'autre de la fenêtre de sa chambre, ouverte.

« Elle a déplacé la lampe pour ouvrir de l'intérieur », dit Rainie.

Quincy hocha la tête ; Rainie vit qu'il s'y attendait. Personne n'aurait pu s'introduire chez eux et enlever leur fille sans que Luka donne l'alerte. Ni, d'ailleurs, sans que Sharlah se débatte comme une tigresse.

Toutefois, l'idée que la menace pouvait venir de son frère inquiétait Rainie. Et si Telly s'était tenu à la place de Quincy, qu'il avait discrètement frappé au carreau ? Luka se serait mis à grogner, mais si Sharlah lui avait ordonné de se taire, il aurait obéi. Et, si elle en avait décidé ainsi, il l'aurait suivie dehors, dans le sillage de son frère.

Rainie lut sur le visage de Quincy qu'il partageait son inquiétude.

« Les fougères ont été piétinées, indiqua-t-il, mais je serais incapable de te dire par combien de personnes. »

Il recula d'un pas, mais les fougères laissaient place à l'allée de gravier, encore plus difficile à lire.

« Son sac à dos a disparu, lança Rainie en s'éloignant de la fenêtre pour reprendre son examen de la chambre.

– L'enveloppe scotchée sous le tiroir du bureau ? »

Elle vérifia. « L'argent aussi a disparu. »

Oui, ils fouillaient encore la chambre de leur fille, violaient son intimité quand elle n'était pas là. Au début, Rainie en avait été troublée : accueillir enfin une enfant et la traiter comme une criminelle... Mais c'était le passé de Sharlah qui voulait ça. Et l'assistante sociale avait été très stricte sur ce point : leur confiance, Sharlah devait la mériter. Toute autre attitude aurait été naïve de leur part.

Même s'il s'était bien passé neuf mois depuis la dernière fois qu'ils avaient surpris Sharlah en flagrant délit de mensonge, Rainie savait que leur fille restait cachottière. À vrai dire, ils avaient tous les trois ce trait de caractère en commun.

« Autre chose qu'elle aurait emporté ? demanda Quincy à Rainie.

– Je regarde. Et son vélo ? »

Rainie consacra encore cinq minutes à la chambre de Sharlah, puis inspecta la cuisine. Elle descendait les marches du perron au petit trot lorsque Quincy ressortit du garage.

« Elle a pris son vélo », confirma-t-il.

Rainie ajouta : « Et des barres protéinées et autres goûters dans le cellier. »

Ils prirent tous deux une grande inspiration.

« Elle est partie à sa recherche, n'est-ce pas ? » Ce fut Rainie qui le dit la première, qui posa des mots sur leur crainte.

« Si on avait un grand frère sur le sentier de la guerre, on en ferait autant.

– Comment on a pu se retrouver avec une fille adoptive qui nous ressemble à ce point ? »

Quincy lui lança un regard. « Ça doit être une punition, c'est sûr. »

Rainie eut un instant de découragement. Elle aurait voulu se sentir solide, aux commandes. Mais rien ne l'avait préparée à cette impuissance absolue que ressentent parfois les parents. Aimer une enfant à ce point et pourtant ne pas pouvoir la protéger de ses erreurs.

« Elle s'imagine qu'elle est en train de nous sauver, murmura Rainie. Au cas où son frère viendrait ici... elle ne veut pas qu'il nous arrive malheur.

– On va localiser son téléphone.

– Elle n'est pas idiote, elle l'aura éteint. Et elle aura retiré la batterie.

– Dans ce cas, elle ne pourra pas le joindre.

– Je ne sais pas si elle le peut, de toute façon. Je ne crois pas qu'elle m'ait menti, Quincy. Je ne pense pas qu'elle ait parlé ou même pensé à son frère depuis des années.

– Et pourtant, regarde ce qui arrive.

– Et pourtant.

– Même si elle ne pensait pas à lui, lui pensait à elle, reprit Quincy après un moment. D'où les photos. Peut-être qu'elle n'aura pas besoin de le chercher.

– S'il la surveillait, il va la trouver. Mais qu'est-ce qu'il veut, Quincy ?

– Je n'en ai aucune idée. Et peut-être que ça n'a plus d'importance. Il laisse parler sa colère. Sa relation avec sa sœur… c'est juste un échec de plus dans sa vie. »

Rainie ne dit rien. Telly ne pouvait s'en prendre qu'à lui-même s'il avait cassé le bras de sa sœur cette nuit-là. Sharlah n'était qu'une petite fille. À quoi s'attendait-il après cela ? À être accueilli à bras ouverts ?

Mais en tant que policière, Rainie savait aussi que son opinion n'entrait pas en ligne de compte. La seule chose qui importait, c'était ce que croyait Telly. L'homme qui tenait le pistolet.

« J'appelle le shérif, dit Rainie. Je lui demande de lancer un avis de recherche. Une gamine de treize ans à vélo avec son berger allemand ? Ils n'iront pas loin.

– À ce propos, je sors la voiture. »

Rainie suggéra qu'ils se séparent pour couvrir plus de terrain, mais Quincy ne voulut rien entendre. Mener une recherche tout en conduisant une voiture, mais aussi en courant le risque de se retrouver seul face à un tueur forcené ? Les règles de prudence élémentaires continuaient à s'appliquer. D'ailleurs, ils en savaient plus qu'ils ne le pensaient : si Sharlah cherchait Telly, elle avait dû partir vers le dernier endroit où il avait été vu, donc vers le nord.

Quincy prit le volant, Rainie à côté de lui, les yeux rivés sur le pare-brise.

« On l'aurait entendue, si elle était descendue par l'allée, dit Rainie pendant que Quincy roulait vers la sortie de la propriété.

– Elle a dû prendre les sentiers du fond du jardin.

– C'est mieux pour les pattes de Luka. L'asphalte doit être brûlant.

– Et elle sait qu'on va se lancer à sa poursuite, donc elle va éviter les grands axes. »

Quincy prit à gauche au bout de l'allée, descendit la colline en direction de la ville.

« Est-ce qu'on aurait dû lui parler davantage ? se demanda Rainie en fouillant l'horizon à la recherche de leur enfant. Peut-être que si on l'avait davantage associée à l'enquête...

– Allons donc, il aurait fallu lui montrer les photos de scènes de crime ? » rétorqua Quincy d'un air pince-sans-rire. Voilà à quoi ils étaient occupés : analyser les photos prises chez les Duvall, à la station EZ Gas et dans le jardin où l'équipe de recherche avait essuyé des coups de feu. Ils cherchaient des points communs, des éléments à transmettre au shérif pour l'aider à anticiper les prochains agissements de Telly Ray Nash.

« Je sais, dit Rainie avec un gros soupir. Je sais. »

Ils roulèrent en silence, à une vitesse si réduite que deux voitures les rattrapèrent et franchirent la double ligne jaune pour les dépasser. Ils avaient leurs portables sur eux. Au cas où Sharlah se raviserait et déciderait d'appeler, ou bien si l'avis de recherche du shérif Atkins donnait des résultats...

Au pied de la colline, Quincy arriva au carrefour. Ils regardèrent des deux côtés, recommencèrent, puis, partant du principe que Sharlah cherchait à rejoindre le dernier endroit où son frère avait été vu, mirent le cap au nord.

« Elle est partie depuis combien de temps, tu penses ? demanda Quincy.

– Je ne sais pas. Une demi-heure. »

Elle devina qu'il faisait des calculs dans sa tête. « En théorie, conclut-il, les bergers allemands peuvent courir à plus de cinquante kilomètres à l'heure ; c'est pour ça qu'ils ont les faveurs de la police. Mais Sharlah va miser sur l'endurance, et puis il va falloir qu'elle s'adapte à la chaleur. Dans ce contexte, j'imagine qu'ils vont aller à douze ou quinze kilomètres à l'heure ? Évidemment, en coupant à travers bois, ils ont pris un raccourci. Donc, disons qu'elle est maintenant à huit kilomètres au nord de la maison. Ce qui voudrait dire... »

Rainie quitta le pare-brise des yeux le temps de jeter un regard au compteur. Ils avaient déjà parcouru cinq kilomètres. Elle se redressa sur son siège, les yeux sur la route, cherchant à apercevoir Sharlah pédalant à tout-va, Luka dans sa roue. Malheureusement...

Rien.

À leur droite, un pré s'étirait sur des kilomètres jusqu'au pied des montagnes, où il s'arrêtait de manière abrupte. À leur gauche, Rainie aperçut une rigole de drainage, de l'herbe haute et encore des pâturages, semés de vaches qui broutaient. Elle repéra des boqueteaux, de vieilles granges, autant d'endroits où s'arrêter pour se cacher, se dit-elle. Si Sharlah s'était déjà arrêtée. Si elle avait voulu se cacher.

Quincy continuait à rouler. Au bout d'un moment, Rainie lui prit la main.

Mais toujours pas la moindre trace de leur fille.

« Il faut s'en remettre à l'avis de recherche », conclut Quincy une heure plus tard. Ils avaient décrit une boucle dans le centre-ville, puis étaient repartis vers le sud, au cas où ils se seraient fourvoyés en pensant qu'elle était allée vers le nord. Ils n'en étaient pas moins bredouilles. « Elle aura besoin d'eau, d'ombre, de repos pour Luka. Avec tous les agents qui patrouillent dans le secteur, quelqu'un va forcément voir quelque chose. »

Rainie hocha la tête, tournant comme une lionne en cage dans leur cuisine. Elle fit tomber des glaçons dans des verres. Le simple fait de rouler sous la lumière crue de ce soleil sans pitié leur avait donné soif.

« Nous sommes des profileurs, dit-elle subitement. Il faut qu'on arrête de s'agiter et qu'on commence à réfléchir.

– Ça marche. » Quincy accepta le verre d'eau qu'elle lui tendait, l'observa tandis qu'elle prenait une longue goulée du sien.

« Un compte à régler, dit-elle. C'est de cela qu'il s'agit. Sharlah et Telly ont un compte à régler. »

Quincy était d'accord. « Dans le passé, Telly prenait soin de sa petite sœur, dit-il. D'après ce qu'on sait, il s'était attaché à elle, contrairement à leurs parents.

– Mais ce soir-là, il lui a cassé le bras dans un accès de rage.

– Sharlah est partie. Il ne l'a plus jamais revue.

– Je crois qu'on peut raisonnablement penser qu'ils se sentent tous les deux responsables de cette situation, dit Rainie. En fait, je pense que leur point commun est un sentiment de culpabilité. »

Quincy l'invita du regard à poursuivre.

« Regarde ce qui se passe dans les cas de maltraitance. Quel est le dénominateur commun entre les enfants ? Ils pensent que tout ce qui leur arrive est entièrement leur faute. Alors, après le drame d'il y a huit ans, il est logique que Sharlah se fasse des reproches, tout comme Telly. Et donc que ni l'un ni l'autre n'en parle. Que tous deux aient accepté d'être séparés. Peut-être que chacun a pensé que c'était sa punition, qu'il l'avait bien mérité.

– Mais Telly s'était mis à repenser à son passé, rappela Quincy. Sous l'influence de Frank Duvall. »

Rainie haussa les épaules. « Peut-être qu'il en a eu assez de se sentir coupable.

– Ou que sa colère est allée grandissant. Il avait fait de son mieux, ce n'était pas sa faute. Quoi qu'il en soit, il a retrouvé Sharlah. Il l'a photographiée.

– Et au lieu de prendre l'avion avec moi ce soir, Sharlah est partie à sa rencontre. Je te fiche mon billet qu'il s'est passé quelque chose que nous ignorons, il y a huit ans. C'est ça qui les fait courir tous les deux. Si on répond à cette question, on pourra peut-être enfin comprendre comment fonctionne Telly. Et l'arrêter une fois pour toutes sur sa lancée meurtrière. »

Quincy était d'accord. « Ça me va. À l'époque, une psychiatre judiciaire a entendu les deux enfants. Bérénice Dudkowiak. C'est probablement la personne qui en sait le plus sur la mort de leurs parents. Le secrétariat de Tim Egan m'a donné ses coordonnées. Elle doit avoir reçu l'assignation à l'heure qu'il est. Tu veux lui passer un coup de fil ? »

Rainie accepta cette mission, tout en se doutant qu'il y avait anguille sous roche : « Et toi ?

– Je vais retourner chez les Duvall. Il faut qu'on en sache davantage sur cette famille. Tu avais raison, tout à l'heure : les tueurs à la chaîne ont toujours un facteur déclenchant. Nous savons que Telly était soumis à un stress constant. Mais qu'est-ce qui a allumé la mèche ? Quelque chose me dit que la clé du mystère se trouve entre les murs de cette maison.

– Je vais me pencher sur l'énigme du passé de Telly.

– Et moi m'attaquer à celle de son présent.

– Et ensuite ?

– Quoi qu'il arrive, on ramènera Sharlah saine et sauve à la maison. Je te le promets, Rainie. Je te le promets. »

22

Shelly conduisit Cal chez les Duvall. Le pisteur ne dit pas grand-chose pendant le trajet, se contentant de regarder le paysage défiler par sa fenêtre. Rien que pour ça, Shelly le trouvait sympathique ; elle non plus n'avait jamais été très douée pour la causette.

Elle entra dans le jardin des Duvall et eut la surprise de trouver une Toyota gris métallisé devant la maison et un homme seul près de la porte barrée par un ruban de scène de crime. Jeune. La petite vingtaine. Une tenue décontractée : un short multipoches usé, un tee-shirt bleu taché de sueur sous une chemise à carreaux ouverte, des chaussures de randonnée poussiéreuses.

Shelly descendit de voiture, main sur le holster, et elle s'apprêtait à lui demander de décliner son identité lorsqu'il prit les devants.

« Est-ce que vous seriez le shérif ? demanda-t-il. Parce que j'aimerais bien parler au shérif. J'aimerais parler à toute personne capable de m'expliquer... » Sa voix se brisa. « ... de me dire ce qui s'est passé ici.

– Henry Duvall ? » devina Shelly en faisant le tour de sa portière.

Il confirma, passa une main tremblante dans ses cheveux très bruns. « Après avoir reçu le coup de fil de la police, je ne savais pas très bien où aller. À part ici, vous voyez. La maison. Je suis rentré à la maison. Et là, j'ai vu le ruban. » Il ferma les yeux, comme encore hébété. « Je ne savais pas très bien où aller », répéta-t-il.

Shelly comprenait. Elle avait chargé un de ses agents de prévenir le fils Duvall, mais ensuite les événements s'étaient précipités et elle n'avait pas eu le temps de reprendre contact avec son agent ou avec Henry Duvall. Ni, d'ailleurs, avec les parents d'Erin Hill et du jeune homme abattu dans la station-service. L'espace d'un instant, le simple nombre de victimes lui donna le vertige et elle sentit un petit frisson la parcourir. Quatre morts, deux blessés, et il n'était même pas encore quinze heures.

Cal Noonan fit le tour de la voiture et vint se poster à ses côtés – comme un encouragement à redresser l'échine et endosser son fardeau.

« Toutes mes condoléances », dit-elle au jeune homme. Elle se tourna légèrement vers sa droite. « Je vous présente Cal Noonan. Un de nos meilleurs pisteurs. Il nous aide à retrouver l'individu qui a tué vos parents.

– Telly, vous voulez dire ? » Henry se rapprocha et ajouta avec amertume : « La nouvelle lubie de mes parents. Merveilleux.

– Vous le connaissez ?

– Pas vraiment. Je ne l'ai rencontré que trois ou quatre fois. Aux vacances de Noël. De printemps. Vous voyez. J'étais déjà parti à l'université quand mes parents ont décidé de se lancer dans ces histoires de famille d'accueil.

– Est-ce que Telly s'entendait bien avec vos parents ?

– Tout le monde s'entendait avec papa. Et maman n'aurait pas fait de mal à une mouche. » Henry secoua la tête, agité. Il recommença à faire les cent pas devant la maison. Cal, à côté de Shelly, croisa les bras, toujours sans mot dire.

« Pourquoi sont-ils devenus famille d'accueil ? » demanda Shelly.

Henry haussa les épaules. « Papa s'imaginait toujours qu'il pouvait sauver le monde. Dans son lycée, il enchaînait les heures supplémentaires pour faire du tutorat auprès de tel élève mal dans sa peau ou de tel autre indiscipliné. Le pire, c'est qu'il était doué, dit Henry en relevant la tête. Les gamins l'appréciaient. Les adultes aussi. *Tout le monde* l'appréciait. Mes parents sont des gens bien. Demandez à qui vous voulez. Ce n'est pas une histoire de famille d'accueil maltraitante qui aurait mené la vie dure à un adolescent isolé. Mes parents y mettaient du cœur. Ils se donnaient du mal. Je ne sais pas ce qui s'est passé, mais c'est entièrement la faute de Telly. Pas la leur. »

Shelly le trouva très véhément sur le sujet. Presque trop. « Est-ce que vos parents parlaient de Telly ? C'est très exigeant, l'accueil d'un enfant placé.

– Ma mère n'avait pas eu une adolescence facile. Elle en parlait peu, mais je sais qu'elle s'était enfuie de chez elle. Seulement à seize ans, entièrement livrée à elle-même… Elle disait qu'elle ne savait pas ce qu'elle serait devenue si elle n'avait pas rencontré papa.

» C'était son idée à elle de devenir famille d'accueil. Personnellement, je pense qu'elle ne savait pas comment s'occuper quand j'aurais quitté la maison. Trop de temps libre, trop de pièces vides. Je crois que si elle avait pu choisir, elle aurait eu une douzaine d'enfants. Mais les dieux de la fertilité n'étaient pas avec elle et pour finir ils ont déjà eu de la chance de m'avoir. Elle m'appelait son fils miracle. » Un petit hoquet. Henry prit une grande inspiration, s'arma de courage pour continuer.

« Donc la dernière fois que je suis venu, maman apprenait à Telly comment tenir son ménage, se servir d'un carnet de chèques, faire ses courses, sa lessive. Elle lui a aussi appris à cuisiner un peu : du poulet à la parmesane. Quand je pense que je ne sais même pas faire le poulet à la parmesane de ma mère.

– Vos parents préparaient Telly à prendre son indépendance », traduisit Shelly.

Henry lui lança un regard entendu. « Ben, c'est pas comme s'il allait faire des études. »

Prends-toi ça dans les dents, gamin, pensa Shelly. Pendant que Henry était élu tous les ans Fils de l'année, Telly avait une étiquette *lubie* collée sur le front.

« Vous disiez que votre mère s'était enfuie de chez elle à seize ans. Quid de sa famille ?

– Connais pas, dit Henry.

– Ses parents vivent encore ? Elle avait coupé les ponts ? »

Henry haussa les épaules, le regard fuyant.

« Et du côté de votre père ? essaya Shelly.

– Ses parents sont morts dans son enfance. Il était fils unique.

– Des amis intimes, des relations ?

– Maman ? Je ne sais pas. Elle faisait un peu de bénévolat. Mais est-ce qu'elle aurait eu une meilleure amie, quelqu'un comme ça ? Je dirais que c'était mon père, son meilleur ami. Même chose pour lui. La plupart du temps, ils semblaient se suffire l'un à l'autre. »

Intéressant, songea Shelly.

« J'ai cru comprendre que vous travailliez à Beaverton, lança-t-elle.

– J'avais pris quelques jours de congé. J'étais à Astoria, on campait avec des potes. J'espérais passer à la maison avant de rentrer. Faire une surprise à mes parents. »

Le visage de Henry se crispa. Le choc s'estompant, le chagrin prenait le dessus.

« La dernière fois que vous avez vu vos parents ? demanda Shelly en notant ses yeux marron et ses cheveux bruns.

– Je ne sais plus. Il y a un mois et quelque, pour le 4 Juillet ? Ma mère vous aurait dit que ça faisait trop longtemps, c'est pour ça que je pensais faire un saut à la fin de mon congé. » Henry se frotta les joues.

« La dernière fois que vous vous êtes parlé ?

– Il y a deux semaines. Au début du mois d'août.

– Est-ce que vos parents auraient évoqué un sujet en particulier ? »

Une brève hésitation. Henry secoua la tête.

« Pas de problème avec Telly ? » insista Shelly.

Encore un temps, puis nouvelle dénégation.

Shelly ne dit plus rien. Le laissa venir.

« Je ne peux pas… entrer dans la maison ?

– Non, je suis navrée. Les constatations sont encore en cours.

– Est-ce que vous avez retrouvé Telly ? Des pistes ?

– Vous serez informé à la minute où nous saurons quelque chose. »

Henry resta planté là, les mains dans les poches, le regard sur la porte scellée.

« Vous allez avoir des questions à poser, non ? Des choses que vous aurez besoin de savoir. Est-ce que je peux vous être utile ? » Il y avait un léger accent de supplication dans sa voix.

« Si vous pouviez rester en ville dans les prochains jours, cela nous aiderait grandement.

– Entendu. Je vais trouver un hôtel, un camping ou autre. Je vous donne mon numéro de portable. » Shelly enregistra le numéro dans son téléphone professionnel et donna ses propres coordonnées.

Henry prit une dernière inspiration tremblante. « Et les... corps de mes parents ?

– Étant donné les circonstances, le légiste va devoir pratiquer une autopsie complète. Malheureusement... Disons que ça se bouscule un peu au portillon, en ce moment.

– La deuxième fusillade. J'en ai entendu parler. Mais pourquoi fait-il ça ? » dit Henry, laissant brusquement éclater sa colère. « Enfin quoi, mes parents essayaient de l'aider. Et lui, il les abat comme des chiens ? Pour aller continuer le massacre ailleurs ? Comment c'est possible, une chose pareille ? Quel genre d'individu... »

Shelly n'avait pas de réponse. Henry Duvall s'interrompit, comme s'il se rendait compte de la futilité de ses questions.

« Mes parents étaient des gens bien, répéta-t-il. Ils ne méritaient pas ça.

– Je compatis à votre douleur.

– Regardez dans le freezer, dit Henry en passant à côté d'eux sur le chemin de sa voiture. Ma mère avait l'habitude de cacher de l'argent dans des sacs de congélation. Sous les petits pois, derrière la dinde, par exemple. Son bas de laine en cas de coup dur. Telly devait savoir où regarder pour voler cet argent.

– Une somme importante ?

– Quelques centaines de dollars, j'imagine. Et les armes, ça va de soi. Mon père en avait six : trois pistolets, trois carabines. Elles doivent être dans l'armoire forte du sous-sol.

À moins que... » Henry sembla d'un seul coup comprendre ce qu'étaient devenues ces armes. Et laquelle d'entre elles Telly avait dû utiliser pour assassiner ses parents.

« Je vous contacte dès qu'on a du nouveau », lui assura Shelly d'une voix apaisante.

Henry n'ajouta rien. Il monta en voiture, ses mains tremblant visiblement sur le volant. Puis le dernier représentant de la famille Duvall s'en alla.

Shelly et Cal le regardèrent s'éloigner.

« Cheveux bruns, yeux bruns, fit-elle remarquer.

– Chaussures de randonnée », ajouta Cal. Comme le deuxième client de la station-service décrit par Jack George.

« Et pas très franc du collier. Henry Duvall nous cache quelque chose.

– Le fils biologique et l'enfant placé auraient comploté l'assassinat des parents ? » demanda Cal avec un scepticisme non dissimulé.

Shelly fit la grimace, gratta les cicatrices de son cou. « Ce n'est pas qu'il y ait un gros héritage à se partager, convint-elle. Et pourtant... »

Plus de questions que de réponses. Une habitude, dans cette enquête.

Elle secoua une dernière fois la tête et fit entrer Cal sur la scène de crime.

Avec la chaleur, l'odeur ne s'était pas arrangée. Et les mouches étaient de retour. D'où venaient-elles, au juste ? se demanda Shelly. Mais comme la moindre odeur de sang les attirait... Les insectes passaient devant eux comme des fusées et s'agglutinaient. Les cadavres des Duvall ayant été emportés et les draps mis sous scellés, les mouches devaient se contenter de flaques de sang à moitié sèches à côté du lit, lesquelles étaient manifestement trop petites pour satisfaire la demande.

Shelly referma la porte de la grande chambre. Elle avait l'impression d'avoir passé trop de temps à regarder du sang aujourd'hui. Elle allait en rêver cette nuit, si toutefois elle avait la chance d'aller se coucher.

Cal se trouvait déjà dans la cuisine. Elle lui avait donné une paire de gants avant d'entrer dans la maison. Il examina l'intérieur du freezer, une main gantée sur la porte, et secoua la tête.

Si Sandra avait mis de l'argent de côté pour les mauvais jours, Telly avait fait main basse dessus.

Shelly s'était déjà trouvée dans cette cuisine quelques heures plus tôt, en compagnie de Quincy. Elle l'examina une deuxième fois en souhaitant à toute force qu'elle lui en apprenne davantage.

Les techniciens de scène de crime avaient procédé à des relevés préliminaires. Elle vit de la poudre à empreintes noire, des trous dans le lino aux endroits où l'on en avait découpé des échantillons. Des traces de sang, peut-être ?

Elle essaya ensuite de regarder la maison avec des yeux neufs : pas comme un shérif sur les lieux d'un crime abject, mais comme un gamin de dix-sept ans en quête d'un foyer.

La cuisine était propre. Ce fut la première chose qui la frappa. Est-ce qu'un adolescent y accorderait de l'importance ? Le modeste séjour était coquet, lui aussi. Encore une preuve que Sandra Duvall était fière de son intérieur. Le canapé aux formes généreuses avait l'air confortable et un plaid était disposé avec soin sur le dossier.

Est-ce que c'était trop propret ? Le genre d'endroit où un grand dadais aurait eu peur de s'attirer des ennuis s'il posait son sac à tel endroit ou ses pieds sur la table basse ? À ce propos...

Shelly retourna à la penderie, dans l'entrée. Les mains gantées, elle ouvrit la porte coulissante pour faire l'inventaire des manteaux, d'abord ceux de monsieur, puis ceux de madame, puis, après un petit intervalle, deux manteaux tout seuls : un imperméable et une vieille veste de chasse. Ceux de Telly, certainement.

Elle passa ensuite aux chaussures, au pied de la penderie. Essentiellement des tennis, des bottes en caoutchouc, le genre pratique à enfiler pour sortir rapidement. Là aussi, sous les manteaux de Telly, deux paires de tennis, la première banale et l'autre d'excellente qualité, à la mode. Peut-être bien ses chaussures du dimanche ? Et qu'avait-il aux pieds en ce moment même ? Des chaussures de randonnée ou bien, vu la chaleur, des sandales de sport, des Teva, par exemple ? Shelly votait en faveur de chaussures mal adaptées et susceptibles de le ralentir dans sa fuite, mais craignait qu'ils n'aient pas autant de chance.

Elle alla retrouver Cal, toujours plongé dans le réfrigérateur.

« Pas de sac à dos », dit-elle. Logique, puisque Jack George l'avait vu sur les épaules de Telly.

« Un frigo bien rempli, dit Cal. Plein de bonnes choses. Un ragoût fait maison, des fruits et des légumes frais. Mieux garni que le mien, en tout cas.

– Beaucoup de fromages ? devina-t-elle, sachant l'emploi qu'il occupait.

– Même pas.

– Moi, j'ai du yaourt dans mon réfrigérateur.

– Ça fait rêver. »

Bon, revenons-en à l'ambiance, se dit Shelly. Qu'est-ce que ça ferait d'habiter ici ? La première impression était celle d'un espace de vie ouvert, pas tout jeune, mais bien entretenu. Agrémenté par une quantité de touches personnelles. Sur la cheminée, des photos du bal de fin d'année de Henry, de sa remise de diplôme. Une jolie gravure représentant des fleurs, très probablement achetée dans un vide-grenier et mise au mur parce que les couleurs plaisaient à Mme Duvall ou lui rappelaient son jardin.

Le désir de bien faire : voilà ce que Shelly voyait en regardant autour d'elle. Une famille qui n'avait pas de gros moyens (pas de voiture flambant neuve pour eux, ni d'objets de marque), mais tout de même une maison charmante. Vu certaines des maisons par lesquelles Telly était passé (et la menace d'un placement en foyer qui planait sur lui), celle-ci avait dû lui faire un gros changement. Sa première idée en franchissant la porte avait dû être qu'il avait beaucoup, beaucoup de chance.

« Ordinateur ? demanda Cal depuis le séjour.

– Un ordinateur de bureau. Il était installé sur cette petite table dans le coin. Il a déjà été envoyé aux spécialistes pour analyse.

– Je vois.

– Qu'est-ce que vous cherchez ? demanda Shelly en quittant la cuisine pour le séjour.

– Telly. Je cherche Telly. Parce que, pour l'instant, tout ça…, dit Cal en désignant toute la pièce d'un geste circulaire, ça me parle de la mère. C'est sa maison à elle. Son domaine. Et je n'ai rien contre. Mais pour un ado…

– Il n'est pas ici chez lui.

– Non. Il peut s'asseoir à la table pour manger, traîner sur le canapé pour regarder la télé, mais rien de tout cela ne lui ressemble. Quant à l'ordinateur familial, il n'y aurait jamais mis quoi que ce soit de personnel, d'autant que la plupart des ados communiquent exclusivement depuis leur téléphone portable et pas depuis un ordinateur de bureau.

– On a retrouvé son portable dans la voiture abandonnée au bord de la route – du moins, le téléphone inclus dans le forfait groupé des Duvall. Il se peut qu'il ait un appareil jetable. Les ados ont appris à se servir de cartes prépayées pour toutes les activités qu'ils veulent cacher à leurs parents. »

Cal la regarda. « Les tireurs forcenés sont bavards, non ? Je ne suis pas spécialiste, mais à chaque carnage, les tueurs avaient publié des messages sur Internet, noirci des cahiers où ils exprimaient leur colère. Le monde entier les avait trahis. Le monde entier leur devait quelque chose. Alors où est-ce que ça se trouve, tout ça ? Où sont les signes que notre adolescent perturbé était réellement perturbé ? »

Shelly comprenait ce qu'il voulait dire. Plus elle explorait la maison, plus elle voyait ce que Cal, en tant qu'homme, avait immédiatement perçu : c'était ici le domaine d'une femme. Donc, quand Telly avait besoin de s'échapper, de prendre du champ...

« La chambre », dit-elle.

Le matin, Quincy y était allé le premier, remontant le couloir de chambre en chambre pour voir s'il y avait des cadavres. Cette fois-ci, Shelly passa devant. La grande chambre était celle des Duvall ; restaient deux portes ouvertes.

La chambre suivante était spartiate. Du lambris sombre au mur, un lit simple, un petit bureau en bois supportant une pile de livres de poche. Shelly remarqua un chargeur, sans doute pour un iPod ou un téléphone portable, mais l'appareil n'était plus là.

« Il n'a pas emporté son chargeur, remarqua-t-elle sans trop savoir pourquoi c'était important.

– Ce n'était pas en forêt qu'il allait pouvoir se brancher. » Cal examinait les livres, qui étaient à peu près les seuls objets personnels de la pièce. Shelly y jeta un coup d'œil. Des thrillers, Lee Child, Brad Taylor et, qui l'eût cru, *Les Aventures de Huckleberry Finn*. Peut-être une lecture obligatoire pour le lycée. Rien de bien alarmant, quoi qu'il en soit.

« La chambre a été photographiée ? demanda Cal.

– Oui.

– Fouillée ?

– Simple fouille préliminaire. On a eu beaucoup de chats à fouetter.

– Je peux ? » dit-il en montrant la pièce autour de lui, et elle acquiesça.

Elle ne savait pas très bien à quoi s'attendre. Allait-il ouvrir les tiroirs ? Sonder les murs ? Soulever les lames du parquet ? Cal se dirigea finalement droit vers le lit, s'y allongea et, les mains sous la nuque, se mit à contempler le plafond.

Il imitait un ado de dix-sept ans perdu dans ses pensées. Il se mettait dans la tête de sa cible.

Se prenant au jeu, Shelly s'assit au bureau. Pas grand-chose à regarder. Les murs étaient sombres, le bureau étriqué, alors qu'elle-même n'était pas bien grande. Mais Telly avait dû passer du temps ici, à suer sang et eau sur ses devoirs. D'après son dossier, il était loin d'être le premier de la classe, mais elle n'aurait pas su dire si cela tenait à un manque de travail ou à un défaut de capacités. Jusque-là, son crime lui semblait fort habilement mené.

Elle caressa le plateau du bureau du bout des doigts. Sentit les creux et les cicatrices laissés par tant de mots écrits sur tant d'années, de décennies, de générations. Elle ouvrit le tiroir vétuste. Des papiers en vrac, des post-it, quantité de stylos. Mais aucun journal intime ne lui sauta à la figure.

Peut-être avait-il publié des textes sur Internet ? Aux yeux de quelqu'un comme elle, les jeunes d'aujourd'hui vivaient davantage sur les réseaux sociaux que dans le monde réel.

Les experts en informatique sauraient bientôt répondre à cette question. Par ailleurs, les enquêteurs de Shelly avaient envoyé une réquisition à l'opérateur téléphonique des Duvall pour obtenir les relevés. Mais si elle se mettait une nouvelle fois dans la tête de Telly...

Elle n'arrivait pas à l'imaginer sur Internet. Elle ne savait pas pourquoi, mais elle n'y arrivait pas. C'était un tactile, conclut-elle. Telly ne voulait pas simplement voir le monde, il voulait le sentir entre ses mains. D'où ses lectures : des livres de poche tout cornés plutôt que les liseuses numériques qui faisaient aujourd'hui fureur.

« Il y a un truc au plafond », dit Cal.

Shelly se redressa. Le pisteur était tellement silencieux qu'elle en avait oublié sa présence. « Quoi ?

– Je ne sais pas. En fonction de l'angle de la lumière, je vois comme un reflet. Des boucles. Un motif. Peut-être un dessin, un griffonnage ?

– Un instant. » Shelly rouvrit le tiroir du bureau. L'assortiment de stylos. Bien sûr : des stylos à encre invisible. Mais ils étaient anormalement lourds dans sa main et leur extrémité était ronde et volumineuse... Le poids venait de la pile, comprit-elle, qui servait à alimenter une petite ampoule au bout du stylo. Une lampe UV. Tous les stylos en étaient munis.

« Fermez les rideaux », dit-elle à Cal.

Elle-même se leva pour aller repousser la porte. Cal obéit sans un mot. Puis, lorsque la chambre ne fut plus qu'une pièce sombre et grisâtre où la lumière ne pénétrait qu'à la lisière des rideaux...

Shelly appuya sur l'interrupteur du stylo. L'ampoule s'alluma et le faisceau frappa Cal entre les deux yeux. Elle le dirigea vers le plafond, où se trouvait bel et bien une inscription. Ils lurent lettre après lettre. Mot après mot.

« Qui, dit Cal déchiffrant le premier mot.

– Suis-je ? lut ensuite Shelly.

– Héros.

– Zéro.

– Héros ou zéro, lurent-ils en chœur.

– Qui suis-je ? répéta Shelly. Héros ou zéro. » Puis, balayant le reste du plafond et les murs lambrissés, ils trouvèrent partout ces mêmes mots répétés. Une litanie sans fin : *Qui suis-je qui suis-je qui suis-je qui suis-je ?* Avec de temps à autre une interjection : *héros ou zéro*. Mais dans l'ensemble, on lisait surtout : *Qui suis-je qui suis-je qui suis-je ?*

Telly Ray Nash avait bel et bien tenu une sorte de journal intime. Aux quatre coins de sa chambre, du sol au plafond. Il y avait exprimé ses doutes, ses angoisses, son stress.

Qui suis-je ?

Héros ou zéro.

Shelly aurait préféré qu'il fasse le bon choix.

23

Quincy, ayant trouvé la voiture de Shelly devant la maison des Duvall, y entra à son tour et découvrit le shérif dans la chambre de Telly plongée dans le noir. Une silhouette était allongée sur le lit. Quincy se baissa par réflexe vers son arme de cheville, lorsque le stylo que tenait Shelly s'alluma.

Et que le plafond s'illumina.

Ainsi que les murs.

Qui suis-je qui suis-je qui suis-je qui suis-je ?

Héros ou zéro.

Qui suis-je ?

Ces mots recouvraient le plafond, les murs lambrissés. Écrits en grosses lettres par endroits, mais aussi entassés en caractères incroyablement petits dans les coins. Autre jour, autre humeur, se dit Quincy. Mais toujours la même question brûlante. Obsédante.

Qu'avait dit la conseillère de probation Aly Sanchez au sujet de ce garçon ? Qu'il vivait sur le fil du rasoir.

Là, sous le rayon de la lampe UV, Quincy sentait presque physiquement l'angoisse chronique de l'adolescent irradier des murs de sa chambre.

Qui suis-je ? Bonne question. Héros ou zéro. Une alternative dont Telly Ray Nash avait déjà eu du mal à se sortir par le passé.

« Graphomanie », diagnostiqua Quincy. Shelly fit brusquement volte-face en portant la main à son arme. Quincy comprit qu'elle ne l'avait pas entendu entrer. Elle poussa un soupir de soulagement et baissa le stylo lumineux pendant que la deuxième personne se redressait sur le lit.

« Je parie que si on trouvait un de ses cahiers de lycée, on s'apercevrait que le moindre centimètre carré est également couvert d'écriture. Peut-être de cette même phrase. C'est une forme de TOC. Certaines personnes se lavent compulsivement les mains pour calmer leur anxiété. Telly doit écrire.

– Je n'ai pas vu de cahiers. » La deuxième personne se leva du lit, en tenue de randonnée : chaussures, pantalon clair, chemise verte. « Bonjour, Cal Noonan. Pisteur. Et accessoirement responsable de production à l'usine de fromage, si vous êtes amateur. »

L'homme tendait la main. Quincy la prit. « Pierce Quincy. Consultant pour les services de police. Shelly a fait appel à moi en tant que spécialiste des individus déviants.

– Vous êtes profileur ?

– On ne peut rien vous cacher. » Quincy ne quittait pas Shelly des yeux.

Celle-ci secoua la tête, devinant sa première question avant qu'il ne l'ait posée. « L'avis de recherche est lancé, mais toujours aucune nouvelle de Sharlah. » Elle s'éclaircit la voix. « Sharlah, la fille adoptive de Quincy, est la petite sœur de Telly », expliqua-t-elle à Cal.

Le pisteur se tenait entre eux, les mains sur les hanches. « Et elle a disparu ? De son propre chef ?

– C'est le plus probable.

– Pour retrouver son frère, vous pensez ?

– Ma fille a treize ans. Si j'ai appris une chose, c'est qu'avoir une adolescente met hors d'état de penser. »

Cal était d'accord. « En ce moment, ma mission consiste à raisonner comme un gamin de dix-sept ans. Et je serai le premier à dire que c'est lui qui est en train de gagner.

– Vous ne devriez pas être en forêt ? Ou bien vous croyez qu'il va repasser ici ?

– Il est en quad. À cette vitesse-là, je ne peux plus suivre. Dans l'immédiat, on attend qu'un hélicoptère le repère, qu'un témoignage arrive au numéro d'urgence ou que la chance sourie aux patrouilleurs. En attendant, j'ai demandé à Shelly de me conduire ici. Au cas où je remarquerais quelque chose, étant donné... mon intérêt particulier pour cette enquête. » L'air grave, Cal considéra Quincy et expliqua : « Il a blessé deux membres de mon équipe. Pas moyen que je lâche l'affaire.

– Je suis désolé.

– La journée a été rude pour beaucoup de gens, répondit sobrement Cal.

– Alors, quelles découvertes avez-vous faites ? À part... ça ?

– Ils n'ont pas la manie d'écrire, ces types-là ? demanda Cal. Pas des gribouillages sur les murs de leur chambre, je veux dire, mais des messages sur les réseaux sociaux, un journal intime, une liste de personnes à abattre ?

– En théorie, oui. Mais vu ce qu'on voit ici, je pencherais davantage pour un journal intime que pour des messages sur les réseaux sociaux.

– Pas de journal intime dans cette chambre, indiqua Shelly.

– Il l'aurait emporté ? demanda Cal.

– C'est possible, concéda Quincy. Mais...

– Mais ? le relança Shelly.

– La plupart des tireurs de masse veulent faire entendre leur colère. Donc ils rendent leurs lettres, leurs messages, facilement accessibles. S'il avait réellement un journal intime, il aurait dû le laisser en évidence pour qu'on le trouve. Dissimuler ces écrits relèverait d'un autre type de comportement, mais sommes-nous dans ce cas de figure ? Je n'en suis pas certain. » Il se tourna vers Shelly. « Des pistes intéressantes dans l'ordinateur ?

– Pas que je sache. Mais pour être franche, l'agression de l'équipe de recherche nous a un peu... désarçonnés. D'un côté, j'ai des renforts qui débarquent des quatre coins de l'État pour nous prêter main-forte, mais en contrepartie...

– C'est d'autant plus difficile de rester concentrés et efficaces. » Shelly confirma d'un signe de tête et Quincy vit combien cet aveu lui coûtait.

« Vous avez bien fait de venir ici, la rassura-t-il. En cas de doute, il faut revenir aux fondamentaux. Et vous avez raison, dit-il, élargissant son discours de motivation des troupes à la personne de Cal. En tout état de cause, tout part d'une source, d'un individu : Telly Ray Nash. Mieux on le cernera, plus on aura de chances de progresser. Donc, que savons-nous jusque-là ?

– C'est un adolescent perturbé, répondit Shelly. Et nous venons de croiser le fils aîné des Duvall, Henry. D'après lui, ses parents étaient des gens formidables, très attachés à l'idée d'aider un jeune comme Telly à mettre de l'ordre dans sa vie. Reste que Telly a grandi dans un environnement violent et qu'il était connu pour avoir du mal à se maîtriser en situation de stress. Or, rien qu'à voir les murs de sa chambre, il est très stressé en ce moment. »

Quincy hocha la tête. « Autrement dit, les parents biologiques de Telly avaient peut-être mérité leur sort, mais les Duvall...

– Nous n'avons trouvé personne pour dire un mot contre eux, dit Shelly. Je ne sais pas ce qui a provoqué le déchaînement de violence de ce matin...

– Mais l'explication se trouve sans doute davantage du côté de Telly que des Duvall. »

Shelly était d'accord. « Cela dit, petit détail intrigant : nous avons un témoin qui dit avoir vu Telly à la station EZ Gas il y a deux semaines, accompagné d'un jeune homme répondant au signalement de Henry Duvall. »

Quincy leva un sourcil étonné.

« Pour être honnête, ce signalement correspond à peu près à la moitié des jeunes gens de la région. Mais bon, je me dis que je vais demander à un enquêteur de se renseigner sur l'emploi du temps de Henry il y a deux semaines.

– Est-ce qu'à notre connaissance, Henry aurait une raison de vouloir s'en prendre à ses parents ?

– Aucune. Mais nous avons beaucoup plus d'interrogations que de certitudes. Par ailleurs, Henry affirme que ses parents n'avaient ni amis proches ni relations. Le grand amour qu'ils éprouvaient l'un pour l'autre leur suffisait. »

Quincy ne réagit pas au ton sarcastique de Shelly. Sincèrement, on aurait pu en dire autant du couple qu'il formait avec Rainie, même si celle-ci aurait levé les yeux au ciel à cette idée. Mais de fait, leur cercle de relations restait limité et ils passaient la plupart de leurs soirées ensemble à la maison – avec Sharlah, bien sûr.

Cal prit la parole : « Telly en a dans la caboche. Pour moi, tempérament explosif rime toujours avec impulsivité, mais là, je ne sais plus. D'après ce que j'ai vu ce matin, ce n'est pas le dernier des imbéciles. Suivre le fossé de drainage depuis la station-service était bien vu de sa part. Et ensuite, dans la troisième maison, prendre le temps de modifier son apparence...

– Pardon ? le coupa Quincy.

– Il a changé de tee-shirt, pris une casquette, il s'est même mis du cirage sur le visage. Pour se rendre méconnaissable, je suppose. Et ensuite il a volé le quad, bien sûr. S'il a fait tout cela dans un accès de colère, c'est l'enragé le plus futé que j'aie jamais rencontré. »

Quincy était soucieux. Pas des bonnes nouvelles, tout ça. Il se tourna vers Shelly. « D'après Aly Sanchez, les précédents épisodes de violence de Telly étaient explosifs. Il pétait un plomb, si vous voulez, et ensuite il ne se souvenait même plus de ce qu'il avait fait. Mais si maintenant il s'organise pour modifier son apparence et vole des véhicules pour échapper aux forces de police... M. Noonan marque un point : on n'en est plus au stade de la rage explosive et des gestes impulsifs. Telly sait ce qu'il fait. Il n'est pas dans un état de confusion mentale dont il pourrait ressortir d'un seul coup. »

Shelly resta muette devant ce constat sans appel.

Quincy observa de nouveau la chambre. Suivant l'exemple de Shelly et du pisteur, il fit de son mieux pour se mettre dans l'état d'esprit de l'adolescent perturbé. Un ado dont les premières années avaient été marquées du sceau de la violence. Sauf qu'à l'époque, il avait une sœur et que, d'après les informations recueillies par Rainie, il lui était même attaché. Cela peut sembler une évidence pour le profane, mais les liens noués dans la petite enfance sont fondamentaux. En fait, ils auraient dû préparer le terrain pour que Telly puisse en nouer d'autres, avec les Duvall par exemple, qui avaient sérieusement le projet de lui offrir un foyer.

Problème : il les avait tués aussi. D'après les témoignages, les deux environnements familiaux étaient on ne peut plus différents, mais ils avaient conduit au même résultat.

Quincy n'aimait pas la conclusion logique à en tirer. Surtout pour Sharlah.

« Il faut qu'on le retrouve », murmura-t-il, davantage pour lui-même que pour Shelly et Cal. « Peut-être que Telly a d'abord agi sous l'emprise d'une rage incontrôlable : il a abattu ses parents, perçus comme une menace, et ensuite il est allé à la station-service sous le coup d'une colère aveugle. Mais il a dépassé le stade explosif. Le plus probable est qu'il a désormais un plan. Et qu'il ne s'arrêtera pas avant de l'avoir mis à exécution.

– Quel plan ? demanda Shelly.

– À nous de le découvrir. »

Ils se séparèrent. Cal voulait inspecter le garage pour voir si du matériel aurait disparu. Frank Duvall avait la réputation d'aimer les sorties au grand air ; il possédait sans doute au moins une tente, un sac de couchage et autres accessoires. S'ils n'étaient plus là, cela signifierait que Telly était mieux équipé qu'ils ne le pensaient jusqu'alors.

Shelly s'installa dans le séjour pour faire le point avec la cellule opérationnelle.

Quincy resta donc seul dans la chambre de Telly. Il repensa à Cal, allongé sur le lit, et se rendit compte que la méthode n'était pas mauvaise. Penser comme sa cible : voilà ce que Cal avait dit. Or c'était exactement le but d'un profileur.

Quincy n'opta pas pour le lit et préféra s'asseoir au bureau. Il prit les livres de poche, passa le pouce sur leur tranche usée. Des thrillers militaires. Des histoires où la ligne de partage était claire entre le bien et le mal et où les gentils l'emportaient toujours à la fin. Héros ou zéro. Une partie de Telly voulait clairement être le héros : le grand frère qui avait sauvé sa petite sœur ; l'adolescent perturbé qui, d'après sa conseillère de probation, se démenait pour s'en sortir. Qu'avait dit Aly, déjà ? Quand il faisait des efforts, Telly était un bon gamin. Il était un héros, à sa petite échelle.

Alors qu'est-ce qui l'avait fait basculer ?

On décrivait les Duvall comme une famille d'accueil structurante. Mais cela signifiait sans doute aussi que Telly devait suivre des règles, répondre à des attentes. Avait-il été impliqué dans une nouvelle rixe à ses cours de rattrapage ? S'était-il fait prendre en flagrant délit de mensonge ? Était-il tombé dans l'alcool ou la drogue ?

Quincy commença à ouvrir méthodiquement les tiroirs. Bureau. Table de chevet. Vieille commode en bois. Dans le cadre de leur formation de future famille d'accueil, Rainie et lui avaient été priés d'assister à une conférence sur les jeunes et la drogue. Ça les avait fait bien rire : deux experts en criminologie forcés de prendre un cours sur la détection des toxicomanies. Mais en fait, ils en avaient beaucoup appris pendant cette heure. En tant que profileurs, ils ne travaillaient pas sur des affaires de stupéfiants. Et, non, ils n'auraient jamais pensé à cacher du papier à cigarette entre les pages d'un livre, des aiguilles de seringue dans le corps de stylos, ni des sachets de poudre derrière la mousse de haut-parleurs. Les adolescents ayant en permanence des appareils électroniques à la main, ces objets étaient des moyens épatants pour transporter de la drogue ni vu ni connu.

Mais si Telly était accro, Quincy n'en trouvait aucun indice. Et de toute façon, plus il y pensait, moins l'idée lui semblait plausible. D'après Aly Sanchez, Telly avait été témoin des ravages de la drogue et de l'alcool chez ses parents. Étant déjà passé par là, il avait plus de raisons que la plupart des jeunes de s'en tenir éloigné.

Bien entendu, on ne pouvait jamais prédire ce qui était susceptible de pousser un individu à prendre les armes. Telly avait pu s'attirer une punition de bien des manières. Punition qui avait en retour alimenté son ressentiment ou sa colère.

Mais si les Duvall en étaient bien la cible, pourquoi Telly les avait-il tués dans leur sommeil ? En théorie, il aurait dû vouloir qu'ils soient éveillés, terrorisés. Obligés de s'incliner devant lui et le droit de vie ou de mort qu'il possédait désormais sur eux.

Le pouvoir. Voilà quel était l'objectif réel des tueurs fous. Ce moment où ils seraient enfin aux commandes.

Le vomi. Quincy se souvint de ce détail qui l'avait chiffonné tout à l'heure. Le gamin avait vomi dans le parking de la station-service, mais pas ici, chez les Duvall. Si ce garçon était un délicat, ses premiers meurtres n'auraient-ils pas dû le perturber davantage que les suivants ?

À moins qu'il ne se soit trouvé dans un état de dissociation mentale, la première fois.

Ça, c'était possible. Une contrariété avait déclenché une crise. Provoqué une explosion de colère. Il était passé à l'acte. Puis il avait réagi, volant des armes, la voiture, du matériel, probablement sous le coup de la panique. Merde, qu'est-ce que j'ai fait ? Tirons-nous d'ici.

Il avait démarré sur les chapeaux de roues dans la voiture de Frank Duvall. Pour aller... n'importe où. Jusqu'à ce que le moteur fasse une surchauffe et que Telly se retrouve à pied. Qu'il prenne enfin conscience du pétrin dans lequel il s'était fourré.

La transition s'était peut-être effectuée à ce moment-là. Le meurtre des Duvall était un acte impulsif, mais sur ce bord de route, dans la chaleur intolérable, Telly avait pleinement réalisé les conséquences de son geste. Finis, les doutes. Héros ou zéro ? Telly tenait sa réponse. Le débat étant clos, il allait faire ce que les tueurs font le mieux.

Quincy souleva le matelas. Fouilla sous le lit. Déplaça la commode, le bureau, chercha des lames de parquet mal fixées. Rien, rien, rien.

On frappa quelques coups sur l'encadrement de la porte.

Cal Noonan se tenait sur le seuil de la chambre.

« Il faut que vous voyiez ça. »

« La tente a disparu. Un sac de couchage, un grand sac à dos, je dirais. On voit que c'était dans ce coin que Frank Duvall rangeait son matériel. Maintenant, il est au moins à moitié vide. »

Quincy se trouvait dans le garage avec Cal et Shelly. Le pisteur rendait ses conclusions. Quincy et Shelly l'écoutaient religieusement.

« Je suis aussi descendu au sous-sol pour jeter un œil à l'armoire forte. Ça m'a donné une idée : le tir sportif demande aussi tout un attirail. Table pour les préparatifs, lunettes de sécurité, bouchons d'oreilles, nécessaire de nettoyage et, bien entendu, des sacs pour emporter tout ça au stand. J'ai trouvé une table pliante et des protections pour les yeux et les oreilles, mais rien au rayon housse de transport ou kit de nettoyage.

– Telly a emporté pas mal de matériel, résuma Shelly d'un air soucieux. Mais on n'a rien retrouvé de tout ça dans la voiture de Frank Duvall ni aux alentours.

– Précisément. Son équipement représenterait un volume trop important pour qu'il l'ait caché derrière un arbre. Mon idée, c'est qu'il avait déjà dû le déposer quelque part avant que la voiture ne tombe en panne.

– Il aurait une base opérationnelle, comprit Quincy.

– La mauvaise nouvelle, souligna Cal, c'est qu'il est beaucoup mieux préparé que nous ne le pensions.

– Et la bonne ? plaisanta Shelly.

– Sa base doit se trouver dans les environs, n'est-ce pas ? Et comme il a ce campement, il n'ira pas très loin. Ce n'est pas une fuite perpétuelle. Il a une planque. Ça peut jouer en notre faveur.

– On a des images de vidéosurveillance qui le montrent en train de traverser la ville en voiture vers sept heures et demie, dit Shelly. On aperçoit comme un grand sac noir à l'arrière du véhicule.

– Ça signifierait que son camp de base se trouve au nord de la ville. La question suivante est de savoir si Telly aurait un lieu de prédilection. Un endroit où il aurait déjà campé ? Un stand de tir préféré ?

– La plupart des gens de la région vont tirer dans une certaine clairière, indiqua Shelly, mais ce serait trop voyant pour y camper. »

Quincy intervint : « Rainie a fait une rapide recherche sur les Duvall. Sandra publiait régulièrement sur Facebook, notamment des photos de Frank et Telly en partance pour diverses excursions en forêt. On pourrait peut-être trouver là des allusions à des lieux de bivouac, à des coins de pêche. Ou des photos avec suffisamment de paysage en arrière-plan pour identifier l'endroit.

– Est-ce qu'il irait dans un lieu qu'il associerait à Frank Duvall ? demanda Shelly. N'oublions pas qu'il venait de le tuer.

– Il a dû aller dans un endroit où il se sent bien », suggéra Cal. Quincy approuva.

« À l'heure qu'il est, Telly a conscience de ce qu'il a fait, expliqua-t-il. Et entre bouffées de colère et dégoût de lui-même, il éprouve aussi de la peur. C'est un voyage sans retour. Il va lui falloir des moments où se poser. Or il ne peut le faire que dans un endroit où il se sent en sécurité. »

Quincy ne prit pas la peine d'ajouter qu'avec un peu de chance, Telly profiterait d'un de ces moments pour mettre un point final à sa peur et à son dégoût de lui-même. Une simple pression sur la détente et Telly Ray Nash n'aurait plus jamais à se demander qui il était.

Mais ce serait alors au tour de Sharlah de se tourmenter avec cette question.

« Il faudrait interroger l'entourage des Duvall, conseilla Quincy. L'idéal serait un compagnon de chasse ou de tir. Des gens qui soient en mesure de fournir une liste des destinations préférées de Frank.

– Son fils a peut-être la réponse, dit Shelly. Il y a de fortes chances que Frank ait emmené Telly sur les lieux de certaines sorties qu'il avait faites avec Henry. Il pourrait aussi nous dire exactement ce qui manque dans le matériel de camping.

– Ça nous fournit aussi un prétexte pour l'interroger une nouvelle fois sans trop éveiller sa méfiance, renchérit Quincy.

– J'aime bien votre façon de voir les choses.

– Une dernière chose », dit Cal. Il piétinait d'un pied sur l'autre, manifestement mal à l'aise. « À l'autre bout, il y a une pile de cartons au nom de Telly. Ils m'ont l'air d'être remplis d'une vieille batterie de cuisine, d'articles ménagers. Mais j'y ai aussi trouvé un coffret métallique. Trop neuf pour avoir été acheté dans une brocante. Ça a éveillé ma curiosité. »

Cal montra le coffret. En fit tourner le verrou. Le couvercle s'ouvrit d'un seul coup et ils en découvrirent le contenu.

Quatre photos, constata Quincy. Semblables à celles qu'il avait vues plus tôt dans la journée. Sharlah marchant avec Luka. Sharlah devant chez eux. Mais elle portait un autre tee-shirt, remarqua-t-il. Il s'agissait d'autres photos, prises un autre jour que celles qu'on avait retrouvées sur le portable de Telly.

Telly Ray Nash avait bel et bien traqué sa petite sœur. Et ces photos se distinguaient par un détail supplémentaire : sur chacune d'elles, centré sur le visage de Sharlah, il avait dessiné un réticule de visée.

Après avoir photographié sa sœur, Telly l'avait transformée en cible vivante.

24

Luka patauge dans la rivière, il essaie de retrouver le bâton que je viens de lui lancer. Moi, j'ai déjà pris mon tour de baignade. J'ai posé le vélo sous un arbre et je suis entrée directement dans l'eau, tout habillée. Il fait vraiment une chaleur infernale. La rivière, par contraste, paraît froide comme de la glace liquide, qui glouglote sur les rochers et autour des troncs d'arbres morts. C'est la sensation la plus agréable au monde.

Nous n'avons pas fait beaucoup de chemin. Quelques kilomètres ? Mais avec cette canicule... Luka a tiré la langue presque tout de suite et moi pas longtemps après. Et puis j'ai commencé à me faire du souci : et si le revêtement de la route brûlait les coussinets des pattes de Luka ? Donc il fallait quitter la chaussée. Mais rouler dans l'herbe molle de l'accotement rendait mon coup de pédale encore plus laborieux. Mon visage ruisselait de sueur. Littéralement.

Pour finir, je me suis enfoncée dans les bois. J'entendais le bruit d'un cours d'eau et il ne m'en fallait pas plus. Je suis descendue de mon vélo et je l'ai poussé dans l'ombre délicieuse.

Et voilà où nous en sommes : mes projets grandioses tombent à l'eau.

Luka est content. Et moi, je suis...

Je ne sais pas. Perdue. Idiote. Sens dessus dessous.

Coupable.

Rainie et Quincy sont certainement en train de me chercher. Peut-être que l'un d'eux explore les bois derrière la maison pendant que l'autre sillonne la ville. Ils doivent se faire un sang d'encre. Rainie doit avoir les traits tirés, mais elle continuera à s'activer, son pistolet coincé dans la ceinture de son pantacourt.

Quincy doit avoir son visage sévère, intransigeant. L'air furieux, parce que c'est la tête qu'il fait quand il est inquiet. Il m'a fallu une bonne année pour le comprendre.

Qu'est-ce qui fait qu'on est une famille ?

C'est un sujet dont on parle beaucoup dans le système de l'aide à l'enfance. Surtout les assistants sociaux. Ils travaillent avec les candidats à l'accueil d'enfants pour qu'ils n'aient pas des attentes démesurées (je le sais parce qu'un de mes nombreux défauts est d'écouter aux portes) : à son arrivée, l'enfant sera en détresse. De votre point de vue, vous lui offrez l'amour d'une famille, mais souvenez-vous qu'il vient juste d'en quitter une autre pour venir chez vous. Il n'est pas rare qu'il soit triste, en colère ou apeuré. Ne paniquez pas. Une famille ne se construit pas en un jour, vous savez.

Bien sûr, on nous sert le même genre de discours : ne vous inquiétez pas si vos nouveaux parents ne vous plaisent pas tout de suite. Il n'est pas rare de se sentir intimidé, anxieux ou mal à l'aise. Il faut prendre le temps d'apprendre à se connaître. Mais ces gens s'intéressent à vous, c'est pour cela qu'ils vous accueillent. Une famille ne se construit pas en un jour, vous savez.

Quand Rainie, Quincy et moi sommes-nous devenus une famille ? Cela fait une bonne heure que je creuse la question et je n'ai toujours pas la réponse.

Ça n'a franchement pas été le coup de foudre. Rainie s'efforçait de sourire, au moins. Mais Quincy affichait une mine lugubre et puis il y avait cette tenue, évidemment. Chez lui, on devine l'ancien agent du FBI à trois kilomètres. Ma première idée a été que j'étais arrivée dans un camp d'entraînement militaire, juste un cran au-dessus de la pension disciplinaire. Au moins, la maison était jolie.

Quincy et Rainie ont commencé par me faire faire le tour du propriétaire. Voilà le séjour, la cuisine, ta chambre. On va t'aider à défaire tes bagages. Ben dis donc, ça n'aura pas été long. Et si on dînait ?

Avons-nous parlé, le premier soir ? Je ne m'en souviens pas. Je crois que j'étais en colère. Ou alors effrayée, ou les deux. Je m'étais mal conduite dans la maison précédente. C'était tout moi. Des idées aberrantes me passaient par la tête et, même si une petite voix essayait de me retenir, je fonçais. Ce qui faisait de moi une enfant difficile. Je ne parlais pas beaucoup, c'était déjà ça. J'ai réellement entendu cette réflexion dans la bouche d'une des personnes qui m'ont accueillie : *elle ne fait pas beaucoup de bruit, c'est déjà ça.*

Je parierais que Rainie a fait la conversation toute seule, ce soir-là. Pendant que je comptais les minutes qui me séparaient du moment où je pourrais courir me réfugier dans ma nouvelle chambre et que Quincy se demandait certainement ce qu'il était venu faire dans cette galère.

Non, vraiment pas le coup de foudre.

Au début, on conseille de mettre l'accent sur la routine. Instaurer un rythme quotidien, s'y tenir, et tout paraîtra moins contraint et plus naturel. Se lever, aller à l'école, rentrer et trouver Rainie à la table de la cuisine, devant un goûter équilibré. Rainie me demandait comment s'était passée ma journée. Je ne disais rien. Comment s'était passée l'école. Toujours rien.

Ensuite elle prenait mon classeur et lisait le petit mot du professeur, qui résumait ma journée et les devoirs à faire. Parce qu'on ne peut pas compter sur les enfants impulsifs et irrationnels pour faire leurs devoirs tout seuls.

Je n'avais pas le droit de quitter la table avant d'avoir terminé mes devoirs. Encore un motif de ressentiment. Mais Rainie n'était pas bavarde, c'était déjà ça. Elle lisait un livre pendant que je bûchais. Quand j'avais fini, elle relisait mes exercices, entourait les réponses à corriger et se replongeait dans son roman.

Les dîners étaient très calmes. Au bout d'un moment, Quincy et elle avaient renoncé à me faire participer à la conversation, ils discutaient entre eux. Des détails concernant une enquête, tu te souviens quand...

Là, ça a capté mon attention. Qui ne serait pas fasciné par le crime et les criminels ? Et puis, comme je le leur ai expliqué un soir, je savais tout des psychopathes : la moitié de mes camarades de classe en étaient.

Quand devient-on une famille ?

Est-ce qu'il y a une recette ? Faut-il passer tant de jours ensemble, prendre tant de dîners en commun, partager tant de plaisanteries ? Ou bien est-ce que ça cristallise à un moment précis ? Cet après-midi où Quincy est revenu avec Luka et où j'ai compris que Quincy n'était pas si sévère que ça, en fin de compte, que c'était un inquiet : il avait adopté ce chien rien que pour moi, et maintenant il avait peur de s'être trompé. Et si je n'aimais pas Luka, et si Luka ne m'aimait pas ?

Mais entre Luka et moi, ça a bel et bien été le coup de foudre. Je me suis jetée à son cou tout doux, il m'a léché le visage et je suis tombée amoureuse. Je l'aimais déjà plus que je n'avais jamais aimé quoi que ce soit. Et ensuite, en regardant Quincy, je me suis rendu compte qu'une partie de cet amour s'étendait maintenant à lui, qui m'avait offert ce bonheur.

Et à Rainie, qui riait en faisant le tri dans les jouets pour chien, presque aussi gamine que moi.

C'est Luka qui a fait de nous une famille.

Sans oublier cette deuxième ou troisième rencontre parents-professeur : mon professeur revenait pour la énième fois sur toutes mes insuffisances, sur toutes mes « difficultés », et Quincy a répondu d'un seul coup : « Les difficultés de Sharlah ne m'inquiètent pas. C'est une enfant intelligente, forte, pleine de ressources. Vous, en revanche... »

Rainie lui a fait un sermon à notre retour à la maison. Et ensuite elle l'a serré très fort dans ses bras.

Comment devient-on une famille ?

Est-ce que ça s'est passé le jour où ils m'ont annoncé qu'ils m'adoptaient ? Je sais qu'ils auraient aimé que je sois plus démonstrative. Ils attendaient peut-être de moi que je pleure de soulagement ou que je leur saute au cou de gratitude. Mais je suis restée comme une souche, les mains sur les genoux.

Parce que je ne suis pas très loquace et que les mots se bousculaient dans ma tête. Des mots qui parlaient de libération, d'amour et de joie.

Mais aussi de peur.

Parce que si j'en suis encore à me demander comment on devient une famille, en revanche je sais déjà comment en perdre une. Je sais exactement ce qu'il faut pour briser une famille. Et se retrouver privée de ses deux parents. Quant à mon frère… Je ne sais même plus si c'est mon frère.

L'assistante sociale avait raison : une famille ne se construit pas en un jour.

Mais il suffit d'un instant pour la détruire.

Luka est de retour, ruisselant. Il lâche le bâton à mes pieds, me regarde d'un œil interrogateur, puis s'ébroue vigoureusement. Je lève les mains pour protester, mais ça ne l'empêche pas de m'asperger d'eau mêlée de poils.

« Tu te fiches de moi, hein ? » lui dis-je.

Il me regarde d'un air solennel. Rapporter le bâton est une activité très sérieuse dans son monde. Jouer dans la rivière aussi, d'ailleurs.

Je ramasse la branche, mais ne la lance pas tout de suite. J'observe mon chien, mon meilleur ami au monde.

« Luka, lui dis-je d'une voix aussi sérieuse que la tête qu'il fait, je ne sais pas dans quoi je me suis lancée. »

Luka ne répond pas ; il a toujours su écouter.

« Rainie et Quincy vont être furax, tu sais. Le pire, c'est qu'ils vont s'inquiéter. Je ne veux pas qu'ils soient embêtés. C'est juste… »

C'était juste que je ne pouvais pas rester les bras croisés en attendant de voir qui de mon frère ou de mes parents ferait du mal à l'autre.

« Tu as une idée de l'heure ? demandé-je. Même ça, je ne le sais pas. Pas un super plan, quand on y réfléchit. Mais c'est comme ça. On est partis. Sauf qu'on ne sait pas pour quelle destination ni comment y aller. »

Je pourrais consulter mon téléphone. L'allumer le temps de regarder l'heure. Je pourrais même vérifier notre position sur Google Maps. Le top, ce serait de pouvoir afficher la carte des sentiers pour véhicules tout-terrain et de trouver comment les rejoindre depuis l'endroit où je suis. Ça augmenterait peut-être mes chances de croiser mon frère. Il est là, quelque part, et rester au bord d'une rivière à une poignée de kilomètres de chez moi ne m'avance à rien.

Sauf, bien sûr, s'il est justement en train d'y aller. Dans ce cas, depuis le nord, il faudra qu'il traverse ces bois. Sauf que « ces bois » couvrent une étendue assez considérable. Même s'il s'y trouve déjà, sauf à ce qu'on tombe nez à nez, je n'ai aucun moyen de le savoir. Espérer que nous allons nous croiser par le plus grand des hasards ne me paraît pas un plan bien solide.

Je considère de nouveau Luka, qui s'est allongé pour mordiller son bâton.

« Si j'allume mon téléphone, lui expliqué-je, ils pourront localiser mon GPS. En tout cas, c'est ce qu'ils disent dans les séries : "Géolocalisez le portable de machin-truc." Je ne sais pas exactement comment ça marche, mais à la télé le type finit toujours menottes aux poignets. » Une nouvelle idée me traverse l'esprit : « Tu crois qu'on va me passer les menottes ? Après tout, j'ai fugué. Peut-être que Rainie et Quincy vont porter plainte, histoire de me faire peur et de me remettre dans le droit chemin. »

Luka me regarde, la tête penchée, puis retourne à son bâton.

« Mais est-ce que j'ai d'autres choix ? Rester ici toute la journée ? Jusqu'à ce qu'on manque d'eau et de nourriture ? Et ensuite quoi ? Rentrer piteusement à la maison, la queue entre les jambes ? »

Luka dresse l'oreille en entendant le mot *maison* (ses mots préférés, il les comprend à la fois en anglais et en néerlandais). Mais je secoue la tête. Je ne peux pas faire ça. Pas parce que ce serait humiliant, mais parce que je ne *peux* littéralement pas. Quelque chose en moi me retient, physiquement. Comme un aiguillon de verre que je ne pourrais pas retirer. C'est ça qui me pousse à m'attirer des ennuis. C'est aussi cette rigidité qui m'*oblige* à faire une bêtise, même quand on me l'a interdit.

Ce n'est pas que je tienne à être têtue ou désobéissante, mais… il y a des choses que je ne peux pas m'empêcher de faire. Et d'autres qui me sont impossibles. Aucune de mes familles d'accueil n'a jamais compris ça. Bien sûr, ils lisaient mon dossier : trouble oppositionnel avec provocation, anxiété et tout le bazar. Mais ils ne comprenaient jamais. Comment je me sens à l'intérieur.

Quincy et Rainie, si. Je pouvais lire sur leur visage qu'ils savaient, qu'ils reconnaissaient les symptômes, pour ainsi dire, lorsqu'une crise s'amorçait. Alors ils me donnaient un peu d'air, ils me laissaient une chance. Parce que dans ces moments-là je ne *peux pas* changer d'attitude, donc quelque chose d'autre doit céder.

Comme maintenant. Je sais que je devrais rentrer à la maison. Mais c'est impossible.

Littéralement impossible.

Alors je suis là, avec mon chien, lancée dans une quête absurde. La seule question qui se pose étant de savoir si oui ou non je vais allumer mon téléphone.

Tant pis. Sans me laisser le temps de changer d'avis, je l'allume. Et s'ils sont en train de me géolocaliser à tout-va, je n'en ai peut-être plus pour très longtemps à m'interroger sur la conduite à tenir.

J'appuie sur l'icône Internet avant d'être distraite par quoi que ce soit d'autre. Des textos de Rainie ou Quincy, par exemple. Ou des messages sur la boîte vocale, qui me supplieraient de rentrer à la maison.

Première chose : la carte des sentiers pour véhicules tout-terrain dans le comté de Bakersville. Coup de bol, la page se charge rapidement. Le réseau des sentiers est immense. Sur le petit écran de mon téléphone, il me faut un moment pour comprendre où je me trouve par rapport aux itinéraires de randonnée les plus proches.

Pas si loin que ça, en fin de compte. Environ un kilomètre en suivant la rivière à travers bois. Savoir si mon frère sera précisément sur ce sentier est une autre histoire, vu l'éventail des choix possibles. Mais c'est déjà un début. Ça nous occupera, Luka et moi.

Je referme Internet. J'ai les mains qui tremblent, même si je leur demande de se calmer. Et puis, immanquablement, je les vois : huit nouveaux textos. Trois nouveaux messages vocaux.

Je sais déjà ce qu'ils disent. Pas la peine de vérifier. Il suffit d'éteindre le téléphone et de continuer ma grande évasion.

Sauf que cet aiguillon de verre en moi a maintenant une nouvelle cible : les messages de mes parents. Je n'ai pas besoin de les consulter, je ne devrais pas le faire, mais l'envie est désormais irrépressible. Voilà comment je fonctionne. Voilà ce que c'est d'être moi. Je pousse un gros soupir et j'ouvre les textos. Les tout premiers ne me surprennent pas. *Sharlah, où es-tu ? Sharlah, rentre s'il te plaît qu'on puisse parler. Sharlah, on veut juste être sûrs que tu vas bien.*

L'avant-dernier message est de Rainie. Deux mots qui me frappent comme un coup de poing en pleine poitrine : *Je comprends.*

Ni plus. Ni moins. Du Rainie tout craché.

Les larmes me montent aux yeux.

Mais il y a un dernier message. De Quincy. Et si celui de Rainie m'a fait de la peine, celui de Quincy me met K-O debout :

On a retrouvé ton frère. Rentre à la maison, Sharlah. Il veut te parler.

25

Il ne m'aimait pas.

Assis à table à côté de Frank, il se donnait des airs d'étu-diant cool, détendu, de retour à la maison pour les vacances de printemps. Mais son regard revenait tout le temps sur moi ; debout à côté de la cuisinière, je râpais du fromage au-dessus du poulet à la parmesane.

Il tenait le nouveau venu à l'œil. L'intrus qui lui avait pris sa maison, ses parents, pendant qu'il était à l'université.

Non, Henry ne m'aimait vraiment pas.

Je gardais la tête baissée. Concentré sur le bloc de parmesan et la râpe à fromage. Sandra m'avait demandé de l'aider à préparer le dîner. Pour montrer les progrès du petit ? Je n'en savais fichtre rien. Je faisais ce qu'on me disait, étant passé par tout ce cirque trop de fois pour compter. Famille d'accueil après famille d'accueil. Les enfants placés, les enfants biologiques, les enfants adoptés. Être haï était un rite de passage. Rien de nouveau sous le soleil.

Au fourneau, Sandra était une boule d'énergie nerveuse. Je ne l'avais probablement pas vue comme ça depuis le jour de mon arrivée. Elle avait une salade en route. Du pain à l'ail. Tous les plats préférés de son fils, cela va sans dire. Et il fallait que tout soit parfait. Je la connaissais désormais suffisamment pour deviner la pression qu'elle se mettait. Son fils était à la maison. Avec l'enfant placé. Le premier repas de famille devait être parfait, parfait, parfait.

Depuis notre première leçon de cuisine, je regardais Sandra avec davantage de respect. Et à cet instant, je m'appliquais vraiment à râper le fromage.

Frank était heureux. Une fois n'étant pas coutume, il avait une cannette de bière devant lui. Henry parlait sans fin de ses cours. Programmation machin par-ci, algorithmes truc par-là. Ça me passait complètement au-dessus de la tête, mais Frank le scientifique acquiesçait à tout. C'était peut-être de lui que Henry tenait cette fibre. Frank posait des questions et écoutait les réponses d'un air ravi, rayonnant de fierté paternelle.

J'ai râpé un peu trop fort. Jusqu'à m'écorcher le pouce. Je me suis dirigé discrètement vers l'évier pour rincer le sang avant que Sandra ne s'aperçoive de ce que je venais d'ajouter à son parmesan...

« Qu'est-ce qui t'arrive, Telly ? Tu t'es coupé ? » Trop tard. Elle m'avait déjà rejoint et, m'attrapant le pouce, elle inspectait les dégâts.

« Ce n'est rien.

— Ne dis pas de bêtises. Frank, il nous faudrait un pansement. Va nous en chercher un. »

Frank se leva docilement et partit d'un pas nonchalant dans le couloir. « On en a, des pansements ? Où ça ? Dans le placard, la salle de bains ?

— Voyons, Frank, comment peux-tu ne pas savoir où se trouvent les pansements ? »

Sandra prit le couloir à la suite de Frank, nous laissant, Henry et moi, en tête à tête dans la cuisine. Le pouce toujours sous le filet d'eau, je regardais droit devant moi.

Henry n'était pas d'humeur à faire dans la dentelle : « Tu te prépares pour ta carrière de cuistot ? » demanda-t-il d'un air goguenard.

Je ne répondis rien. À quoi bon ? Il serait bientôt reparti. À l'université. Et quand viendrait l'été, serais-je même encore là ? On ne peut pas prendre des leçons de cuisine et de tir toute sa vie, n'est-ce pas ? Et puis, il était désormais assez évident que j'allais passer l'essentiel des mois de juin et juillet en cours de rattrapage.

Henry repoussa sa chaise. Fit le tour de la table pour me rejoindre.

Je me sentis me crisper. Frank était un costaud et son fils aussi. Il était grand, du moins. Mais il avait peut-être moins l'habitude de la castagne que moi.

Alors c'était ça, le plan. Il allait me provoquer jusqu'à ce que je pète un câble. Et en revenant, Frank et Sandra trouveraient les deux « fistons » en train de se battre comme des chiffonniers au milieu de la cuisine. Et là, bien sûr, ils s'empresseraient de prendre le parti de Henry, l'enfant chéri.

La bonne nouvelle, c'était que je n'aurais peut-être pas à me coltiner des cours de rattrapage, en fin de compte. Je serais déjà parti.

Je coupai le robinet. Mis une feuille de papier absorbant autour de mon pouce éraflé. Tendis l'oreille dans l'espoir d'entendre les pas de Frank et Sandra dans le couloir.

« Qu'est-ce que tu fous ici ? » Henry, derrière moi, me parlait tout bas à l'oreille.

« Je prépare le dîner.

— Tu veux gagner leur confiance ? C'est ça, l'idée ? Tu vas jouer les petits singes savants et ensuite les dévaliser à la minute où ils auront le dos tourné ? »

Ma conseillère de probation, Aly, m'avait donné des techniques pour contrôler ma colère. J'essayai frénétiquement d'en rappeler certaines à ma mémoire. Mais je n'avais pas mon iPod sous la main pour mettre mes écouteurs et couvrir les sarcasmes de Henry.

« Voyons. Regarde autour de toi. Mes parents sont des gens travailleurs et modestes. Même l'ordinateur a cinq ans, il est tout juste bon pour la casse. Je ne sais pas quels sont tes projets, mais ce n'est pas la bonne maison. Mes parents ne sont pas les bonnes personnes.

– Tes parents sont gentils, m'entendis-je dire, à notre surprise à tous les deux.

– Quoi ?

– Tes parents. Ils sont gentils. »

Henry me toisait. Je trouvai le courage de me retourner pour le toiser en retour.

« Je n'ai pas le même avenir que toi. Peut-être même que je n'en ai aucun. Mais tes parents essaient de m'aider à trouver ma voie. C'est toujours mieux que d'être "bon pour la casse". »

Henry me regardait d'un œil noir, essayant d'évaluer si j'étais sérieux. Et peut-être bien que je l'étais.

Puis, derrière lui, un toussotement discret.

Nous nous aperçûmes que Frank et Sandra étaient de retour dans la cuisine et nous observaient.

« Eh bien, comme ça, c'est dit... », conclut Frank.

Henry rougit. Sandra eut un petit rire nerveux qui détendit l'atmosphère. Henry et Frank se rassirent à table. Sandra et moi reprîmes la préparation du dîner.

« Tu n'as jamais été partageur », dit Frank à son fils.

Henry ne protesta pas.

Le lendemain, Frank décréta qu'on devrait se faire une séance de tir entre mecs. Direction le stand des péquenauds, armés d'un petit arsenal de cibles, de la table pliante, de protections pour les yeux et les oreilles. À notre arrivée, j'ai déplié la table pendant que Frank et Henry préparaient les armes.

Henry parlait à son père à voix basse, comme s'il ne voulait pas que j'entende.

« Est-ce que le père de maman est encore en vie ?

— Pourquoi tu me poses cette question ?

— Parce que moi, je suis vivant. Alors, j'ai un grand-père maternel, oui ou non ? »

Frank se figea en entendant cette sécheresse de ton. Je me suis insensiblement rapproché. J'avais l'impression que Henry cherchait à se faire remettre à sa place. Je ne voulais pas rater ça.

« Je pense qu'il est encore en vie. Ta mère ne m'a jamais informé du contraire.

— Mais tu n'as jamais parlé avec lui.

— Tu sais que ta mère avait ses raisons pour partir.

— À savoir ?

— C'est à elle de le dire, Henry. Encore une fois, pourquoi toutes ces questions ? »

Henry sortit le pistolet de sa mallette, recula la culasse pour exposer la chambre vide et le posa sur la table. Je pris ostensiblement la première cible et me dirigeai vers la palette en piteux état pour la punaiser. Je m'éloignai d'eux, mais pas trop.

Je savais que le père de Sandra était en vie. Du moins, je le supposais. Un truand. Tueur à gages, avais-je cru comprendre. Tellement doué dans sa partie qu'il avait gravi les échelons, qu'il était peut-être maintenant le big boss *de la bande. Était-il possible que je sache des choses que Henry ignorait ? Sandra me faisait-elle confiance à ce point ?*

« *Il y a un vieux qui s'est pointé, expliqua Henry. Il y a quelques semaines. Il m'attendait à la sortie de mon cours. Il était planté là, il m'a regardé droit dans les yeux. Et le plus dingue, c'est que j'ai tout de suite eu une impression de déjà-vu. Comme si ce n'était pas la première fois que je le rencontrais.* »

Frank ne dit rien.

« *Il m'a dit qu'il était mon grand-père. Qu'il voulait faire ma connaissance. Et il m'a invité à dîner la semaine prochaine.*

– *Quoi ?* » *s'insurgea Frank. La palette était criblée de punaises. J'en retirai une bleue et m'en servis pour fixer la cible, sans oser me retourner.* « *Tu as accepté ?*

– *Peut-être. Écoute, ce vieux... il ressemble à maman, c'est dingue. J'ai l'impression qu'il fait partie de la famille. Tu ne crois pas que je me pose des questions ? Que j'aurais envie d'en savoir plus sur mon grand-père ?*

– *Si ta mère apprend ça, elle va avoir une attaque.*

– *À ton avis, pourquoi c'est à toi que j'en parle ? Ce n'est pas pour rien, si c'est à toi que je demande.*

– *Henry... tu ne peux pas faire ça. Dis non à ce type. Qu'est-ce que tu espères en tirer, de toute façon ? Un cadeau de plus à Noël ? Tu t'es bien passé d'un grand-père jusqu'ici. Ne détruis pas ta mère en débutant une relation maintenant.*

– *Pourquoi ça la détruirait ? Est-ce que quelqu'un aurait l'obligeance de me dire ce que ce type a fait ?*

– *Ta mère s'est enfuie à seize ans. Elle a tout lâché pour vivre dans la rue. Ça ne te suffit pas ?*

– *Et s'il avait changé ? Il a l'air d'avoir cent dix ans. Il est peut-être mourant, qui sait ? Il veut une dernière chance de se racheter avant de disparaître.*

– *Ce n'est qu'un sale menteur...*

– *Donc tu l'as déjà rencontré ?*

– *Ta mère ne veut pas qu'il revienne dans sa vie ! C'est tout ce que j'ai besoin de savoir et toi aussi. Tu crois qu'il n'est pas au courant ? Que c'est un hasard s'il s'est pointé à ta fac plutôt qu'à notre porte ? Réfléchis une seconde. S'il tenait tant que ça à faire la paix, pourquoi ne cherche-t-il pas à joindre ta mère ?*

– *Peut-être parce qu'elle vise encore mieux que toi. »*

En voilà, une nouvelle. Toujours devant ma cible, le dos tourné aux deux autres, je n'en revenais pas.

« Telly ! » aboya Frank.

Pour finir, je plantai une deuxième punaise dans le bas de la cible et revins vers eux en trottinant.

« Tu as entendu. »

Je ne répondis pas, d'ailleurs ce n'était pas une question. Frank soupira. Passa une main dans ses cheveux grisonnants. Je ne l'avais jamais vu aussi agité.

« Évidemment, tu as entendu. Si j'étais à ta place, moi aussi j'aurais tout le temps les oreilles qui traînent. Henry, décris-nous ton grand-père. Tout ce que tu peux dire de lui. Vas-y. »

Henry ouvrit la bouche comme pour protester, mais se ravisa. « Un mètre quatre-vingts, dit-il finalement. Des cheveux gris métallique, clairsemés sur le haut du crâne. Les yeux de maman. » Il sembla goûter particulièrement cette remarque. « Il a un peu la même façon de bouger qu'elle, aussi. Trench-coat beige, pantalon en tergal marron et chemise. Un look passe-partout pour un vieux. Mais tu le reconnaîtras quand tu le verras. Il ressemble... » Il osa la comparaison : « Il ressemble à maman en vieillard.

– *Si jamais tu vois ce type mettre un pied dans la propriété, me dit Frank sur un ton péremptoire, tu m'appelles. Tout de suite. S'il s'approche de la maison, s'il essaie de parler à Sandra, tu tires à vue. Tu peux me croire, la mort violente d'un salaud pareil ne semblera suspecte à personne.*

– Mais qui c'est, à la fin ? »

Henry était revenu à la charge. Je ne dis rien, mais me rapprochai légèrement de lui. Au point où on en était, moi aussi je voulais savoir.

« David, répondit soudain Frank. David Michael Martin. Si vous avez envie d'en savoir davantage, essayez donc de taper son nom dans Google. Mais ne soyez pas surpris de ne rien trouver. Les ordures comme lui passent leur vie à faire en sorte de ne pas exister. Sur le papier et encore plus sur Internet.

– Comment ça, il n'existe pas ? C'est possible, ça ? »

Frank eut une moue pincée. « Ce type est une source de problèmes. Vous n'avez pas besoin d'en savoir plus. Où qu'il aille, la mort l'accompagne. »

Henry se renfrogna. « C'est juste un vieux papi. Je l'ai vu de mes propres yeux. Je ne sais pas ce qu'il a pu faire à l'époque… mais aujourd'hui c'est un vieillard, qui veut faire amende honorable. Est-ce que ça ne compte pas ?

– Tu es un bon garçon », dit soudain Frank en considérant son fils. Et ce n'étaient pas des paroles en l'air, il les pensait. « Intelligent, inscrit dans une des meilleures écoles d'informatique. Mais où est-ce qu'il était, ton grand-père, il y a quinze ans, dix ans, cinq ans ? Je vais te le dire : il n'était nulle part. Parce qu'à ce moment-là, tu ne pouvais pas lui être aussi utile. »

Henry dévisagea son père. « Je ne comprends pas de quoi tu parles.

– Un type comme David… Il ne cherche pas à se racheter, Henry. C'est un manipulateur. Donc s'il a pris contact avec toi, c'est parce qu'il veut obtenir quelque chose de ta part.

– Mon pardon.

– Ne dis pas de bêtises. Il ne te connaît même pas. À quoi pourrait bien lui servir ton pardon ? En revanche, ton diplôme, tes compétences, ta réputation d'informaticien... Voilà qui est intéressant. La nouvelle génération de criminels ne jure que par Internet. Un jeune comme toi pourrait lui être très utile. Et si tu es de la famille, c'est encore mieux.

— Tu penses qu'il veut me recruter ? Pour que je rejoigne la petite entreprise familiale ?

— Pourquoi pas ? Et je te parie qu'il te tiendra exactement le discours qui convient. Il te dira tout ce que tu as envie d'entendre. On ne peut pas vivre aussi longtemps que lui sans connaître les meilleurs trucs. Mais au bout du compte, un fumier reste un fumier. Il a bien failli détruire ta mère. Si tu le laisses entrer dans ta vie, il en fera autant avec toi. Et ça ne l'empêchera pas de dormir. Quand on a déjà perdu une fille, qu'est-ce qu'un petit-fils ? Voilà le genre d'individu qu'il est, Henry. Je te dis les choses comme elles sont. »

Henry le regarda dans les yeux. « Tu veux que j'annule le dîner ?

— Ta mère n'est jamais retournée là-bas. En trente ans, elle n'a jamais ne serait-ce que passé un coup de fil chez elle. Elle a renoncé à sa propre mère, Henry. Pour se protéger. Et ensuite, après ta naissance, pour te protéger à ton tour. Tu devrais en tirer les conclusions qui s'imposent. »

Henry ne répondit pas. Il ouvrit la mallette d'un autre pistolet. Vérifia machinalement que l'arme était vide.

« Il l'a laissée partir », objectai-je d'un seul coup. Parce que ça me turlupinait, cette question, depuis le début.

Frank et Henry se tournèrent vers moi avec de grands yeux.

« Tu dis que c'est la pire ordure qu'on ait jamais vue. Mais quand sa fille de seize ans est partie, il l'a laissée faire. » J'avais déjà posé cette question à Sandra, mais je n'avais pas saisi sa réponse. Je vis à la réaction de Frank qu'il comprenait mon étonnement. Mais ce n'était pas le cas de Henry.

« *Mon père à moi, dis-je, s'il voulait quelque chose que vous aviez... il ne vous lâchait pas comme ça. Il ne vous laissait pas le prendre.* »

Henry me regarda d'un air narquois. Je vis qu'il était à deux doigts de ricaner et de me proposer une batte de base-ball.

Frank, lui, me jaugeait du regard. « *Il y a des questions, dit-il, en s'adressant à moi et non à Henry, que je ne pose pas à ma femme.* »

Je hochai la tête.

« *Non pas que je n'aie pas une petite idée des réponses. Mais je comprends qu'il est préférable qu'elle n'ait jamais à mettre des mots dessus.* »

Donc Sandra s'était rendue coupable de quelque chose. Elle n'avait pas simplement claqué la porte, comme le racontait la version pour enfants sages servie à Henry. Elle avait pris des mesures. Peut-être aussi radicales que d'assassiner quelqu'un à coups de batte de base-ball. Elle y avait gagné sa liberté. Et peut-être même puisé l'idée d'accueillir un enfant avec mon profil.

Une émotion m'envahit alors. Me submergea. Plus que de la gratitude. Peut-être de l'amour pour ma nouvelle maman, ou du moins pour l'ado qu'elle avait été.

« *Oh, je vous en prie, dit Henry, dans deux secondes vous allez m'expliquer que maman est secrètement une tueuse.* »

Frank garda le silence suffisamment longtemps pour que Henry ouvre de grands yeux. Puis il laissa s'épanouir un grand sourire : « *Ouais, ta maman... Elle nous tuera à force de gentillesse, plutôt.* »

Henry s'esclaffa. Je les laissai à leur amusement, mais je me disais que j'en savais désormais davantage sur Sandra, l'as de la gâchette, qui avait plus de points communs avec moi qu'avec son propre fils. Puis une deuxième idée me vint, plus dérangeante :

si Sandra avait commis un crime dans sa jeunesse pour acheter sa liberté, qu'est-ce qui avait changé pour que son père se pointe aujourd'hui à l'école de son fils ?

Mais Frank et Henry étaient passés à autre chose et s'occupaient des pistolets.

Frank avait sorti les munitions. Henry prenait sa première visée avec le 22.

Il était bon, presque autant que Frank. Puis ce fut mon tour et, même si je détestais sentir le regard de Henry sur moi, je m'en suis sorti correctement. J'aimais bien le pistolet. Avec la carabine, j'étais encore empêtré. Mais le Ruger, je l'avais de mieux en mieux en main.

Frank conclut la séance par quelques petits numéros de son cru. Et Henry se prit au jeu. Ils tirèrent sur des douilles. Tournèrent la cible sur le côté. Essayèrent même à tour de rôle de voir qui pouvait dégommer des pommes de pin sur les branches. Ils s'entraînèrent à faire trois pas à gauche, dégainer, tirer. Trois pas à droite, bang, bang, bang.

Ils étaient détendus et, un bref instant, j'ai eu une impression surréaliste. Une relation père-fils. Ça existait. Et ça ressemblait à ça.

Alors je me suis souvenu du temps où j'emmenais ma petite sœur à la bibliothèque. Où je lui lisais Clifford le gros chien rouge. *Une relation frère-sœur. Ça aussi, ça avait existé. Je l'avais vécu.*

Je me demandais ce qu'était devenue Sharlah. Où elle habitait. Est-ce qu'elle aimait bien sa famille d'accueil ? Est-ce qu'elle était heureuse ?

Je fermai les yeux, pour me couper de toutes ces idées. C'était soit ça, soit je m'évanouissais, tellement je me sentais oppressé.

L'heure était venue de lever le camp. Je rangeai les armes. Henry replia la table. Frank chargea la voiture. Personne ne disait rien.

Sur le chemin du retour, Frank rompit le silence. Il ne dit qu'une phrase : « Pas un mot de tout ceci à votre mère. »

Henry et moi hochâmes la tête.

26

Shelly tenait l'information du fils Duvall lui-même. Elle aurait voulu lui rendre une petite visite, l'interroger plus en détail sur son emploi du temps et/ou sur le passé de la famille, mais le temps était compté et elle avait donc opté pour un simple coup de fil. *Est-ce que votre père avait un coin un peu secret où il aimait camper ?* La réponse était oui. Tout près de la route vers le nord que Telly Ray Nash avait empruntée pour rejoindre la station-essence.

Étape suivante : reconnaître les lieux.

« Je ne veux plus de surprises », dit Shelly. Ils étaient de retour au PC mobile. Elle-même, Quincy, Cal et les autres chefs d'équipe. « On ne plaisantait pas quand on disait que ce suspect était armé et dangereux.

– Les hélicos ? suggéra Quincy. Envoyez-en un faire un passage au-dessus du lieu de campement pour voir si leur caméra infrarouge détecterait des zones de chaleur. Ça nous renseignerait sur la présence d'un occupant. »

Shelly poussa un gros soupir.

Cal traduisit : « Les capteurs thermiques ne marchent pas, dit-il en consultant le shérif du regard. Ou, pour être plus précis, ils génèrent trop de faux positifs.

– Trop chaud dehors », confirma Shelly.

Cal expliqua la situation aux autres secouristes : « C'est une des limites de cette technologie : le soleil chauffe les éléments naturels, les rochers, l'eau des feuillus. Par de telles températures, tout le paysage vire au rouge vif. Un peu comme les néons de Las Vegas. »

Shelly ne trouvait pas ça drôle. « Si on veut. »

Mais Cal prenait la chose du bon côté : « Les administrations aiment bien les joujoux, mais en définitive il y aura toujours du boulot pour les gars comme moi. »

Shelly ne pouvait que lui donner raison. Depuis le 11 Septembre, les services de police obtenaient facilement des budgets pour des « gadgets » comme des caméras thermiques, hélicoptères et autres dispositifs de géolocalisation. Mais parfois, il fallait en revenir aux bonnes vieilles méthodes, la preuve.

« J'ai demandé à une brigade cynophile de venir nous épauler », dit-elle d'un air soucieux.

Une fois encore, ce fut Cal qui prit la parole. « Je n'ai rien contre Lassie, mais vous avez pensé aux caméras ? L'imagerie aérienne est peut-être inutilisable, mais les caméras qui se trouvent au sol, le long des sentiers ? Celles-là pourraient peut-être nous servir. »

Shelly regarda son pisteur avec sidération. Ça tombait sous le sens. Elle n'en revenait pas de ne pas y avoir pensé plus tôt. De nos jours, il y avait de la vidéosurveillance partout, même en pleine nature. Entre les dispositifs avec détecteur de mouvement que les parcs d'État et les parcs nationaux avaient installés pour recenser la faune sauvage et ceux que Shelly et ses enquêteurs avaient posés pour coincer des trafiquants de drogue qui faisaient pousser de la marijuana sur les terres du comté, la forêt était certes immense, mystérieuse et truffée d'endroits où un tireur embusqué pouvait se cacher, mais elle n'en restait pas moins peuplée de caméras.

« Merde, grommela-t-elle. Pourquoi on n'a pas eu cette idée il y a trois heures ?

– Il y a trois heures, la situation était différente. Notre suspect était à pied et suivait un cheminement inconnu. Maintenant, on a un lieu de campement. Une destination connue, accessible par des sentiers connus. Donc on peut regarder s'il y a des caméras sur ces itinéraires.

– Je n'arrive pas à savoir si je vous aime bien ou si je vous déteste », dit Shelly avec lassitude.

Cal sourit. Elle lut sur son visage qu'il comprenait sa frustration. Lui-même en était au même point. Comme eux tous.

« Je fais toujours cet effet-là aux gens, lui assura Cal. Ensuite, je les amadoue avec du fromage. »

Shelly se tourna vers le sergent Roy Peterson. « Les caméras des sentiers : recense-les, on commencera à visionner les images. »

Il accepta d'un signe de tête.

« D'autres idées de génie avant qu'on se dirige vers le campement d'un tueur de masse ? » Question ouverte que Shelly posait à l'ensemble de l'équipe.

« Emportez des caméras, suggéra Quincy. Comme ça, si Telly n'est pas là-bas, au lieu de prendre le risque de laisser une équipe sur site, vous pourrez les poser pour qu'elles montent la garde à votre place. »

Shelly était d'accord : « Bonne idée. »

Elle était également facile à mettre en œuvre puisque le PC mobile contenait un stock de caméras avec détecteur de mouvement.

« C'est tout ? »

Bref instant de réflexion et toute l'équipe acquiesça.

« Parfait. Alors au boulot. »

Cal prit la direction de l'expédition. Shelly n'était pas décisionnaire en la matière : le SAR avait sa propre chaîne de commandement et gérait ses bénévoles. Elle ne fut cependant pas surprise d'apprendre que Cal repartait en mission. Après ce qui était arrivé à son équipe, il en faisait une affaire personnelle. Et même s'il avait déjà œuvré le matin même, il ne semblait pas plus fatigué ou à bout de nerfs que les autres.

Quincy accepta d'attendre au PC avec elle. Si Roy trouvait des caméras sur les sentiers concernés, Quincy et Shelly passeraient en revue les images aussi vite qu'il leur serait humainement possible.

L'équipe canine du SWAT arriva. Shelly avait déjà fait la connaissance de sa vedette, Molly, à l'occasion d'une démonstration. Cette chienne bâtarde noir et blanc courte sur pattes ne ressemblait en rien aux chiens policiers que Shelly avait pu rencontrer jusqu'alors. Un corps pataud de boxer. Une tête carrée de pitbull. Une tache noire qui dessinait un magnifique bandeau de pirate sur son œil droit. Entre son allure générale et son sourire haletant, Molly ressemblait davantage à la compagne à quatre pattes d'un personnage de comédie qu'à une héroïne de film d'action.

Mais d'après Debra Cameron, la maîtresse-chien, Molly n'en était pas moins parfaite dans son rôle. La jeune chienne, qui avait été retirée à un couple de toxicomanes, avait une appétence naturelle pour le travail et un désir plus vif encore de faire plaisir. L'année précédente, Deb et Molly avaient traqué une meurtrière présumée sur près de cinq kilomètres dans les rues de Portland. Leur suspecte, une prostituée en manque qui avait poignardé une collègue, avait essayé de les semer à travers divers bâtiments désaffectés et s'était même cachée un moment dans une voiture laissée ouverte, avant de finalement perdre connaissance en haut de l'escalier de secours d'un entrepôt. Molly avait suivi la piste sans désemparer. Monter, descendre, contourner. Quand elle était revenue à elle, la prostituée avait découvert la chienne en train de lui baver dessus avec ses airs d'imbécile heureuse. Elle avait alors voulu la frapper avec son couteau ensanglanté, mais Molly lui avait violemment planté ses crocs dans le bras.

Fin de l'aventure pour la criminelle. Et début des éloges dont Molly et la maîtresse-chien ne cesseraient plus d'être couvertes.

Shelly vit Debra les équiper. La chienne avait son propre gilet pare-balles. Du matériel militaire, apparemment. Un tissu noir et épais qui épousait au plus près sa silhouette ramassée, ne laissant vulnérables que ses pattes blanches, sa queue et sa tête de pirate. Le vêtement était garni de poches et de sangles, peut-être pour que Molly puisse transporter son matériel. Mais en l'occurrence, Debra mit bouteilles d'eau, en-cas et gamelle rétractable dans son sac à dos.

Shelly avait déjà vu des chiens de recherche avec des protections aux pattes, mais comme il ne s'agissait ici que de marcher en forêt en plein été, Molly s'en passa.

Cal s'approcha et lança un regard vers Molly, qui pencha sa tête noir et blanc et lui sourit.

« Cal Noonan, dit le pisteur en tendant la main.

– Debra Cameron.

– Mmm-hmmm. »

Debra sourit, enfila son sac à dos, ajusta les bretelles.

« Ne vous en faites pas. Molly tiendra le rythme.

– Quelle race ? demanda Cal en désignant la chienne qui haletait toujours allègrement.

– Boxer croisé pitbull.

– Je n'avais jamais vu un pitbull pister un fugitif.

– Pas grave, Molly et moi, on n'avait jamais vu un fabricant de fromage pister un fugitif, ça nous met à égalité. »

Cal encaissa, puis se retourna vers Shelly comme pour chercher un appui. Celle-ci se contenta de sourire. Bien sûr, elle avait communiqué son profil à la brigade canine. Simple courtoisie entre collègues.

« Il fait chaud, dit Cal.

– Aucun doute.

– Il faudra beaucoup d'eau.

– Je le note.

– Le suspect a blessé deux membres de mon équipe, ce matin.

– C'est moche. Comment vont-ils ?

– État stable pour le premier. Critique pour le second.

– On m'a fait un brief de la situation. L'idée est de jouer sur l'effet de surprise, si j'ai bien compris.

– Et il a un mode furtif, votre molosse ?

– Non seulement un mode furtif, mais aussi un mode baveux. Alors méfiez-vous ou je la lâche sur vous. »

Cal laissa enfin échapper un sourire et se baissa pour gratouiller la chienne derrière les oreilles. Molly s'abandonna à sa caresse avec un soupir d'extase. Le sourire de Cal s'élargit. « Le fameux mode baveux », murmura-t-il. Puis, se redressant, il fit de son mieux pour se donner une contenance plus professionnelle. « Dix minutes et on est partis.

– Aucun problème. »

Cal s'éloigna un peu. Shelly le vit inspecter son fusil, puis siffler une nouvelle bouteille d'eau.

Seize heures vingt-cinq. Toujours près de 40 °C. Encore quatre heures avant le coucher du soleil.

Dans l'univers du maintien de l'ordre, tout un monde de possibilités.

Quincy rejoignit Shelly. « Frustrée de ne pas aller sur le terrain ?

– Peut-être. Et vous ?

– Je ne leur envie pas la besogne qui les attend. » Puis, une fraction de seconde plus tard, une question lâchée dans un soupir : « Pas de nouvelles ?

– Je regrette. Mais je suis sûre qu'elle va bien. Gardez votre téléphone allumé. Tôt ou tard, Sharlah voudra vous joindre. Surtout depuis que vous lui avez menti en lui disant qu'on avait retrouvé son frère, tout ça.

– Ce ne sera un mensonge que si nous n'avons pas encore localisé Telly quand elle reviendra.

– La paternité vous a rendu machiavélique et vous le savez.

– Certaine que ce soit la paternité ? »

Shelly devait bien admettre que non. Quincy et elle se connaissaient depuis longtemps et on savait le profileur prêt à tout pour coincer son homme. Ou, visiblement, pour faire sortir du bois sa fugueuse de fille.

Roy passa une tête dehors. « Je nous ai trouvé une caméra. Une seule, et elle n'est peut-être même pas sur le bon sentier, mais enfin... »

Shelly et Quincy ne se le firent pas dire deux fois et reprirent le collier.

27

Attendre n'avait jamais été le fort de Rainie. Comme Quincy le lui avait demandé, elle avait appelé Bérénice Dudkowiak, la psychiatre judiciaire qui avait procédé à la première évaluation de Telly Ray Nash huit ans plus tôt. On lui avait répondu que le docteur était en consultation. Merci de laisser un message.

Elle avait donc laissé un message. Et ensuite elle avait fait les cent pas. Portable à la main, tourner autour de la table de la cuisine, aller et venir dans le couloir. Enchaîner les boucles autour du canapé. Le tout entrecoupé de longs moments d'immobilité sous le porche, à espérer que sa fille réapparaisse comme par magie.

La mère de Rainie n'était pas du genre à lui lire des contes de fées. Et quand elle était entrée dans leur vie, Sharlah était déjà trop âgée pour qu'elles partagent les grands classiques de la littérature enfantine. Et pourtant, Rainie n'arrêtait pas de penser à cet album, *Je vais me sauver !*, où un petit lapin menace de quitter sa mère, qui promet de le retrouver où qu'il aille. S'il devient un poisson, elle se changera en pêcheur. S'il devient une montagne, elle se fera alpiniste.

Rainie aurait voulu être la maman lapin. Savoir où se trouvait Sharlah à cet instant, simplement pour être l'arbre, ou le rocher, ou la fleur des champs, et être avec sa fille.

Mais elle n'était pas un personnage de conte pour enfants. Elle était enquêtrice. Alors, à la place, elle imprima des photos du bain de sang chez les Duvall. Des gros plans de la vidéo de la station-service. Des images des membres de l'équipe de recherche terrassés, allongés dans l'herbe. Alors, en tête à tête avec son collage d'images de mort et de désolation, elle chercha, chercha, chercha.

C'était son métier, son héritage. Et elle l'avait chèrement gagné.

La sonnerie du téléphone retentit. Elle était tellement perdue dans ses pensées, s'arrachant les yeux sur une image en particulier, qu'il lui semblait être à des milliers de kilomètres. Elle revint avec difficulté à la réalité, se redressa et attrapa son portable à tâtons, tout en continuant à se demander si elle avait la berlue. Un détail ici différait de l'autre image. Mais comment était-ce possible ?

Encore une sonnerie. Elle jeta un coup d'œil à l'écran du téléphone et acheva de rassembler ses idées. Il s'agissait de se concentrer. Le cabinet du docteur Dudkowiak la rappelait enfin.

« Je m'appelle Rainie Conner. Je suis enquêtrice, consultante auprès des services du shérif de Bakersville. Vous êtes peut-être au courant qu'il y a eu une série de meurtres par arme à feu ce matin.

– Telly Ray Nash, répondit sans hésitation la psychiatre. J'ai vu son visage aux informations. Je n'ai donc pas été surprise de recevoir la réquisition, il y a quelques heures. » Les expertises ordonnées par le tribunal, telles que le bilan psychiatrique réalisé par le docteur Dudkowiak huit ans plus tôt, n'étaient pas soumises au même niveau de confidentialité que les consultations privées, mais il existait tout de même des restrictions à leur communication. C'est pourquoi le procureur Tim Egan s'était proposé pour faire le nécessaire lorsqu'il avait parlé avec Quincy dans la matinée.

Pour en finir avec les formalités, Rainie précisa : « Je dois vous dire que je travaille en lien avec la police, mais que mon mari et moi sommes aussi la famille d'accueil de la petite sœur de Telly, Sharlah. Cela fait trois ans qu'elle vit chez nous. Nous espérons boucler la procédure d'adoption en novembre.

— Toutes mes félicitations.

— Merci. Nous tenons beaucoup à elle.

— Et le cas de son frère vous inquiète d'autant plus. J'imagine que vous l'avez rencontré.

— Jamais. Quand Sharlah nous a été confiée, on nous a littéralement dit qu'elle ne devait avoir aucun contact avec Telly. Nous avons pensé que c'était lié à l'agression qu'elle a subie il y a huit ans. Elle en a encore la cicatrice sur l'épaule. »

Silence à l'autre bout de la ligne. La psychiatre réfléchissait.

« Pour être franche, continua lentement Rainie, Sharlah n'a jamais demandé de nouvelles de son frère. Aujourd'hui, évidemment, je m'interroge. Nous avons des raisons de penser que Telly souhaite revoir sa sœur. En fait, il semblerait qu'il la cherche activement.

— Vous avez peur, dit le docteur Dudkowiak d'une voix douce.

— Je suis terrifiée. »

Encore une pause. Le docteur digérait cette nouvelle information.

« J'ai cru comprendre que c'était vous qui aviez interrogé Telly et Sharlah sur les circonstances de la mort de leurs parents, la relança Rainie.

– C'est exact. Et vu les circonstances, sans parler de la réquisition, je serais ravie de pouvoir vous aider. Il faut toutefois que vous compreniez que je n'ai parlé avec Telly et Sharlah que d'une situation donnée à un instant donné. Et que, depuis, je ne les ai revus ni l'un ni l'autre. Les ayant si peu connus, je ne suis pas certaine de pouvoir beaucoup éclairer votre lanterne.

– Il y a huit ans, Telly Ray Nash a battu son père à mort avec une batte de base-ball, mais il avait des circonstances atténuantes. Ce matin, il a tué ses deux parents d'accueil par balles. Sauf que, d'après les éléments dont nous disposons à l'heure actuelle, rien ne semble pouvoir excuser ce geste. Les Duvall sont décrits comme des parents bienveillants et structurants. Ce qui n'a pas empêché Telly de les assassiner dans leur lit. Selon toute apparence, il s'est ensuite rendu dans une supérette où il a abattu deux parfaits inconnus avant de fuir et d'ouvrir le feu sur les agents lancés à ses trousses. Telly Ray Nash est en pleine équipée meurtrière. Même si vous ne détenez pas toutes les réponses, toute théorie, tout soupçon ou moindre doute fera l'affaire. C'est une course contre la montre.

– Vous pensez qu'il est à la recherche de sa sœur ?

– Il avait des photos de Sharlah dans son téléphone portable, prises la semaine dernière. Mon mari vient de m'appeler pour m'informer qu'on en a découvert d'autres chez lui. Elles ont été prises un autre jour et une cible a été dessinée sur le visage de Sharlah.

– Mais ils ne se sont jamais vus ni parlé depuis huit ans ?

– Pas à ma connaissance, en tout cas. »

Un silence. Puis la psychiatre : « Cette recommandation n'était pas tirée de mon rapport.

– Comment ça ?

– Celle de séparer les enfants. J'ignore qui a pris cette décision, mais je me serais prononcée contre une telle mesure. À l'époque, Telly Ray Nash était un petit garçon de neuf ans, perturbé, qui n'avait pas beaucoup d'atouts dans son jeu. Mais il avait sa sœur. D'après mes observations, il lui vouait une sincère affection. Et sa sœur la lui rendait. Pourquoi les autorités ont-elles rompu cette relation, je n'en ai aucune idée. Mais cela a probablement fracturé un des seuls vrais liens que Telly avait connus dans sa courte vie. Cela ne pouvait qu'aggraver sa dérive et sa colère.

– Il avait cassé le bras de sa sœur. D'après l'assistante sociale, quand elle a interrogé Sharlah à l'hôpital, la petite a dit que Telly la détestait. L'assistante a pensé que Sharlah avait peur que son frère ne l'agresse de nouveau, d'où la décision de les séparer.

– Sharlah réagissait certainement au choc du moment. Mais ce qui compte, c'est la profondeur de la relation qui l'unissait à son frère. Puis-je vous poser une question ? Comment Telly s'en est-il sorti depuis cette nuit-là ? Est-ce qu'il a commis de nouvelles violences ?

– On lui a diagnostiqué un caractère explosif et un trouble oppositionnel avec provocation. Il est actuellement en probation à la suite d'un incident au lycée. Il a démoli des casiers. Il a été exclu quelques jours mais il est revenu dans l'établissement et a refusé de quitter les lieux. Ce qui lui a valu d'être poursuivi pour violation de propriété et acte de rébellion.

– Et en ce qui concerne les placements familiaux ? continua le docteur. Combien de temps a-t-il passé au maximum dans une famille ?

– J'ai l'impression qu'il a beaucoup bougé. En tout cas, je sais que ça a été le cas de Sharlah avant son arrivée chez nous.

– Or elle est beaucoup moins rebelle que son frère.

– Tout n'est pas rose pour elle non plus.

– Je n'en doute pas.

– Les Duvall… On nous les a présentés comme la dernière chance de Telly, mais aussi sa meilleure. C'est la conseillère de probation de Telly qui les avait recommandés. Le mari, Frank, était prof de sciences au lycée, manifestement très apprécié des élèves. Leur idée était moins de lui offrir "une famille pour la vie" que les moyens de trouver sa voie et de prendre son autonomie.

– Comment s'entendait-il avec eux ?

– Mme Duvall lui donnait des leçons de cuisine. Et figurez-vous que M. Duvall lui donnait des leçons de tir. »

Très longue pause, cette fois-ci.

« Bon, je vais vous donner mon opinion. Pour ce que ça vaut, comme on dit, sachant que je manque cruellement d'informations et qu'on est un peu dans la psychiatrie de comptoir.

– Entendu.

– Il y a huit ans, Telly présentait déjà les signes d'un TRA. Trouble…

– Je connais le TRA.

– Il avait grandi auprès de deux parents toxicomanes, dont aucun ne manifestait un instinct parental très développé, et il avait été constamment exposé à la violence domestique d'où, chez ce petit garçon, un grand sentiment de colère, de solitude et parfois des réactions explosives.

– Je comprends.

– Son rayon de soleil était sa sœur. D'après les enseignants, les deux enfants étaient très proches. Telly jouait un rôle de parent auprès de Sharlah. Il prenait soin d'elle, alors que ça aurait très bien pu tourner autrement. Si l'on songe qu'il avait quatre ans quand elle est née et qu'il avait donc déjà subi des années de mauvais traitements et de négligence, il aurait pu être en colère contre sa petite sœur. Vindicatif, maltraitant même.

– La théorie du ruissellement de la souffrance : les parents maltraitent l'aîné, l'aîné maltraite le cadet. Reproduit ce qu'on lui a appris.

– Mais pas Telly.

– Pas Telly », répéta Rainie, qui pour la première fois se radoucit à la pensée du petit garçon de quatre ans qui aurait pu faire de la prime enfance de Sharlah un enfer plus noir encore, mais qui avait choisi de l'aimer.

« C'est important, reprit le docteur Dudkowiak. La capacité d'attachement des individus se situe sur une échelle qui va de l'incapacité complète (les psychopathes, qui ne tiennent à personne) à ceux qui versent dans l'excès inverse (les Mère Teresa, qui veulent absolument sauver tout le monde). Sur cette échelle, Telly serait indéniablement plus proche du psychopathe, mais la relation qu'il entretenait avec sa sœur lui fournissait un ancrage. Or, en particulier chez le jeune enfant, un seul lien suffit. J'insiste : une seule relation peut tout changer. En s'occupant de sa petite sœur, Telly a semé en lui la capacité de tisser des liens forts avec d'autres personnes plus tard dans la vie.

– Avec les Duvall, par exemple ? » Quincy aussi avait déjà posé cette question : si Telly avait autrefois aimé sa sœur, si le mot « famille » avait un sens pour lui, pourquoi cela ne lui avait-il pas permis de se rapprocher davantage d'une famille d'accueil réputée bienveillante ?

« C'est possible. Mais là encore, mon opinion vaut ce qu'elle vaut : je n'ai jamais rencontré les Duvall, ni le Telly d'aujourd'hui. Il faut aussi tenir compte du fait que Telly a été séparé de sa sœur à un âge encore malléable, après un événement particulièrement traumatique. Ça a dû lui être terriblement préjudiciable. Il aime sa sœur. Il tue son père pour la protéger. Et voilà que l'État les sépare. »

Rainie n'y avait guère songé, mais elle voyait ce que le docteur voulait dire. *Héros ou zéro*, écrivait Telly. Preuve que, huit ans après les faits, il en était encore à essayer de comprendre ce qui s'était passé ? Ce qu'il avait fait cette nuit-là, quand il avait tenté de sauver sa sœur mais qu'il l'avait perdue quand même.

« Reste qu'il lui avait cassé le bras, répéta Rainie. Je peux comprendre que les services de l'État aient vu cela d'un mauvais œil.

– Telly est connu pour son tempérament explosif, vous disiez ?

– Oui.

– On m'a dit la même chose il y a huit ans. Cela me porte à croire que Telly souffre d'un trouble explosif intermittent. Savez-vous de quoi il s'agit, madame Conner ?

– Appelez-moi Rainie, je vous en prie. Et à part quelqu'un de très lunatique, je ne vois pas, non.

– Un enfant ou un adolescent atteint de ce syndrome ne peut pas contenir son agressivité. La moindre contrariété que vous et moi considérerions sans importance provoque chez lui un accès de rage disproportionné. Parfois, la colère, l'adrénaline, l'intensité émotionnelle peuvent atteindre des niveaux tels que la personne souffrira d'une amnésie à court terme ou d'une absence. Par exemple, Telly reconnaissait qu'il avait agressé son père avec une batte, mais il avait du mal à se rappeler les détails. Il se souvenait que son père avait poignardé sa mère, puis qu'il s'était lancé à leur poursuite. Que Sharlah lui avait donné la batte, aussi...

– C'est Sharlah qui lui a donné la batte ?

– Telly lui avait dit de se cacher dans sa chambre pendant qu'il essayait d'éloigner leur père. Mais elle en est ressortie avec la batte et elle la lui a lancée. Après quoi, il s'en est servi contre son père. Il faut que vous compreniez que Telly ne s'est pas contenté de frapper son père une fois. Il s'est acharné, si vous voyez ce que je veux dire ?

– Oui.

– Il a battu son père comme plâtre. Il était sans doute tellement sous l'emprise de l'adrénaline, de la peur et de la rage qu'il était comme coupé d'une partie de lui-même. Sharlah a fini par intervenir. Et c'est là qu'il s'est retourné contre elle.

– Et qu'il lui a cassé le bras. » Rainie ne put réprimer un frisson. Elle n'avait jamais rencontré le petit Telly de neuf ans. Mais elle imaginait Sharlah, cinq ans, voyant son père poignarder sa mère, attaquer son frère. Et ensuite Telly, son grand frère adoré, s'en prendre à elle...

Rainie comprenait pourquoi Sharlah ne leur disait pas tout. Le simple fait que leur fille puisse les aimer témoignait d'un immense courage de sa part.

« Donc, il y a huit ans, j'aurais dit que Telly présentait des signes de troubles de l'attachement et de contrôle de la colère, de même qu'un trouble oppositionnel avec provocation. Mais si j'ai préconisé de ne pas engager de poursuites, c'était parce que je décelais chez lui les signes d'un tempérament protecteur. Sa relation avec sa sœur, déjà. Sa façon d'endosser automatiquement un rôle d'adulte à quatre ans. Et cette nuit-là, il n'a pas tué son père simplement par colère ou par peur. Il l'a fait pour sauver sa sœur. D'après lui, en tout cas.

– Parfait, dit Rainie sans être certaine que le mot était bien choisi. Mais comment sommes-nous passés du Telly protecteur au tueur à la chaîne d'aujourd'hui ?

– Il y a plusieurs hypothèses. La première, c'est que la rupture du seul lien étroit qui l'unissait à une autre personne (à sa sœur, en l'occurrence) ait miné sa capacité à s'attacher. La deuxième, c'est que son parcours d'une famille d'accueil à l'autre ait aggravé sa défiance, son manque d'empathie et son indifférence à la violence, au point qu'à son arrivée chez les Duvall, il était trop tard. Et la troisième, peut-être plus intéressante encore, ce serait que Telly ait trompé tout son monde il y a huit ans. Qu'il n'ait jamais été attaché à sa sœur. Qu'en réalité il ait été un parfait psychopathe qui avait manœuvré pour obtenir exactement ce qu'il voulait : la mort de ses parents.

– Il aurait menti sur le déroulement de la soirée ?

– Même pas besoin de mentir, juste de tirer les ficelles. Il aurait par exemple attendu que ses parents soient saouls et ensuite, connaissant leurs ressorts, il aurait dit ou fait ce qu'il fallait pour provoquer son père. De là, un violent affrontement devait inévitablement s'ensuivre, ce qui fournissait à Telly un prétexte pour se débarrasser une bonne fois pour toutes de ce père abusif. J'aimerais pouvoir affirmer que je ne me serais pas laissé berner par un tel stratagème mais, je le répète, je n'ai parlé à ce garçon que trois fois sur une période de cinq jours. Point final. Les expertises judiciaires… Mes collègues et moi-même n'avons jamais autant de temps et d'informations que nous le souhaiterions. Je devrais peut-être aussi parler de psychiatrie de comptoir.

– Autrement dit, il y a huit ans, Telly était soit un grand frère protecteur qui n'avait vraiment pas eu de bol dans la vie, soit déjà un psychopathe en herbe ?

– L'un n'excluant pas l'autre. Surtout au vu de ses derniers exploits.

– Ce trouble explosif intermittent... est-ce qu'on peut considérer qu'il vient aggraver le tempérament irascible de Telly ? Il tire d'abord et comprend ce qu'il vient de faire ensuite ?

– Oui. Même s'il n'y a aucun moyen de déterminer ce qui sera l'événement déclencheur pour un meurtrier de masse. On aimerait bien disposer de ce genre de données prédictives.

– Mais il a tué les Duvall dans leur lit. Est-ce qu'il n'aurait pas fallu qu'ils soient réveillés ? En train de se disputer avec lui, je ne sais pas ?

– Pas nécessairement. Ils avaient pu décider d'une punition la veille au soir. Telly passe alors toute la nuit à ruminer ce verdict, de plus en plus frustré, de plus en plus en colère, et au petit matin...

– Il passe à l'acte. Mais que penser de la suite ? » demanda Rainie. C'était une des questions que Quincy lui avait demandé de soumettre à la spécialiste. « Si les deux premiers meurtres sont la conséquence d'un accès de rage, comment expliquer la lucidité et la maîtrise dont il fait preuve maintenant ? Huit heures se sont écoulées, or non seulement il a fait plus de victimes, mais il a manœuvré très intelligemment pour échapper à la police. S'il agissait dans le feu de la colère, est-ce qu'il ne devrait pas commettre davantage d'erreurs, se comporter de manière plus impulsive ?

– Pas forcément. Le trouble explosif intermittent ne prive pas l'individu de son intelligence, de sa capacité à surmonter les difficultés et ainsi de suite. Même si le geste initial procède d'une réaction explosive, il est tout à fait réaliste d'imaginer que la personne mobilise ses autres compétences pour éviter de se faire prendre. Le psychisme est une machine complexe.

Telly peut être à la fois explosif et rusé. Impulsif et réfléchi. Ce n'est pas antinomique. »

Rainie poussa un profond soupir. Elle entendait bien ce que lui disait la psychiatre. Les non-spécialistes s'imaginent souvent que les enfants perturbés ne souffrent que d'un seul et unique trouble, alors que la plupart du temps on a affaire à un faisceau. D'où la difficulté du traitement.

« Un élément était toutefois inquiétant, il y a huit ans, reprit la psychiatre. Une question qui, à ma connaissance, n'a jamais été résolue.

– À savoir ?

– La mère. D'après le légiste, elle avait été poignardée, conformément aux dires des deux enfants. Seulement elle avait aussi reçu un violent choc à la tête *après* le coup de couteau. J'ajoute qu'elle était encore vivante à ce moment-là, même si, au vu de la gravité de la plaie par arme blanche, le légiste pensait qu'elle aurait eu très peu de chances de s'en sortir.

– Telly aurait frappé sa mère mourante avec la batte ? Quand ça ? Après avoir tué son père ?

– Sharlah refusait de répondre à cette question. À noter que les deux enfants répugnaient à parler de leur mère. De toute évidence, ils tremblaient devant le père, tout-puissant, effrayant. Le mal incarné, à leurs yeux. Mais la mère... je dirais que la relation qu'ils entretenaient avec elle était plus complexe. Peut-être qu'en tant que conjointe soumise, elle leur paraissait moins redoutable, plus aimante. En tout cas... les enfants semblaient incapables de parler d'elle et, encore une fois, on ne m'a pas laissé le temps de creuser le sujet. Telly a fini par me dire qu'il avait dû donner ce coup, mais je me suis toujours demandé...

– Oui ?

– ... si c'était à ce moment-là que Sharlah était intervenue. Pas quand il s'était acharné sur leur père, mais quand il avait frappé leur mère. Pour Sharlah, ça aurait été la goutte qui faisait déborder le vase.

– Telly est aveuglé par une colère noire, raisonna Rainie. Il frappe son père à maintes reprises, puis passe à sa mère, mais Sharlah s'interpose après le premier coup. Telly s'en prend alors à sa sœur, qui pousse un hurlement.

– Et Telly sort de sa transe. C'est du moins ce qu'il raconte. À l'instant où Sharlah a crié, il se serait rendu compte de ce qu'il avait fait. Il aurait posé la batte et serait resté là sans bouger jusqu'à l'arrivée de la police.

– Mais vous avez un doute sur cette version ? demanda Rainie avec prudence.

– *Doute* est un grand mot. Mais... le père de Telly était armé d'un couteau et animé d'un désir de meurtre. Telly avait donc toutes les raisons du monde de se défendre avec cette batte. Et une fois qu'il était lancé, on peut soutenir l'idée qu'un enfant possédant son profil psychologique ait eu du mal à s'arrêter.

– Accès de rage.

– Adrénaline, peur... Dans une famille aussi instable, tout est mêlé. Mais dans un tel scénario, pourquoi s'en prendre à la mère ? Elle est au sol. Inconsciente, déjà moribonde. Qu'est-ce qui a pu attirer l'attention de Telly sur elle ? Pourquoi est-il passé de son père à sa mère ?

– Je ne sais pas, admit Rainie. Peut-être qu'elle a... poussé un gémissement, un soupir.

– Signalant qu'elle était encore vivante ? » suggéra le docteur.

Rainie comprit alors où la psychiatre voulait en venir. « Le premier meurtre, celui du père, avait une dimension explosive. En revanche le second, qui l'a vu frapper sa mère à la tête...

– Un geste calculé. Efficace. Parce que si leur mère survivait, cette mère faible, passive, toxicomane...

– Ils ne seraient jamais en sécurité.

– Dans ce cas, vous pourriez vous trouver devant une compulsion de répétition : le meurtre des parents ce matin pourrait avoir été commis sous le coup d'une rage explosive, mais les suivants ne paraissent pas répondre à la même logique. Le cas de figure n'est peut-être pas nouveau pour Telly : il serait simplement en train de reproduire ce qu'il a appris il y a huit ans. En tout cas, ça expliquerait pourquoi il cherche sa sœur.

– Comment ça ? s'inquiéta Rainie.

– À l'époque, c'est elle qui a arrêté son bras. Peut-être qu'il espère secrètement qu'elle pourra l'arrêter aujourd'hui. À moins que... »

La psychiatre hésita.

« Oui ?

– À moins qu'il ne veuille en finir. Une bonne fois pour toutes. La vie a été d'une cruauté sans nom pour Telly Ray Nash et sa sœur, alors il va y mettre un terme pour tous les deux. »

28

Le sentier qui montait au lieu de campement préféré de Frank Duvall partait de la route, traversait une prairie d'herbes hautes, s'enfonçait dans les sous-bois, puis montait en ligne droite jusqu'à un éperon rocheux depuis lequel, d'après Henry, on jouissait d'un des plus beaux points de vue sur l'océan. Ce sentier ne figurait sur aucune carte. Comme beaucoup d'autres dans cette forêt, il avait très probablement été frayé par des cervidés lors de leurs pérégrinations à flanc de montagne. Dans son enfance, Cal avait passé un nombre incalculable de jours à explorer de nouveaux itinéraires en pleine nature. Visiblement, on pouvait en dire autant de Frank Duvall.

Puisqu'il s'agissait d'agir en toute discrétion, ils n'avaient pris qu'une seule voiture, qu'ils avaient garée à un petit kilomètre du départ du sentier, sur le parking d'un magasin d'articles de pêche. Car c'était la deuxième qualité du bivouac préféré de Frank : il se trouvait juste au-dessus d'une rivière poissonneuse, comme ça, le menu du dîner était tout trouvé.

Un des enquêteurs avait demandé au patron du magasin s'il n'aurait pas vu un jeune correspondant au signalement de Telly. Non, avait répondu l'autre. Mais Cal avait vu son regard se dérober, puis monter nerveusement vers l'écran de télévision.

Cal n'était qu'un modeste fabricant de fromage et non un spécialiste, mais il trouvait quand même ça louche.

Non pas que cela ait beaucoup d'importance, de toute façon. Leur nouvelle équipe de recherche (Cal, Molly la chienne, Deb la maîtresse-chien et les nouveaux flanqueurs du SWAT, Darren et Mitch) avait un plan et elle allait s'y tenir.

Au départ du sentier, Molly s'était assise, ce qui voulait dire qu'elle avait détecté une piste humaine. Deb avait alors donné à la chienne le signal de la suivre et Molly s'était aussitôt engagée sur la fine coulée sinueuse.

D'après Deb, Molly la Bâtarde continuerait son petit bon-homme de chemin, avec sa curieuse démarche chaloupée, jusqu'à ce que l'odeur atteigne un certain seuil d'intensité. À ce moment-là, Molly se coucherait pour leur indiquer que l'individu en question se trouvait droit devant eux.

Restait à espérer qu'elle leur donnerait cette information avant que leur suspect n'ouvre le feu.

À son grand dam, Cal était nerveux. Il n'avait pas l'habitude d'être aussi crispé en forêt, l'endroit au monde où il s'était toujours senti le plus dans son élément. Et cette coulée de cerf magnifique offrait le meilleur d'une randonnée dans le nord de la côte Pacifique. Quelques minutes après avoir quitté l'asphalte blanchi par le soleil, ils pénétrèrent dans une cathédrale ombragée, une forêt profonde tout en pins immenses, tapis de mousse épaisse, buissons de fougères luxuriants. Il y faisait plus frais. L'odeur était plus agréable aussi, ça sentait le vert. D'accord, le vert n'était pas une odeur, mais ça aurait dû l'être. Pour Cal, la forêt avait tou-jours senti le vert foncé.

Il en voulait d'autant plus à leur fugitif. À cause de lui, dans ce temple à ciel ouvert, il entendait encore résonner les échos de coups de feu, suivis des cris de ses coéquipiers.

Il avait la tremblote. Lui dont les mains ne tremblaient pourtant jamais.

Il repéra une trace sur un tronc d'arbre droit devant lui et fit signe à l'équipe de s'immobiliser. Le pin, un spécimen relativement jeune, était grand et mince : il avait dû s'étirer vers le ciel pour trouver du soleil. La plupart de ses branches basses avaient disparu : soit elles étaient tombées, soit elles avaient été élaguées par des randonneurs pour rendre le petit sentier plus praticable. Tout cela n'expliquait pas l'entaille blanchâtre visible à hauteur d'épaule.

Cal explora la plaie du doigt et y trouva des gouttelettes de résine poisseuse : un baume cicatrisant sécrété par l'arbre. La plaie était récente, aucun doute.

L'équipe attendait : les deux nouveaux tireurs d'élite du SWAT ne quittaient pas la forêt des yeux ; Deb se penchait vers Molly pour lui gratouiller les oreilles. La chienne avait profité de la pause pour s'asseoir, pattes avant écartées, et, tendant son cou épais, elle étirait sa gorge blanche au-dessus de son gilet noir et s'appuyait contre la jambe de sa maîtresse avec un grognement de satisfaction.

« Vous êtes sûre que c'est un chien, ce truc ? demanda Cal tout en continuant d'examiner l'arbre.

– Je l'ai personnellement sortie d'un repaire d'héroïnomanes.

– Ça pourrait expliquer deux ou trois choses.

– Comme quoi ? Qu'elle soit une survivante ? La première fois que je l'ai vue, elle n'avait que la peau sur les os. Elle ne ressemblait à rien avec sa tête énorme et son corps émacié, d'où son surnom de Molly la Bâtarde. Elle était aussi en gestation. En fait, elle attendait sept petits et, vu son état, personne ne pensait qu'ils s'en sortiraient. Mais elle a réussi. Elle a donné naissance à sept magnifiques chiots, dont elle s'est occupée tous les jours, même quand elle n'était pas au meilleur de sa forme. Les chiots ont facilement trouvé des familles d'adoption. Mais une croisée pitbull d'un an ? L'avenir de Molly s'annonçait moins rose. Alors j'ai décidé de la prendre. Juste comme chienne de compagnie. J'étais déjà en train de dresser un chien de recherche, un labrador d'un an.

» Je l'ai toujours, d'ailleurs. Sauf qu'aujourd'hui c'est lui qui est devenu chien de compagnie et Molly, qui avait assisté à toutes les séances de dressage, lui a volé la vedette. Avec les chiens de travail, la race n'est qu'un point de départ. C'est le cœur qui compte avant tout et notre Bâtarde a justement un cœur gros comme ça.

– Je parie qu'elle ronfle, dit Cal.

– Comme une locomotive, confirma Deb. C'est quoi, cette entaille ?

– Vous voyez le bois blanc ? Une plaie récente. L'arbre commence à peine à cicatriser. C'est la hauteur de cette trace qui la rend intéressante. Vous pourriez avancer de quelques mètres ? »

Il ne voulait pas passer devant elles au risque de brouiller la piste olfactive que suivait ce phénomène de Molly la Bâtarde. Deb obtempéra et avança sur le chemin avec la chienne. Cal put alors se coller au tronc, constater que la marque se situait à mi-hauteur entre le coude et l'épaule. On aurait presque dit...

« Le canon d'une carabine », suggéra Darren derrière lui.

Cal se retourna vers l'officier des forces spéciales qui remplaçait Antonio. « C'est aussi ce que je me disais. Le gamin est en train de monter en se coltinant sac à dos, tapis de sol, plusieurs boîtes de munitions. Et à tout ça, il faut ajouter trois carabines. » Cal fit la grimace. « Évidemment, il pourrait en porter deux en bandoulière dans le dos. Mais la troisième, je parie qu'il la tient dans ses bras, prête à faire feu. Donc la bouche du canon devait se trouver à peu près... » Il posa le bout des doigts sur l'entaille fraîche.

Tous gardèrent le silence un moment, les deux flanqueurs toujours sur le qui-vive, fouillant la pinède du regard.

« Il faut le surprendre, dit finalement Deb.

– Voilà, confirma Cal. Il suffit d'arriver en catimini au campement, de s'emparer des armes et d'arrêter notre tueur de masse. Fastoche. »

À mi-pente, la radio de Cal se manifesta. Il fit signe au groupe de s'arrêter et s'écarta pour répondre à l'appel du shérif Atkins, le volume au minimum.

« Vous en êtes où ? demanda Shelly.

– La chienne a l'air de penser qu'elle suit une piste humaine. Les particules olfactives aériennes se déposent en huit à douze heures, donc d'après Deb, cela signifie que quelqu'un a dû passer ici aujourd'hui.

– Vos impressions ?

– La piste est difficile à lire. Un tapis moelleux d'aiguilles de pin. Super pour la marche, mais pas génial pour les empreintes. J'ai trouvé une entaille fraîche dans un arbre, des creux dans des zones moussues, alors j'imagine que je suis d'accord avec Molly : à un moment de la journée, un être humain est passé par ici.

– On a visionné, comme vous le suggériez, les images d'une caméra installée sur un sentier du coin, l'Umatilla. Il ne conduit pas au campement, mais passe juste à l'est. Malheureusement, comme le but de cette caméra est de recenser la faune, elle filme les gens au niveau de la cheville. Nous avons vu les pieds de plusieurs groupes de marcheurs, certains qui allaient par deux. Mais pas de randonneur isolé.

– Ce qui ne veut pas dire que Telly ne soit pas allé au campement. Seulement que, s'il l'a fait, il a emprunté un autre itinéraire.

– Exact.

– Votre sentier, l'Umatilla, il figure sur les cartes de randonnée ?

– Oui.

– À sa place, je l'aurais aussi évité. Les sentiers répertoriés sont très fréquentés en cette saison. Mieux vaut rester sur des chemins de traverse moins connus, comme celui sur lequel nous sommes. Apparemment, Frank Duvall connaissait bien la région et transmettait son savoir à ses fils. »

Pas de réponse du shérif.

« Autre chose que je devrais savoir ? demanda Cal.

– D'après le fils, il y a deux, trois autres lieux de campement qu'on pourrait aller voir après celui-ci. Ils sont beaucoup plus loin, mais maintenant que Telly se déplace en quad, pourquoi pas.

– On finira par avoir une touche, dit Cal. Bien sûr, la piste refroidit, mais tôt ou tard, on la chope toujours. Souvenez-vous qu'il va avoir besoin d'eau. Même s'il n'est pas dans ce campement, on le retrouvera. »

Le shérif ne dit rien. Était-elle pensive ? Inquiète ?

Cal n'avait jamais travaillé avec elle, mais il la connaissait de réputation – il savait qu'elle avait à elle seule sorti un agent du FBI d'un bâtiment en flammes. Et il avait vu dans son cou les cicatrices luisantes qui confirmaient l'histoire.

Une femme solide, se dit-il. Et intéressante.

« Rappelez-moi dans trente minutes », dit-elle.

Cal répondit par l'affirmative.

Et ils reprirent une nouvelle fois l'ascension.

Molly la Bâtarde se coucha.

D'un seul coup. Elle s'arrêta net, sans transition.

Elle ne se laissa pas tomber d'épuisement, ce que Cal aurait parfaitement compris après cette marche forcée. Elle se tapit, plutôt. Son corps au torse puissant était à terre mais tendu, les oreilles dressées, et aussitôt elle tourna les yeux vers la maîtresse-chien. Deb leva la main, mais ce n'était pas nécessaire : à la seconde où la chienne s'était immobilisée, le reste de l'équipe en avait fait autant. Jusque-là, Cal ne voyait guère en cet étrange animal qu'une machine à baver. Mais à cet instant, son côté pitbull lui apparut clairement. Et ce regard qu'elle avait lancé à Deb...

Molly était prête à mourir pour sa maîtresse. Elle avait rempli la première partie de sa mission en suivant la piste jusqu'à ce que la cible se profile droit devant. À présent, elle se préparait pour l'étape suivante.

Cal prit en main le fusil qu'il portait en bandoulière pendant que les deux officiers du SWAT passaient à l'action. Repérage. Recueil d'informations. D'accord, il y avait un individu dans la clairière, mais y en avait-il plusieurs et quel était leur degré de préparation ? Pour répondre à ces questions, Darren choisit un arbre à grosses branches, un des rares feuillus du secteur. Mitch, son partenaire, plus petit, plus jeune, entreprit d'y grimper, sautant d'un rocher sur la branche la plus basse. Sans un mot, il se hissa vers le faîte à la recherche du meilleur poste d'observation. Puis, s'arrêtant enfin, il s'adossa au tronc, prit ses jumelles et fit la mise au point sur le campement.

Il leva un doigt : une cible.

Darren hocha la tête et Mitch cala la crosse de son fusil au creux de son épaule : son poste d'observateur était devenu un poste de tireur embusqué.

On leur avait donné l'autorisation de faire usage de leurs armes avant même qu'ils ne se mettent en route. Capturer le suspect vivant restait préférable. Mais vu ses antécédents et ce qu'il avait fait à la précédente équipe lancée à ses trousses...

Saloperie de fugitif, se dit Cal. Saloperie de journée.

Et ses mains se remirent à trembler. Lui dont les mains ne tremblaient jamais.

Fabricant de fromage. Pisteur. Et maintenant, ça.

Darren rassembla Cal et Deb autour de lui. Cette situation tactique était de son ressort, ils l'écoutèrent donc attentivement lorsqu'il esquissa une carte au sol pour illustrer leur stratégie. Pendant que Mitch les couvrirait depuis l'arbre, ils se déploieraient en éventail, s'approcheraient en même temps du bord de la clairière et, à son signal, donneraient l'assaut.

Darren regarda Molly, puis Deb, en levant un sourcil interrogateur. De toute évidence, il voulait que Molly passe la première : il est en effet très intimidant d'être chargé par un chien policier, surtout quand celui-ci n'offre qu'une cible de taille réduite. Avec un peu de chance, Molly aurait mis leur tireur hors d'état de nuire avant qu'eux-mêmes ne soient sortis du bois. Au minimum, elle aurait fait diversion le temps qu'ils entrent en action.

Deb accepta, une main posée sur la tête carrée de Molly. Une femme policière. Une chienne policière. Mais Cal devinait que si jamais l'assaut devait mal tourner, la perte subie par l'une ou l'autre ne serait pas seulement d'ordre professionnel.

Il gardait son fusil bien en main devant lui. C'était lui qui avait sollicité cette mission. Pour son équipe. Pour sa ville. Il pouvait le faire.

Encore des signes de la main, encore des traits dans la terre et ce fut bon : ils avaient un plan. Deb et Molly prirent le sentier. Darren partit vers la gauche. Cal vers la droite.

Et ils procédèrent à la dernière phase d'approche.

Cal s'arrêta deux fois pour éponger la sueur de son front. Était-ce la chaleur croissante, la tension grandissante ? Il ne savait pas. Mais il eut soudain la conscience aiguë que sa chemise de randonnée préférée collait à son torse et que des torrents de transpiration dégoulinaient de son front. La forêt n'était plus un sanctuaire frais et ombragé. Il ne sentait même plus l'odeur de vert.

Contournant les rochers sans bruit, traversant à pas légers les buissons de fougères qui lui arrivaient aux genoux, il eut l'impression qu'un silence surnaturel était tombé sur le monde. Cela sentait la terre, la pourriture, la décomposition. L'odeur de la mort. Son imagination devait lui jouer des tours.

Il n'avait jamais tiré sur personne. Il n'avait même pas de goût pour la chasse. Marcher dans les bois avait toujours suffi à son bonheur.

Voilà ce qui arrive quand on fait trop de bénévolat, se dit-il avec humour.

Une branche craqua au loin à gauche. Darren. Ce type avait intérêt à être bon tireur, pensa Cal avec amertume, parce que pour ce qui était de se déplacer discrètement, zéro.

Et ensuite, forcément, un sifflement, haut dans le ciel. Mitch qui leur signalait que leur cible, alertée par le bruit, se déplaçait.

Presque aussitôt le chant d'oiseau de Darren en réponse et ensuite...

Un grondement sourd, un roulement de tonnerre : Molly qui fonçait sur le sentier. Aboyant à tout-va, l'ancienne pensionnaire de refuge devenue fidèle chienne d'intervention chargeait le campement.

Cal ne s'autorisa plus à réfléchir. Il repéra une brèche entre les fourrés et plongea vers la folie.

29

Tout se passa comme dans un brouillard. Cal vit moins la scène qu'il ne l'entendit. Le craquement sec de branches cassées, des agents qui surgissaient des fourrés. Des aboiements : ceux de Molly la Bâtarde, graves et furieux. Puis le cri d'effroi d'un homme et l'ordre sans appel de Deb : « Arrêtez-vous. Police. »

Encore des aboiements, encore des éclats de voix, et Cal lui-même s'arrêta en dérapage contrôlé dans la clairière, fusil devant lui, son sang cognant dans ses oreilles. Embuscade, coups de feu, cris de terreur : il s'était préparé à tout, il s'attendait à tout. L'adrénaline coulait à flots dans ses veines, et autre chose encore. Une rage. Primitive et sauvage, parce que ce gamin avait tiré sur ses collègues. Parce que lui-même avait foiré et emmené son équipe dans la ligne de mire d'un tueur.

Nonie (une grand-mère !) avait poussé un cri en s'effondrant. Un cri sans fin. Et ensuite Antonio. Et lui-même en avait été réduit à se jeter à terre pour laisser passer l'orage.

Il tomba sur le râble du jeune homme sans bien savoir ce qu'il faisait et lui enfonça le canon du fusil dans l'arrière du crâne. « Lâche ton arme ! Lâche ton arme ! Lâche ton arme ! »

Puis il reprit conscience de la situation. D'un seul coup.

Molly lui apparut, campée sur ses pattes raides de l'autre côté de l'homme roulé en boule, puis Deb derrière sa chienne, et Darren à trois pas sur la droite de Cal. Aucun d'eux ne regardait la silhouette apeurée. Tous dévisageaient Cal avec de grands yeux.

Une supplique monta de l'homme pelotonné à ses pieds.

« Tirez pas, monsieur. Je vous jure, je vous jure. Tirez pas. »

Cal rassembla ses esprits et se rendit compte qu'il tremblait comme une feuille. Un homme au bord de la crise de nerfs.

Très lentement, très précautionneusement, il s'écarta.

Le choc, se dit-il. Un deuil et une colère à retardement après les événements de la matinée. Peut-être même le stress post-traumatique, si ce syndrome pouvait apparaître dans les heures qui suivent un incident. Pourquoi pas ? Il était juste fabricant de fromage et pisteur. Jamais au cours de leur formation on ne leur apprenait à gérer le fait de devenir soi-même une cible. Ni ce qu'on ressentait en voyant ses coéquipiers tomber comme des mouches.

Fabricant de fromage. Pisteur de fugitif. Et maintenant, pensa-t-il, autre chose encore.

Deb prit la direction des opérations. Sa chienne, sa prise.

« Les mains en l'air ! », dit-elle sur un ton qui n'admettait pas la réplique.

L'homme était recroquevillé sur ses genoux. Un sac de randonnée camouflage cachait presque tout son dos. Il avait les bras repliés sur la tête dans un geste de protection. Probablement plus en réaction aux aboiements forcenés de Molly qu'à leur propre assaut. Il leva aussitôt les bras au ciel.

« Redressez-vous, très lentement. Restez à genoux ! Redressez seulement le buste. »

Docilement, l'homme obéit. Le gamin, plutôt. Même pas vingt ans, des cheveux blond sale, un tee-shirt vert foncé collé par la sueur. Ce n'était pas Telly Ray Nash.

Juste un randonneur terrorisé qui, à vue de nez (c'était le cas de le dire), venait de se pisser dessus.

« Putain de merde, dit-il tout bas. C'était quoi... Je vous jure. La vache. Je vous jure.

– Votre nom ? aboya Darren.

– Ed. Ed Young.

– Qu'est-ce que vous faites ici, Ed ?

– De la randonnée, quoi. Enfin, juste... pour échapper à la chaleur. Je pensais camper cette nuit. Me baigner dans la rivière, me rafraîchir.

– Tout seul ?

– Ouais... bien sûr. » Son regard se déroba.

À point nommé, Molly se mit à grogner.

« J'ai pris mon portable, ajouta l'autre à la hâte. J'aurais peut-être appelé des potes pour qu'ils me rejoignent. Mais, là, pas moyen, parce que regardez : ici, c'est toujours premier arrivé, premier servi, et quelqu'un était là avant moi. Pas de bol, hein ? »

Pour la première fois, Cal embrassa la clairière du regard. Une sorte de campement sauvage. Les restes calcinés d'un foyer au milieu d'un rond de pierres, non loin de leur cible agenouillée. Plus loin sur la gauche, une plate-forme bricolée avec de vieilles palettes en bois, sur laquelle se trouvait actuellement un petit tas de matériel. Les palettes étaient là pour éviter aux campeurs et à leurs affaires de se retrouver dans la boue en cas d'intempéries – astuce assez classique sur la côte du Pacifique nord, où il pleut plus souvent qu'à son tour.

D'un signe de tête, Darren invita Cal à aller examiner les objets. Celui-ci se dirigea donc vers la plate-forme, en ayant soin de chercher au sol tout indice ou trace de pas qu'il aurait besoin de signaler pour la suite de l'enquête. Mais l'épais paillis d'aiguilles de pin conservait ses secrets. Il faudrait être plus heureux avec le matériel.

« Tapis de sol, annonça-t-il en commençant à trier la pile de la pointe du fusil. Tente. Sac à dos. »

Il s'agenouilla. La tente était encore pliée et rangée dans sa housse de transport en nylon vert. Il distingua une inscription noire sur le bord. « F. Duvall », lut-il avant de lancer un regard vers Darren.

« Frank Duvall. C'est à lui. On a trouvé le camp de base. »

Darren se retourna vers le jeune. « Qui avez-vous vu ? demanda-t-il sévèrement.

– Hein ? Qui ? Mais j'ai vu personne, moi. Je viens juste d'arriver, j'ai vu le matos et après c'est comme si la forêt avait explosé. Ce chien… » Il jeta un regard vers Molly, toujours au garde-à-vous, et frissonna. « Écoutez… sérieux, je ne sais pas ce que c'est, l'embrouille, mais c'est pas moi. »

Même Cal en déduisit que le gamin n'avait pas la conscience tranquille.

Darren était apparemment du même avis. Il releva son fusil sur sa poitrine et se donna une contenance intimidante.

« Quel âge avez-vous, Ed ?

– Dix… dix-neuf ans.

– Vous êtes du coin ? Vous avez grandi ici ?

– Ouais.

– Vous allez au lycée de Bakersville ?

– Ouais.

– Vous connaissez un élève, Telly Ray Nash ? »

Froncement de sourcils : « Non.

– Vraiment ? Vous n'avez jamais entendu son nom ?

– Non. En même temps, le bahut est grand.

– Même pas ce matin ? Aux informations ?

– Il s'est passé quoi, ce matin ? » Le garçon avait l'air tellement perdu que, pour une fois, Cal le crut.

« Vous avez marché combien de temps, Ed ? » Encore une question de Darren.

« Je suis parti à l'aube. À six heures, pour éviter les grosses chaleurs, mais sérieux, avec la canicule, même à cette heure-là il faisait trop chaud.

– Quel sentier ? intervint Cal.

– L'Umatilla. J'ai laissé ma voiture à quelques kilomètres au nord et je suis monté à pied. »

Donc il n'avait pas pris le sentier emprunté par l'équipe de recherche, qui avait donc dû suivre la trace de Telly Ray Nash.

« Vous avez démarré à six heures du matin et vous arrivez seulement ? continua Cal. Vous faites le concours du randonneur le plus lent du monde ou quoi ? »

L'autre rougit. « J'ai pris mon temps. Profité du grand air, vous voyez. » Il voulut écarter les bras pour désigner les arbres majestueux et le paysage grandiose autour de lui, mais Molly gronda. Aussitôt les bras remontèrent à la verticale.

Deb, derrière Molly, se pencha vers lui pour le renifler. « Je dirais que vous n'avez pas respiré que du grand air, observa-t-elle avec ironie.

– Hé, sérieux, j'ai une ordonnance », répondit l'autre aussi sec. Génial, pensa Cal : ils cherchaient à coincer un tueur et voilà qu'ils se retrouvaient avec un fumeur de joints à moitié défoncé.

« Vous avez croisé d'autres randonneurs ? demanda-t-il. Sur les sentiers ?

– Ouais, c'est clair. On est en août. Ça grouille de monde. C'est pour ça que j'ai eu l'idée de monter ici. Un coin pas indiqué sur les cartes, vous voyez. Faut être d'ici.

« – Est-ce que vous auriez croisé un homme seul ? À peu près de votre âge.

– Je sais pas, moi.

– Réfléchissez mieux, dit Darren, esquissant un petit pas menaçant vers lui.

– Non ! Sûr que non. Des groupes, oui. J'en ai vu trois ou quatre, un petit couple... un vieux avec un chien. Mais un gars tout seul comme moi... non.

– Un quad ? suggéra Cal. Est-ce que vous en auriez vu ou entendu un dans les parages ? »

Ed les regarda avec incompréhension. « Il n'y a pas de quad par ici. Les sentiers ne sont pas assez larges. »

Cal confirma. L'Umatilla était réservé aux marcheurs. Le suivre avec un véhicule aurait été difficile et, étant donné le flot soutenu de randonneurs, voyant. Quand il voudrait monter au campement, Telly serait donc forcé de le laisser quelque part. Ou d'arriver par une autre voie. Lui-même adepte de la marche, Cal ne connaissait pas bien le réseau des sentiers accessibles aux véhicules récréatifs.

Le plus probable était que Telly était monté ici à la première heure par le même chemin moins fréquenté qu'eux. Dans ce cas, il n'avait à aucun moment croisé l'Umatilla. Une fois son matériel déposé, il avait dû redescendre par le même itinéraire pour récupérer sa voiture. Arrêt suivant : la station EZ Gas, pour un nouveau carnage.

Une question s'imposait : si Telly était venu ici déposer ses affaires de camping en prévision de l'avenir, y avait-il aussi caché les armes à feu manquantes ?

Cal regarda Darren et vit que l'officier du SWAT en était arrivé à la même conclusion.

Celui-ci poussa un sifflement, qui fit descendre Mitch de son perchoir. Et, tandis que Molly la Bâtarde tenait leur randonneur tout tremblant à l'œil, ils ratissèrent pour de bon le secteur.

Une mallette de transport pour carabine était un objet franchement encombrant. Dans la mesure où Telly avait été filmé avec un pistolet, puis avait tiré sur l'équipe de Cal à la carabine, deux armes de poing et deux armes longues restaient à localiser. Cal imaginait que, pour plus de facilité, Telly avait pu les fourrer dans un seul grand sac polochon et utiliser la place restante pour des boîtes de munitions. Une lourde charge, surtout qu'il portait de surcroît un sac à dos à armature métallique, une tente et un sac de couchage.

À son arrivée, Telly avait dû être soulagé de se délester de son fardeau. Sac à dos, tente et sac de couchage se trouvaient sur la palette en bois. Mais *quid* d'un sac polochon ? Ou d'une mallette pour arme longue, quelque chose ?

Darren et Deb se chargèrent du campement et Mitch se concentra sur les arbres, au cas où Telly aurait eu l'idée de planquer ses armes en hauteur.

Cal en revint à sa spécialité : chercher des traces (fougères écrasées, branches cassées, éraflures fraîches sur les troncs moussus), tout ce qui pourrait indiquer dans quelle direction Telly avait quitté la clairière en quête d'une cache plus discrète. Mais une fois de plus, l'épais tapis d'aiguilles lui rendit la tâche presque impossible.

Ils élargirent progressivement le périmètre des recherches, en procédant par cercles concentriques. Il faisait chaud, la besogne était fastidieuse…

Et ne donna strictement aucun résultat.

Ils retournèrent à leur fumeur de shit et vidèrent son sac à dos, au cas où il aurait trouvé les armes avant eux. Toujours rien.

Deux carabines, deux pistolets, des boîtes de munitions en pagaille : tout cela ne pouvait pas s'être purement et simplement volatilisé.

Et pourtant.

Ils avaient trouvé le camp de base de Telly Ray Nash, mais pas la moindre trace de son arsenal.

Ordres du PC : remettre le campement dans l'état où ils l'avaient trouvé, poser les caméras et se replier. En l'absence de témoignage permettant de localiser Telly (ou même un homme seul en quad), ils n'avaient aucun moyen de savoir s'il se trouvait dans les parages. Or le shérif Atkins était catégorique : la prochaine fois qu'ils rencontreraient le fugitif armé, elle tenait à ce que cela se passe selon leurs conditions – par exemple, lorsqu'il aurait regagné son campement et que, se croyant enfin en sécurité, il serait dans les bras de Morphée.

Mais Cal ne l'entendait pas de cette oreille. Maintenant qu'ils avaient établi ce qui ne se trouvait pas dans le campement (les armes), il voulait qu'on lui laisse une chance de découvrir les indices qui s'y trouvaient. Or il reconnaissait une qualité au shérif : au moins, elle savait écouter. Après une petite guerre de tranchées, ils s'entendirent sur un compromis : Deb et sa chienne allaient redescendre le randonneur récalcitrant au PC, où le shérif et ses enquêteurs le cuisineraient plus en détail. Mitch remonterait dans son arbre : depuis ce poste d'observation et à l'aide de ses jumelles, il pourrait détecter Telly bien avant que l'autre ne les repère si jamais il s'approchait. Et, pendant que Darren monterait également la garde, Cal fouillerait le campement aussi vite et bien que possible.

« Après vous dégagez, insista Shelly.

– Ça marche. Mais soit dit entre nous, rien n'indique que Telly soit dans les environs. Or on va avoir besoin d'autant d'informations que possible sur ce garçon.

– Prenez des photos. Avant, pendant et après la fouille. Et remettez tout exactement dans l'ordre où vous l'avez trouvé. Il ne faut pas lui faire peur. Lancer une attaque-surprise à son retour est notre meilleure chance d'en finir.

– J'ai des capacités d'observation exceptionnelles, vous vous souvenez ? Je crois que c'est dans mes cordes.

– Vraiment ? Dans ce cas, qui se trouve juste derrière vous ?

– Hein ? » Cal se retourna brusquement et découvrit personne.

À l'autre bout de la radio : « Je vous ai eu. » Puis plus sobrement : « Vite fait, bien fait. Ne traînez pas. Je suis sérieuse. On a eu assez de dégâts pour aujourd'hui. »

Deb et Molly partirent avec Ed, qui planait à moitié. Molly, toujours sur la brèche, fixait sa prise avec ses yeux noirs. Elle ne ressemblait plus à une fidèle compagne qui vous souriait, la langue pendante. Plutôt à une prédatrice qui se léchait les babines.

Une fois débarrassés du civil, Mitch retourna se percher dans son arbre et Darren se posta accroupi derrière un buisson de fougères, partageant son attention entre le sentier par lequel ils avaient rejoint la clairière et la zone où passait l'Umatilla, par lequel Ed était arrivé.

Cal se mit au travail. En commençant par le matériel de camping. Même s'il avait frimé devant le shérif, il savait qu'elle avait raison : ils ne pouvaient pas se permettre d'effaroucher leur suspect en laissant voir que sa base opérationnelle était découverte. Cal avait envie de croire qu'il était capable de battre un ado au jeu du plus malin, mais il fallait reconnaître que celui-là était futé. Depuis les premiers meurtres,

Telly avait fait preuve à chaque étape d'un sens stratégique étonnant. Cal eut donc la sagesse de prendre une photo de la pile de matériel à laquelle il pourrait se référer pour tout remettre en place.

Il commença par le sac de couchage, qu'il déroula entièrement pour en inspecter tant l'intérieur que l'extérieur. Il en suivit les coutures, sans bien savoir ce qu'il cherchait. N'importe quel indice susceptible de l'aider à coincer un assassin. Quand il fut prouvé que le sac de couchage ne contenait rien d'autre que du nylon et de la flanelle, il le roula et le remit à sa place sur la palette.

Le sac de randonnée à armature métallique comportait une multitude de poches, sangles et autres lanières. Cal progressa de l'extérieur vers l'intérieur, en commençant par une pochette qui contenait tout l'équipement de base du marcheur : trousse de premiers secours, cartes topographiques, etc. Un assortiment familier à Cal, qui avait le même dans son sac.

Ensuite il découvrit, dans une poche intérieure, des barres de céréales, deux clémentines et un sachet de ce qui avait dû être des amandes enrobées de chocolat mais n'était plus qu'un infâme magma. Deux bouteilles d'eau. Notoirement insuffisant par ces températures, ce qui donna un peu d'espoir à Cal. Quand Telly aurait consommé ces bouteilles, ce qui ne saurait tarder, il serait obligé de chercher du ravitaillement.

Dans le compartiment principal du sac, Cal fit sa première trouvaille surprenante : des livres. Telly, en partance pour une équipée meurtrière, avait emporté... des livres.

Cal voulut les sortir du sac, mais se ravisa et prit d'abord rapidement une photo. Telly le remarquerait-il, si Cal ne les replaçait pas dans le bon ordre ? Mieux valait être prudent.

Premier livre que sortit Cal : un mince volume pour enfant, *Clifford le gros chien rouge*. Emprunté à la bibliothèque municipale de Bakersville. À en croire la dernière page, il aurait dû être rendu depuis douze jours. Cal en resta pantois. Un adolescent avec un album illustré ? Il photographia la couverture, puis la page avec les coordonnées de la bibliothèque.

Enchaînons. Plusieurs petits carnets de notes à spirale. Premier prix, le genre qu'on trouve dans n'importe quel magasin de fournitures de bureau. Il en compta cinq, prit celui du dessus, l'ouvrit à la première page et fut une nouvelle fois cueilli. Pas de texte, mais une photo, format 11 × 15. Un gros plan d'un nourrisson enveloppé dans une couverture bleue, dans les bras d'une femme dont on ne voyait que le profil car elle regardait le nouveau-né. Telly avec sa mère ? Aucune légende, juste la photo aux couleurs fanées par le temps, scotchée en plein milieu de la page.

Cal était décontenancé d'avoir sous les yeux une image aussi banale. Un bébé, adorable et innocent. Une maman, heureuse et tendre. Quand on pensait que, dix-sept ans plus tard, le poupon était devenu un garçon déterminé à tous les exterminer...

Lentement, Cal feuilleta le carnet ; armé de son téléphone portable, il photographiait page après page ; le bébé devint petit garçon, puis fut rejoint par un second bébé, dans une couverture rose.

Le petit garçon et la petite fille grandirent, sans qu'aucune légende ne donne de renseignements sur ces instants Kodak. Et pas de parents à l'horizon.

« Noonan, protesta Darren derrière lui.

– Je sais. »

Il accéléra le mouvement et alla à la dernière page de l'album : une seule photo, un homme relativement âgé. Floue, pas une image de très bonne qualité. Peut-être le père indigne ou, à en juger par le cheveu rare et grisonnant, un grand-père.

Toujours pas de légende. Juste un homme seul qui, à une époque, avait dû compter pour Telly Ray Nash.

Cal reposa l'album, passa aussitôt au carnet suivant. Telly pouvait débarquer d'un instant à l'autre et faire parler la poudre. Pire, il était peut-être terré depuis le début dans une planque qu'ils n'avaient pas découverte. Et à cette minute même, il calait la crosse de sa carabine au creux de son épaule et, après une profonde respiration, positionnait le réticule sur la nuque de Cal.

Les carnets. Encore quatre à examiner. Il choisit celui à la couverture verte. Et eut enfin la satisfaction d'y trouver ce qu'il cherchait : du texte. Toutes les lignes, la marge, le haut de la page, même les petits espaces entre les spirales étaient noircis de mots. Sans queue ni tête. Des bouts de phrases, des pensées répétitives. Sans doute pas toutes écrites au même moment, d'ailleurs. Sur certaines lignes, les lettres étaient plus grandes, brouillonnes, comme de la main d'un enfant de primaire. Alors que les mots surchargés d'encre entassés à l'intérieur de la spirale... il ne pouvait même pas les lire, pour la plupart. L'écriture était presque microscopique, très maîtrisée. Un Telly qui aurait grandi et qui, manquant de place à la fin du carnet, serait revenu à la première page pour finir de la remplir compulsivement ?

Cal prit une photo, se rendant compte que la page était beaucoup trop dense pour qu'un pisteur fébrile la lise alors qu'il risquait peut-être de se faire exploser le crâne.

Il accéléra, un carnet, l'autre, le suivant. Photo sur photo, pendant que Darren le pressait de se grouiller.

Il feuilleta les ultimes pages du dernier carnet, clic, clic, clic. Des indices pour la police, du grain à moudre pour le profileur à la retraite.

Et pour finir, il n'y tint plus : il baissa le téléphone et lut.

Il s'attendait à un chapelet de vitupérations ou de récriminations contre la terre entière. Peut-être même une liste de tous les affronts subis par Telly. Mais non, les dernières pages du dernier carnet faisaient écho aux murs de sa chambre : elles ne contenaient ni récit des événements de la journée ni réflexions métaphysiques, mais une litanie de mots :

Héros ou zéro. Qui suis-je ?

Protecteur. Destructeur. Protecteur. Destructeur. Protecteur.

Quel genre d'homme, quel genre d'homme, quel genre d'homme ?

L'écriture était plus appuyée sur les deux dernières pages. Les lettres très noires, comme si Telly était repassé plusieurs fois sur chaque mot, pas seulement pour remplir la page, mais pour graver son anxiété dans le papier.

Réfléchis, réfléchis, réfléchis, réfléchis, réfléchis, lisait-on.

Mais à quoi ? se demandait Cal.

Puis, sur la toute dernière page, un seul mot. Un engagement.

Héros.

Cal secoua la tête.

Il rangea tous les objets, reconstitua la nature morte sur la palette, puis posa les caméras à détecteur de mouvement. Après quoi, il héla ses flanqueurs, qui réapparurent à ses côtés, et ils reprirent le sentier.

Le scénario idéal : Telly regagnait d'ici peu son camp de base et déclenchait les caméras en déballant son matériel. Il s'assoupissait. Les forces d'intervention donnaient l'assaut et la ville pouvait de nouveau dormir sur ses deux oreilles.

Le scénario du pire : Telly ne revenait jamais au campement. Et ce meurtrier de masse qui se prenait pour un héros...

Pouvait être absolument n'importe où.

30

Luka pousse des gémissements sourds. Je ne peux pas lui en vouloir. Moi-même je suis éreintée et je ne sais plus très bien où je suis. J'ai l'impression que nous errons dans la forêt depuis une éternité. Nous avons suivi la rivière vers les sentiers de quad, vers mon frère l'assassin, vers peut-être rien du tout ?

Il est tard. Je le sais parce que je n'arrête pas de consulter mon téléphone. Je l'allume et je l'éteins aussitôt. Pour voir l'heure et bien sûr mes messages. Mais rien d'autre de Quincy ni de Rainie. Ce qui confirme ce que je soupçonnais depuis le début : le texto de Quincy m'annonçant que mon frère avait été arrêté était un mensonge. Je m'en doutais. Ben voyons, ils appréhendent un jeune soupçonné d'avoir tiré sur je ne sais combien de personnes et leur premier mouvement, c'est d'appeler sa sœur pour une réunion de famille ?

Je fais attention à ce qui se dit pendant nos dîners. Je sais qu'on a le droit de mentir à un meurtrier présumé ou à sa fille adolescente. Du moment que c'est pour la bonne cause. Mais le fait que j'aie sans doute raison ne me console pas. Ça me ferait plutôt de la peine. Et puis Quincy me manque. Parce qu'il m'aime assez pour mentir et que ça force mon respect.

Donc nous errons, Luka et moi. En suivant la rivière, pour ne pas nous égarer tout à fait. Et pour disposer d'eau en abondance pour Luka, condamné à porter un manteau de fourrure malgré la chaleur. De temps à autre, je nous donne un bout à manger, mais avec parcimonie parce que comme j'ignore où nous allons et combien de temps cela va nous prendre, je ne sais pas très bien comment rationner les vivres.

Luka a l'habitude de dîner à cinq heures. Pétantes. Dès quatre heures et demie, cinq heures moins le quart, il rôde dans la cuisine en regardant ostensiblement sa gamelle. Où cache-t-il sa montre ? Mystère. Mais il peut vous donner l'heure avec plus d'exactitude que n'importe quelle horloge parlante et depuis une heure environ, il est très agité.

Même si je n'ai pas une notion du temps aussi précise que la sienne, mon estomac gargouille. Une pause pour partager une barre de céréales. Luka ne fait qu'une bouchée de sa moitié. J'essaie au moins de savourer la mienne, mais le déjeuner est déjà loin. Et nous sommes accablés de chaleur, de fatigue... Le découragement pointe.

Il faut espérer un miracle, or ce n'est pas dans mon tempérament.

Du bruit. Il me faut un moment pour en prendre conscience. Lointain, un bourdonnement de ruche. Mais je m'aperçois que le son est continu et que le volume augmente. Ça se rapproche. Un moteur.

Un quad, à tous les coups. Nous avons donc rejoint les sentiers qui leur sont réservés. Aussitôt, me voilà électrisée, paniquée et terrifiée tout à la fois. Est-ce que c'est lui ? Est-ce ce frère que je n'ai pas vu depuis si longtemps qui vient dans notre direction ? Je l'ai retrouvé.

Qu'est-ce que je dis ? Qu'est-ce que je fais ?

Salut, tu te souviens de moi ? Non, ne tire pas !

Je presse le pas, malgré moi. Je suis tellement nerveuse et épuisée qu'il faut que je sois fixée. Même si c'est horrible, même si j'ai tout faux et que mon frère, le dernier représentant de ma famille, me tire dessus, eh bien, ce sera toujours mieux que de rester dans l'incertitude.

Comme je suis une idiote qui agit sans réfléchir (tout ce que Quincy et Rainie m'ont toujours reproché), je commence à trottiner, Luka sur les talons, vers la source du bruit.

Je rejoins le sentier juste au moment où un robuste quad noir arrive dans un hurlement de moteur et passe en trombe à côté de moi. Ma première impression : il ne s'agit pas d'un petit jeune, mais d'un grand gaillard baraqué, coiffé d'un casque, qui roule à tombeau ouvert. Puis, trois secondes derrière lui, un autre véhicule franchit le virage et passe comme un éclair. Deux potes qui s'en paient une bonne tranche.

Manifestement, mon frère n'est pas le seul taré dans cette forêt.

Et moi... je ne sais plus quoi faire.

Je suis venue. J'ai vu. Et je suis totalement au bout du rouleau. J'ai envie de rentrer chez moi, la tête basse, et de subir mon châtiment. Rainie, au moins, me prendra dans ses bras. J'aurais bien besoin d'un câlin à l'heure qu'il est.

Un grognement. Si grave qu'il me faut un moment pour l'entendre. Luka s'est raidi sur ses pattes à côté de moi. Il regarde fixement un buisson, un grondement sourd au fond de la gorge.

Je tique et je m'apprête à le faire taire, lorsque...

Je le découvre.

Immobile comme une statue, le visage strié de traînées marron et noires. On pourrait le confondre avec les broussailles ou l'arbre juste derrière lui, mais non. C'est mon frère.

Face à moi.

Une carabine. Je la vois sans la voir réellement. Dans la seconde qui suit, je tombe à genoux, je passe mes bras autour du cou soyeux de Luka, et mon chien de garde se met à aboyer de bon cœur. Chut, chut ! Il faut que je le fasse taire, que je le calme, mais je ne sais plus un mot de néerlandais et j'en suis réduite à me cramponner à mon chien et à faire barrage de mon corps en suppliant :

« Ne tire pas, ne tire pas. Ce n'est pas la faute de Luka. C'est moi qui l'ai obligé à venir. Mais c'est un bon chien. Le meilleur. Ne lui fais pas de mal, je t'en prie. Je t'en prie.

– Clifford », dit mon frère, d'une voix éraillée, comme rouillée.

Je hoche la tête sans comprendre. Ensuite mon néerlandais me revient suffisamment pour donner à Luka l'ordre de se mettre au repos. Il obéit, mais je devine à la raideur de son corps entre mes bras qu'il ne me croit pas. Je garde la tête enfouie au creux de son cou. Si mon frère doit nous tuer tous les deux, je ne veux pas voir ça. Je ne veux pas savoir que j'ai conduit mon chien à la mort.

Les secondes passent. Peut-être une minute entière. Comment savoir. Pour finir, je sens les muscles des épaules de Luka se détendre. Quand je relève la tête, je m'attends à ce que mon frère soit reparti. À ce qu'il se soit envolé de manière aussi spectaculaire qu'il est apparu.

Mais il est toujours là. Il n'a pas bougé d'un pouce. Avec son visage peinturluré, difficile de distinguer ses traits. Je vois surtout le blanc de ses yeux. Je me demande comment il a appris à se grimer aussi bien, à connaître les techniques de survie en milieu naturel. Et je me rends compte qu'il y a beaucoup de choses que j'ignore sur ce frère.

« Sharlah, dit-il.

– Telly. »

Et pendant un long moment, plus rien.

C'est Luka qui rompt le silence. Il gémit, me lèche le visage. Je me rends compte que je pleure et ça me gêne. Je m'écarte de Luka le temps d'essuyer mes joues. Quand je relève les yeux, mon frère est toujours là, les sentiers et les bois paisibles autour de nous.

« Je te cherchais, dis-je, parce qu'il faut bien que l'un de nous fasse le premier pas.

– J'ai appris que tu avais de nouveaux parents. Des flics. Tu aurais dû rester avec eux.

– Je ne voulais pas que tu leur fasses du mal. Ni qu'eux... » Je me force à le regarder dans les yeux. « Je ne voulais pas qu'ils soient obligés de t'en faire. »

Il ne répond pas. Il me regarde sans mot dire. Il tient mollement sa carabine. Je me demande si c'est avec cette arme qu'il a tiré sur ses parents, sur les gens de la station-service et sur les policiers. On dirait bien que mon grand frère a trouvé mieux qu'une batte de base-ball.

« Tes parents d'accueil, dis-je finalement. Pourquoi ? »

Il secoue la tête, comme s'il essayait de nier ce que je viens de dire.

« Et les inconnus, à la station-service. Qu'est-ce que tu fabriques, Telly ?

– Tu ne devrais pas être là.

– Mais j'y suis.

– Rentre chez toi.

– Sinon, quoi ? Tu vas me descendre ? » Je me grandis, fière de paraître si brave, même si je tremble intérieurement.

Mon frère me regarde encore et j'arrive enfin à déchiffrer son expression. Chagrin. Horreur. Tristesse. Une tristesse sans fond, infinie. C'est plus fort que moi : je tends la main vers lui.

En un éclair, il entre en action. Pointe la carabine droit sur moi. D'un bras qui ne tremble pas. C'est sûr, il a fait du chemin en huit ans.

Luka recommence à gronder et seuls mes doigts serrés sur son collier le retiennent.

« Merde, Sharlah...

– Tu veux que je te trouve une batte de base-ball ?

– Va-t'en. Rentre chez toi. Je ne plaisante pas ! Éloigne-toi de moi !

– Sinon quoi, tu tires ?

– Tu ne comprends pas...

– Explique-moi, alors.

– *Éloigne-toi de moi !*

– *Jamais !*

– Je vais tirer. Je te jure, je vais le faire.

– Vas-y !

– Espèce de petite... Pense à ton bras, Sharlah. Tu veux que je te casse l'autre ?

– Maman », dis-je.

Il reste interdit, le canon de la carabine se met à osciller au bout de son bras hésitant. « Quoi ?

– Maman », répété-je.

Il reste muet. Ça ne m'étonne pas.

« Je me souviens de maman, dis-je d'une voix ferme. Je me souviens de cette soirée. Et je sais, Telly, je sais pourquoi tu m'as cassé le bras. »

Je n'attends plus. Je lâche le collier de mon chien, j'avance droit au milieu des fourrés, droit vers la carabine. Je la repousse sur le côté, je pose mes mains sur les épaules de Telly et je lui dis ce que j'aurais dû lui dire il y a huit ans.

Je lui souffle au creux de l'oreille : « Je suis désolée, Telly. Tout était ma faute. Et je te demande pardon. »

J'enlace la taille fine de mon grand frère et je le serre dans mes bras pendant qu'il sanglote.

Telly s'écarte et se remet à marcher. Sans même lui poser la question, je trottine derrière lui, Luka sur les talons.
« Où est-ce qu'on va ?
— N'importe où pourvu qu'ils ne s'y attendent pas.
— Pas vraiment ce qu'on pourrait appeler un plan. On ne peut pas marcher indéfiniment. Surtout par cette chaleur. Et ce n'est pas pour me vanter, mais mes nouveaux parents sont rudement forts. Quincy a même essayé de me faire rentrer en prétextant qu'on t'avait retrouvé. Ça finira par arriver. »
Telly s'immobilise un court instant, me lance un regard. « Ils ont trouvé mon campement. C'est ça qu'il a dit ?
— Je... je ne me souviens pas. »
Il hoche la tête, recommence à marcher à grands pas au bord du sentier. « Je parie que c'est ça. Après la découverte des corps de Frank et Sandra, ils ont dû appeler Henry. Il a dû remarquer qu'il manquait des affaires de camping et, le connaissant, il n'a pas pu s'empêcher de leur indiquer le lieu de campement préféré de Frank. » Il hoche une nouvelle fois la tête, plus pour lui-même que pour moi. « Tant mieux.
— Tant mieux ? Est-ce que ça ne veut pas dire que la police a saisi tout ton matériel de camping ?
— On ne fait pas d'omelette sans casser des œufs. »
Je ne comprends rien à ce qu'il dit.
« Il me reste une pomme », proposé-je timidement. Telly porte un sac à dos bleu marine, à peu près de la même taille que le mien. Il paraît lourd, mais je suis trop froussarde pour lui demander s'il est plein de nourriture ou de munitions.
Telly refuse mon offre d'un signe de tête.

« De l'eau ? demande-t-il à la place.

– Une bouteille. » Je commence à retirer une bretelle de mon sac à dos, mais il fait encore non de la tête et passe derrière moi. Je sens diverses secousses lorsqu'il ouvre la fermeture à glissière de mon sac et que le poids se déplace pendant qu'il fourrage à l'intérieur. Après une petite éternité, il revient en face de moi avec la bouteille en plastique.

Moi, j'ai un bout de papier à la main. Mon numéro de portable griffonné sur une feuille de calepin. Je le lui tends sans un mot. Telly ne dit rien, le glisse dans sa poche.

Il lance ensuite un regard vers Luka. En réaction, mon chien retrousse les babines et montre de longs crocs blancs. Loin d'en être effrayé, mon frère hoche la tête avec satisfaction. « Il paraît que c'est un chien policier ?

– À la retraite. Genoux foutus.

– Il peut faire de la randonnée ?

– Ce genre de marche ne lui pose pas de problème. Et l'exercice est bon pour lui. J'ai encore des friandises pour lui et jusque-là il se désaltère en buvant dans les cours d'eau. Tu as un plan d'action ? »

Il ne répond pas. Presse le pas.

« Qu'est-ce que tu vas faire ? Continuer à arpenter la forêt en tirant sur le premier venu ? Ou est-ce que tu vas maintenant te contenter des forces de l'ordre ?

– Tu rentres chez toi quand tu veux, m'informe-t-il.

– Mais je sais où tu es.

– Non. Tu sais seulement où j'ai été à un moment donné. C'est comme le campement. Je savais que la police le trouverait. Je comptais bien là-dessus, en fait. Parce que maintenant ils concentrent leurs efforts là-haut, alors que je suis ici. » Il me jette un coup d'œil. « Tu t'y connais en techniques d'enquête ?

– Comme ci, comme ça, réponds-je, évasive. Des trucs dont j'entends parler au dîner.

– Moi, je sais ce que j'ai lu dans des livres. Quand elle recherche un individu, la police commence par interroger les gens qu'il fréquente habituellement. Mais dans mon cas, il n'y a personne. Alors elle a dû se retourner vers ma conseillère de probation, Aly. Vers Henry, bien sûr. Et vers toi, conclut-il en me lançant un regard.

– Mais je ne sais rien. » Puisque huit ans ont passé, mais je ne le précise pas.

« Comme tu dis, répond-il en continuant à marcher d'un bon pas.

– Je ne savais pas ce que tu étais devenu », dis-je finalement. J'ai du mal à ne pas me laisser distancer. Telly a bien poussé. Alors que je suis encore tout en bras et en jambes, lui, à dix-sept ans, est devenu un vrai gars. Grand, fort, peut-être beau, mais c'est difficile à dire avec le maquillage qui recouvre tout son visage. Je me demande s'il ressemble à notre père. Encore un point sur lequel je serais incapable de me prononcer, étant donné que je n'ai pas vraiment de souvenirs de nos parents. Dans mon enfance, mes premières années, Telly était le centre de mon univers. Le grand frère qui s'occupait de moi. Celui dont je croyais qu'il ne me quitterait jamais.

« Quand je suis sortie de l'hôpital, la dame m'a emmenée dans la première famille d'accueil. Je pensais que tu y serais. Je suis entrée pratiquement en courant, tellement j'étais impatiente de te voir. Mais... tu n'étais pas là. »

Telly ne dit rien.

« On t'a envoyé dans une autre famille ?

– Peu importe. Bon sang, Sharlah, c'est si vieux tout ça... »

Mes yeux piquent de nouveau. Je me retiens de pleurer. C'était ce que je voulais, retrouver mon frère, être avec lui.

Voir de mes propres yeux ce qu'il était devenu. Eh bien, j'y suis. Pour une fois dans ma vie, j'ai réussi à mener un projet à bien. Je ne vais pas pleurer maintenant.

« J'ai dit à la police, à la dame de l'hôpital, que tu nous avais protégés. Que papa avait un couteau et que c'était lui qui avait commencé. Et le jour de ma sortie... la dame m'a dit que tout irait bien pour toi. Que tu n'avais pas de problème. »

Telly s'arrête. Si net que je le dépasse de trois pas avant de pouvoir freiner mon propre élan.

« Oublie tout ça. Je ne suis plus ce garçon. Ça n'a pas d'importance.

— Dit l'ado qui tire sur tout ce qui bouge !

— Ça n'a aucun rapport !

— Alors ça a rapport avec quoi ? Tu as tué tes parents d'accueil. Des gens bien, m'ont dit Rainie et Quincy. Tu les as abattus dans leur lit.

— C'est ce que tu crois ?

— C'est ce qu'on m'a dit...

— Qu'est-ce que tu fous ici ?

— Pardon ? » Le changement de sujet me prend à contre-pied.

« Qu'est-ce que tu fous ici ? Tu veux me sauver ? Comme *la dernière fois* ? » Ses accents railleurs me blessent au plus profond de moi. Je me mets à trembler, sans pouvoir me contrôler. « Tu veux savoir ce qui arrive à un petit garçon de neuf ans qui tue ses parents à coups de batte, qui casse le bras de sa petite sœur ? Ils ont des foyers pour tout, ces gens de l'Assistance. Même pour les monstres dans mon genre. Et c'est là que je suis allé et que j'ai fait mon temps. Seul. Isolé. Et tous les soirs, quand je m'endormais, c'était l'occasion de rêver une fois de plus de notre cher papa. Et de maman. Sauf que parfois, dans mes rêves, papa arrive à ses fins. C'est nous qui mourons et lui qui gagne. D'autres fois, c'est maman qui attrape le couteau et qui nous pourchasse... Mais il y a une chose qui n'a jamais changé. Ton cri. Et c'est ça qui m'a réveillé toutes les nuits pendant des années. Ma petite sœur qui crie parce que je lui ai fracturé le bras avec une batte de base-ball. »

Il a le souffle court. Moi aussi.

« Rentre chez toi, Sharlah. Je ne sais pas ce que tu espères... mais c'est trop tard, pour nous deux. »

Il n'a plus l'air en colère. Défait, plutôt. Je fonds de nouveau en larmes. « Tu me manques, dis-je tout bas.

– Pourquoi ? Ça ne sert à rien.

– Je ne savais pas qui appeler. À qui demander. Cette première maison... ce n'était pas un endroit pour moi. » Ni la deuxième, ni la troisième ou la quatrième, mais quelque chose me dit que Telly connaît ça par cœur. Il a sa propre liste.

« Tu as fini par atterrir dans une bonne famille.

– Il s'était passé trop de temps. Je ne voyais plus comment demander de tes nouvelles.

– Tu sais quoi, Sharlah ? Moi aussi, j'ai fini par atterrir dans une bonne famille.

– Où ça ?

– Chez les Duvall.

– Mais...

– Tu m'as entendu. C'étaient des gens bien. Ils ne méritaient pas ce qui leur est arrivé.

– Alors pourquoi...

– Frank voulait que je te retrouve. Il pensait que si je voyais que tu allais bien, que tu faisais ton petit bonhomme de chemin, je pourrais en faire autant. »

Les mots me manquent.

Telly se retourne, plante son regard dans le mien. « Est-ce que tu vas bien, Sharlah ? Est-ce que tu fais ton petit bonhomme de chemin ?

– Je suppose.

– Est-ce que tu rêves de nos parents ? Est-ce que tu te réveilles en hurlant la nuit ?

– Non.

– Tu sais, quelque temps après mon arrivée chez les Duvall... j'ai commencé à faire ce rêve... un fantasme, plutôt. J'allais avoir dix-huit ans. J'allais construire ma vie, comme ils disaient. Et alors, je serais venu te chercher, Sharlah. Super Grand Frère aurait encore une fois volé au secours de sa petite sœur. Tu aurais été dans un de ces foyers sordides... On en a tous les deux connu, pas vrai ? »

Je confirme.

« Mais je serais venu. Je t'aurais tirée de là. On aurait de nouveau formé une famille. Cette fois-ci, j'aurais réussi. »

Je reste sans voix.

« Mais tu vas bien, n'est-ce pas ? Tu as de bons parents, à ce que m'a dit ma conseillère. Ils vont t'adopter. Te donner une vraie famille. »

Je baisse la tête, honteuse sans trop savoir pourquoi.

« Tant mieux, Sharlah. C'est génial que tu ailles bien. Tu vas pouvoir t'en sortir sans moi.

– Telly... » J'essaie, mais en fait je ne vois pas quoi répondre.

« Va-t'en ! dit-il. Garde ton chien près de toi. Tes nouveaux parents aussi. Si tu as un peu d'affection pour moi, sois heureuse. Profite de la vie. Comme ça, je saurai qu'au moins l'un de nous deux a réussi. »

Il se retourne et repart, avec des enjambées si longues, si rapides, que je n'arriverai jamais à le rattraper. Ses derniers mots volent jusqu'à moi, lancés par-dessus son épaule.

« Désolé, Sharlah. Tu as tes parents policiers. Et moi, j'ai encore au moins une personne à tuer. »

Je ne peux pas suivre. Mon frère me quitte. Il disparaît dans les bois, silhouette solitaire armée d'une carabine.

Je reste là un long moment, Luka à mes côtés, toujours aux aguets. J'ai la gorge nouée. Comme un poids sur la poitrine.

Je n'arrive pas à me défaire du sentiment que c'est la dernière fois que je parle à mon frère.

Que je ne le reverrai jamais.

Mon épaule me lance.

Ça m'est égal. Je donnerais mon autre épaule, je donnerais n'importe quoi, je crois...

Mais cela ne sert à rien. Parce qu'il est parti et que je suis encore trop petite pour le suivre.

Les minutes se succèdent dans la forêt silencieuse.

Pour finir, je sors mon portable de ma poche. Je l'allume et je dis ce que j'aurais dû dire il y a des heures.

« Rainie, c'est Sharlah. S'il te plaît... je voudrais rentrer à la maison. »

31

Frank s'était mis en tête qu'on devait aller à la chasse.

« Ça va être super, m'avait-il expliqué. Je connais le coin idéal pour camper. Je l'ai découvert quand j'avais à peu près ton âge, mais il ne figure sur aucune carte. C'est juste une petite clairière sans rien autour, en pleine forêt. On montera la tente. On se fera un frichti sur le feu. On comptera les étoiles dans le ciel. Tu verras, tu vas adorer. »

J'étais moins convaincu. Camper. D'accord. Pourquoi pas. Mais chasser supposait d'abattre du gibier. J'en étais encore à apprivoiser la carabine. La dernière chose dont j'avais besoin, c'était d'avoir dans ma ligne de mire un animal dont dépendrait notre dîner.

Mais quand Frank avait une idée quelque part...

Pas moyen de couper à cette partie de chasse.

Nous avons commencé les préparatifs le jeudi soir. L'occasion de découvrir qu'une nuit de camping exige beaucoup de matériel. La moitié du contenu du garage, à peu près. Ma mission, m'expliqua Frank, était de maîtriser le montage de la tente avant que nous ne soyons en pleine nature, exténués après une journée de marche en forêt, peut-être trempés à cause des intempéries...

« *Les intempéries ?*

— Oui, la pluie, par exemple.

— Il est censé pleuvoir ? On va camper sous la pluie ? »

Frank me charria. « *Quoi ? Tu crois que Lewis et Clark ne sortaient que par beau temps ?*

— Je crois que si Lewis et Clark avaient eu Google Maps, ils seraient restés chez eux.

— Tu sais ce qu'il y a de mieux dans le camping ?

— Non.

— Certains enfants pensent que ce sont les chamallows grillés…

— Je n'ai plus six ans.

— Et certains types, que c'est le fait de veiller toute la nuit en buvant des bières autour d'un feu.

— Pas mon genre.

— C'est le silence, Telly. Pour les gens comme toi et moi, c'est le seul endroit, le seul moment, où trouver la paix. »

La tente, donc. S'entraîner au montage. S'entraîner au démontage. Pourquoi pas. Le montage se révéla assez simple. Frank tenait à ses joujoux et la tente dôme L. L. Bean haut de gamme était facile à comprendre. Enfiler les arceaux dans les gouttières en tissu A, B et C ; les fixer aux coins ; et hop un abri en polyester bleu indéchirable. Pas mal, je dois reconnaître.

Montage de la tente : validé. En revanche, la démonter et la rouler pour la faire rentrer dans sa housse de rangement… pas moyen. Impossible. J'ai essayé de la plier dans un sens. Dans l'autre. Tu parles d'un casse-tête…

Frank n'aurait pas levé le petit doigt pour m'aider. Il avait sorti le plus gros sac à dos que j'avais jamais vu. Une armature métallique. Une ceinture et des bretelles rembourrées, des attaches un peu partout.

« *On ne porte pas un sac avec son dos* », *m'expliqua-t-il lorsque je fis enfin une pause, à bout de souffle, la moitié de la tente* rentrée dans la housse, l'autre moitié explosée à l'extérieur comme un champignon. « C'est le meilleur moyen de s'épuiser, voire de se blesser. En fait, il faut fixer la charge autour de ses hanches et la porter avec son pelvis, comme la nature l'a prévu. Donc, en premier, tu serres la ceinture lombaire. Ensuite évidemment les bretelles, pour tenir le poids serré contre ton dos. Dernier réglage, la sangle de poitrine. Crois-moi, si tu fais l'effort de bien positionner ton sac au départ, tu pourras avaler les kilomètres pratiquement sans t'apercevoir de sa présence. »

Je lorgnai le monstre avec scepticisme. Il avait l'air de peser dix bons kilos avant même d'ajouter cette fichue tente, les tapis de sol, les cartes, les vivres, les accessoires et ainsi de suite.

« On devrait peut-être laisser la tente, dis-je. En fait, tu devrais peut-être me laisser tout court. J'aime bien avoir un lit. Et l'eau courante, et un toit au-dessus de ma tête qui ne risque pas de se déchirer ou de s'envoler comme un gros ballon.

– Ça va être un week-end formidable. J'en suis sûr. »

Je montai encore une fois la tente. La démontai encore. Plusieurs fois. Jusqu'à ce que ça cesse d'être une galère monumentale et que ça devienne presque de l'ordre du possible.

Mais ce n'était que la première phase de mon apprentissage. Après le montage de la tente et le chargement du sac, l'exposé sur les principaux objets nécessaires à la survie en pleine nature : couteau suisse, allumettes, trousse de premiers secours, comprimés pour purifier l'eau. Même un aimant et une ficelle avec lesquels on pouvait fabriquer une boussole de savant Cosinus.

On ne pouvait pas enlever ça à Frank : il adorait vraiment son métier.

Et puis, vu mes résultats au lycée, il n'était pas exclu que je me retrouve à vivre sous la tente dans un proche avenir.

Après la prise en main du matériel, ce fut au tour de Sandra.

« *Juste au cas où le gibier ne serait pas au rendez-vous* », m'expliqua-t-elle.

Elle me lança un petit sourire entendu et je devinai qu'elle comprenait tout ce que je ne pouvais pas dire à Frank, sur son petit nuage. Il pouvait être animé d'une telle joie enfantine qu'il aurait semblé cruel de le ramener sur terre.

« *Tu as déjà été camper avec Frank ?* » demandai-je.

Nous nous trouvions dans la cuisine. Premier en-cas des randonneurs : du granola, un mélange hautement énergétique. Sandra avait sorti des paquets de céréales, un sachet de pépites de chocolat et divers récipients contenant des fruits secs. En gros, je devais tout mélanger. Jusque-là, ça me semblait plus dans mes cordes que la tente.

« *Oh oui ! Au début de notre mariage, on est souvent partis camper le week-end.*

– *Laisse-moi deviner, tu sais préparer un poulet à la parmesane sur un feu de camp ?* »

Elle fut amusée. « *Du poulet à la parmesane, non. Mais si tu prends un triangle de pâte feuilletée, que tu l'enroules autour d'une saucisse, que tu emballes le tout dans du papier aluminium et que tu le fais tourner sur une brochette au-dessus du feu...*

– *Dis donc, tu as vraiment une recette pour tout. Henry dit que tu es aussi une fine gâchette. Meilleure que Frank, même.* »

Est-ce que j'avais l'air naturel en disant cela ? J'essayais, mais depuis que Henry avait évoqué ses talents, je mourais d'envie d'en savoir plus. Sandra, fée du logis le jour, tireuse d'élite la nuit ? La femme aux deux visages ?

Elle se contenta de hausser les épaules, examina le sac congélation d'un litre que j'avais rempli avec le fameux mélange, ajouta de la noix de coco séchée.

« *Tu ne t'es jamais demandé pourquoi il n'y avait pas de taupes dans le jardin ? Eh bien, maintenant tu sais.*

– C'est Frank qui t'a appris ?

– Non. » *Elle se détourna, se dirigea d'un air affairé vers le réfrigérateur, et je compris au ton de sa réponse que le sujet était clos. Il fallait s'y attendre. Parce que si ce n'était pas Frank qui l'avait initiée au tir, je ne voyais qu'une personne qui avait pu le faire : son père. Le mystérieux baron de la pègre dont Sandra affirmait qu'il était cruel par plaisir et sur lequel Frank m'avait dit de tirer à vue.*

Depuis la conversation que nous avions eue avec Frank et Henry dans la forêt, j'ouvrais l'œil. Pas que je pensais qu'un vieux papi allait justement se pointer pour faire du grabuge, mais parce que j'avais une folle envie de le voir de mes propres yeux.

Le père de Sandra. Cette femme qui portait des jupes à fleurs de couleurs vives et qui aimait mijoter de bons petits plats appartenait-elle, elle aussi, à une engeance diabolique ? J'avais toujours cru détenir une sorte d'exclusivité sur le marché des enfants de Satan, mais à présent j'avais un doute.

« *Tu vas t'en sortir* », *dit d'un seul coup Sandra.*

Levant les yeux, je la trouvai en train de m'observer. « *Quoi ?*

– Tout va s'arranger. Un jour, tu fonderas une famille et tu seras le père que tu n'as jamais eu. Tu donneras à tes enfants l'enfance que tu n'as jamais connue. Et ce creux, ce vide qui existe en toi, sera comblé. Tu n'auras plus besoin de regarder en arrière. Tu auras un avenir.

– C'est ce que tu as fait.

– Oui.

– Et tu es heureuse ? lui demandai-je avec curiosité.

– Absolument.

– Mais Henry te manque.

– *Bien sûr. Et un jour, toi aussi, tu me manqueras.*

– *Vous accueillerez un autre enfant.*

– *Tu construiras ta vie. Une belle vie. Je vois toutes ces qualités en toi, Telly. Tu es plus fort que tu ne le penses et tu as un cœur grand comme ça. Même si tu voudrais faire croire le contraire. Au moins assez grand pour passer un week-end sous une pluie battante avec mon mari.*

– *Ce n'est pas de la gentillesse, c'est de l'inconscience. »*

Sandra sourit. Sortit un paquet de saucisses du frigo. « Tu vas trouver le chemin du bonheur, Telly. J'ai hâte de voir ça avec toi. »

Il a plu. Un vrai déluge qui a commencé dès que nous sommes partis après les cours du vendredi. C'est moi qui ai eu droit au sac le premier. Parce que j'avais un dos solide et jeune, a dit Frank. Résultat, les gouttes d'eau s'accumulaient sur la barre supérieure de l'armature et me dégoulinaient dans le cou quand je m'y attendais le moins.

Je portais une des vieilles vestes imperméables de Frank. Figurez-vous qu'il existe des indices d'imperméabilité ; je ne sais pas quel était celui de ma veste, mais ce n'était pas suffisant pour rester au sec. Une heure ne s'était pas écoulée que je commençais à me sentir mouillé. Le temps que nous terminions notre promenade de santé dans les bois (« Regarde-moi cette clairière ! Regarde-moi ce ruisseau ! Regarde-moi cette mousse sur les arbres ! » C'est une blague, Frank ?), j'étais trempé jusqu'aux os.

Pour finir, il m'a conduit au fameux lieu de campement. La bonne nouvelle, c'était qu'il y avait des palettes en bois, apportées par Frank des années plus tôt, pour nous éviter de patauger dans la boue.

« Bon, ce que je veux que tu fasses, c'est que tu montes la tente sur la plate-forme. Tu t'en doutes, des palettes en bois ne sont

pas ce qu'on fait de plus confortable pour dormir. Alors tu peux les recouvrir d'une couche d'aiguilles de pin ou de fougères, pour faire matelas. Ou alors tu peux ne pas te compliquer la vie. »

Je lui ai lancé un regard : je n'allais pas me compliquer la vie. Et je me suis rapidement félicité de l'entraînement de la veille parce que, sinon, jamais je ne me serais dépatouillé de ces kilomètres de tente dans ces conditions dantesques.

J'ai monté notre abri. Et la question suivante a surgi : comment démarre-t-on un feu de camp sous une pluie battante ?

La réponse est qu'on ne peut pas.

Frank avait fabriqué un petit appentis à l'aide de branchages. Et il était en train d'allumer le réchaud. Juste assez de chaleur pour griller quatre des saucisses et pas grand-chose d'autre.

Assis sous la pluie, nous avons mangé des saucisses de Francfort à peine cuites et nous nous sommes passé le sac de granola. Frank souriait de toutes ses dents. Il avait l'air heureux comme tout.

« Pas d'étoiles, dis-je en désignant du regard l'épaisse couverture nuageuse.

– Ah, mais le silence. Beaucoup de silence. »

Pas grand-chose à faire, quand on campe sous la pluie. Inutile de préciser que nous nous sommes réfugiés de bonne heure sous la tente, après avoir accroché nos imperméables à l'abri relatif d'un arbre. Nous portions tous nos autres vêtements sur nous pour nous réchauffer. Jamais auparavant je n'avais éprouvé un tel bonheur à me glisser dans un sac de couchage. Et c'était vrai que nos minces tapis de sol n'étaient pas des plus douillets sur la palette en bois dur, mais au moins je commençais à retrouver des sensations dans les orteils.

Nous n'avons pas parlé. Tant mieux. Je ne savais jamais quoi dire.

Frank a dû finir par s'assoupir puisque la tente s'est remplie de ses ronflements. Graves et rocailleux. Comme un ours.

J'étais tenté de le frapper, de lui planter un doigt entre les côtes, quelque chose. Mais je suis resté immobile à l'écouter. Je me demandais combien de fois il avait amené Henry ici. Et pourquoi cette idée me contrariait à ce point.

Alors, enfin, j'ai sombré.

Les ronflements ont dû cesser à un moment donné. Pour autant que je sache, c'est ça qui m'a réveillé.

Le silence.

Frank n'était plus là. Je n'ai pas eu besoin d'allumer ma petite lampe frontale pour le voir. Je sentais son absence dans l'espace réduit. Peut-être qu'il était sorti faire pipi.

Il ne pleuvait plus. Il m'a fallu encore un moment pour m'en apercevoir. Le bruit des gouttes d'eau sur l'auvent avait enfin cessé. Puis je me suis rendu compte que dehors le noir virait au gris. Coup d'œil sur ma montre. Six heures. J'avais fait ma nuit. D'une traite.

Tout se tenait. Frank était un lève-tôt. Peut-être était-il sorti préparer le petit déjeuner. Encore des saucisses ? Encore du granola ?

Je me suis levé à mon tour, m'avisant que j'avais aussi besoin de me soulager, sans compter que j'étais tout ankylosé d'avoir dormi sur du bois.

J'ai enfilé mes chaussures encore humides, ouvert la fermeture à glissière de la petite porte et sorti une tête dans le monde réel.

La forêt était nimbée de brume. De longues écharpes grises s'enroulaient autour des arbres moussus, glissaient dans les hauts buissons de fougères vertes luxuriantes. Le silence, comme l'avait dit Frank. C'était paisible. Et... beau.

J'avais lu beaucoup de livres sur la légende du roi Arthur quand j'étais petit. Ces bois ressemblaient à Avalon tel que je l'imaginais. Tout à la fois verts et gris. Réels et fantomatiques.

Pas de Frank à l'horizon.

J'ai d'abord expédié les affaires courantes. Puis j'ai fait le tour de la petite clairière. Le réchaud était encore froid, donc il n'avait pas commencé le déjeuner. Aucune trace de lui dans les environs immédiats. Ensuite j'ai eu l'idée de jeter un coup d'œil à l'endroit où nous avions suspendu nos imperméables. Celui de Frank n'y était plus.

J'ai alors cherché les carabines, qu'il avait mises avec nous dans la tente : il fallait les garder au sec. Les deux étaient là. Mais le 22, le pistolet que Frank portait souvent sur lui par sécurité, avait disparu.

C'est là que j'ai compris. La véritable raison de ce prétendu week-end de chasse. Pourquoi Frank avait eu besoin de me fausser compagnie et d'emporter son arme.

J'ai attrapé ma veste mouillée et dévalé à toute allure l'étroit sentier qui était la voie d'accès la plus directe au campement.

J'ai fait quelques glissades. Trébuché sur des pierres. Une fois, j'ai failli faire une culbute à cause d'une racine qui dépassait. Mais je descendais à toute allure parce que... parce que.

Vers le bas de la côte, j'ai ralenti. Déjà, j'entendais des voix.

J'ai parcouru les derniers mètres à pas de loup. Je ne suis pas sorti tout à fait du bois, mais je suis resté à l'abri des fourrés et j'ai fait de mon mieux pour comprendre la scène qui se déroulait à quelques mètres de moi, au bord de la route.

Frank était en conversation avec un homme. Un vieux, dans un trench-coat beige passé de mode, un feutre sur la tête. Le fameux papi, aucun doute. Le père de Sandra.

Ils se tenaient devant une Cadillac noire lustrée. Le papi n'avait pas franchement l'air d'avoir la forme nécessaire pour monter à pied au campement.

« Gardez vos distances, disait Frank. Je ne sais pas ce que vous voulez à ma famille, mais ma famille ne veut pas de vous.

– *Vous parlez toujours à la place de votre femme ?*

– *Pas de ça avec moi. Sandra n'acceptera jamais de vous voir et vous le savez.*

– *Henry a l'air d'un bon garçon.*

– *Insistez encore, Dave, et je deviendrai le cadet de vos soucis. Sandra viendra vous régler votre compte elle-même. C'est ça que vous voulez ?* »

Silence.

« *Je vais mourir, Frank.*

– *On en est tous là, non ?*

– *J'ai un cancer. Incurable. Ce n'est plus qu'une question de temps.* »

Frank n'a rien répondu.

« *La mort, ça vous change un homme, a continué le vieux. On voit les choses différemment.*

– *Monsieur se repentit sur le tard ?*

– *Et si c'était le cas ?* »

Frank a secoué la tête. « *Ça ne suffirait pas.*

– *Laissez-moi au moins parler au petit. Ce n'est pas juste de la part de ma fille de m'empêcher de voir mon unique petit-fils.*

– *Elle vous étripera.*

– *Ma fille...*

– *Elle a été à bonne école avec vous. Allez voir ailleurs, Dave. Prenez ce conseil comme un service que je rends à un mourant. Allez voir ailleurs ou le cancer deviendra le moindre de vos problèmes.*

– *J'ai de l'argent...*

– *Ne soyez pas ridicule.*

– *J'en ai vraiment, je veux dire. Des fonds licites. C'est ce qui arrive quand on reste aux affaires suffisamment longtemps.*

– *Elle n'en veut pas.*

– *Mais je suis son père !*

– *C'est la seule raison pour laquelle elle vous a épargné !* »
*La voix de Frank était glaciale. Glaciale comme je ne l'avais
jamais entendue. J'ai eu un mouvement de recul ; je ne reconnaissais plus cet homme brutal, en colère.*

« *Je vais mourir, a répété le vieux.*

– *Alors j'espère pour vous que vous trouverez la paix. Mais
le pardon de votre fille ? Ne rêvez pas. Il y a des péchés qu'un
homme doit porter toute sa vie. Et parfois emporter dans sa
tombe, j'imagine.* »

*Le vieillard n'a rien dit. Pour finir, il a lâché une expiration,
un râle sinistre qui montait de la poitrine. Il a porté la main
à sa taille. J'ai vu Frank réagir, passer son bras dans son dos.
Où il avait caché son 22, certainement.*

*Mais le vieil homme n'a rien fait. Il a juste resserré la cein-
ture de son trench-coat.*

Et regardé Frank avec ses yeux chassieux.

« *Ma fille a toujours été butée, mais jamais idiote. Alors vous
lui direz, de ma part : ma mort va changer la donne. Je ne
suis pas le seul à savoir où elle vit. Ni le seul à avoir eu un
œil sur elle.*

– *Vous menacez ma femme, Dave ?*

– *Ma mort va changer la donne* », *a simplement répété le vieil
homme avant de tourner les talons et de regagner sa voiture.*

*Frank n'a pas bougé. Il est resté là, une main toujours au
creux des reins, paré à toute éventualité. Et moi aussi j'ai retenu
mon souffle pendant que le vieux ouvrait avec effort la lourde
portière de la Cadillac, prenait une inspiration caverneuse, et
entreprenait de s'installer au volant.*

Pour finir, la portière a claqué, le moteur a démarré.

Le père de Sandra s'est éloigné.

La main de Frank s'est écartée de son arme cachée.

« *Tu peux sortir, maintenant* », a-t-il dit sans même se retourner.

Penaud, je suis sorti des fourrés et l'ai rejoint sur la route.

« *Je n'ai rien vu*, ai-je dit.

— *Exactement.*

— *Rien entendu, non plus.*

— *Parfait.*

— *C'était vraiment le père de Sandra ?*

— *Oui.*

— *Et elle le déteste à ce point ?*

— *Plus que ça.*

— *Je suis toujours censé tirer sur lui à vue ?*

— *Ça éviterait à Sandra d'avoir à le faire.*

— *D'accord.* »

Frank a fini par se retourner vers moi. « *Merci.* »

Demi-tour, retour au campement.

« *Tu sais quoi*, a dit Frank, *j'ai apporté du maquillage. Au lieu d'aller à la chasse, on va consacrer la journée aux techniques de survie en forêt, en commençant par le camouflage. Très important, le camouflage.* »

32

Rainie avait toujours su qu'être parent ne serait pas tous les jours une partie de plaisir. Qu'il y aurait des moments où il lui faudrait lutter contre son instinct pour agir au mieux. Où la situation exigerait d'elle de se montrer sévère plutôt que tendre, de jouer les méchantes plutôt que les confidentes. Par exemple, en cet instant précis, en revoyant sa fille après un après-midi d'angoisse, à l'heure où le soleil déclinait et où les bois se peuplaient d'ombres, son cœur se serra à tel point dans sa poitrine qu'elle en éprouva une douleur physique.

Elle aurait voulu se précipiter dehors. Attraper Sharlah, la serrer farouchement dans ses bras. Puis palper sa fille, les bras, les jambes, pour vérifier qu'elle n'était pas blessée, en se répétant qu'elle était saine et sauve, que le danger était passé, qu'elle pouvait de nouveau respirer.

Sharlah sortit du bois et, au lieu de courir vers elle, Rainie s'obligea à rester en voiture, silencieuse, calme et, bien sûr, aux aguets.

Le frère de Sharlah devait être dans les parages. Du moins jusqu'à récemment. Car Rainie connaissait sa fille : cette tête de mule n'aurait jamais renoncé à la mission qu'elle s'était donnée. Si elle avait appelé à la maison, cela voulait forcément dire qu'elle avait enfin pu voir Telly. Et que son grand frère l'avait envoyée balader.

Sa fille souffrait. Rainie le vit à son dos voûté, au profil abattu de sa tête basse lorsqu'elle traversa le pré pour rejoindre la voiture, Luka à ses côtés. Pas le genre de blessure qu'on découvrirait en l'examinant de la tête aux pieds, mais tout de même…

Rainie descendit de voiture et scruta la forêt rapidement gagnée par l'obscurité derrière sa fille. Telly avait une carabine. S'il se cachait parmi les arbres et l'observait à présent à travers son viseur…

Les sous-bois, trop sombres, étaient impénétrables au regard. Elle entendit des oiseaux au loin, le bruissement de l'herbe sous le vent léger, le pas lourd de Sharlah. Rien d'autre.

Sharlah et Luka arrivaient. Rainie actionna la commande pour ouvrir le coffre. Luka n'avait pas besoin de plus ample invitation. Il parcourut les vingt derniers mètres au petit galop et sauta dans la Lexus de Rainie. Quelques secondes plus tard, Sharlah était là, son visage brûlé par le soleil, les cheveux en bataille, ses jambes et ses bras nus couverts d'égratignures.

« Je te demande pardon », dit-elle, d'un air si triste, si découragé, que Rainie sentit le nœud de peur et de colère qui lui étreignait la poitrine se dissoudre aussitôt.

« Il t'a envoyée promener, c'est ça ?

– Il m'a dit de profiter de la vie et d'être heureuse, pour qu'au moins l'un de nous le soit.

– Ma pauvre chérie.

– Et ensuite… » Sharlah prit une grande inspiration, regarda Rainie droit dans les yeux. « Il m'a dit qu'il lui restait une personne à tuer.

– Monte en voiture. J'ai apporté à boire et à manger. Pour Luka, aussi.

– On ne rentre pas à la maison, c'est ça ?

– Non, on ne rentre pas à la maison. »

Rainie alla tout droit au bureau du shérif. Assise à côté d'elle, Sharlah ne disait pas un mot, un sandwich beurre de cacahuète-confiture intact sur les genoux. Luka, en revanche, avait englouti une gamelle de croquettes. Cela faisait au moins un membre de la famille qui était content.

Rainie était restée en contact avec Quincy tout l'après-midi. Après la descente dans le campement de Telly, toute l'équipe était rentrée en ville pour examiner leurs trouvailles. Il leur fallait plus de place pour exposer les photos des carnets de Telly prises par le pisteur, ainsi qu'un tableau blanc pour noter les questions, les idées qui leur venaient, les nouvelles pistes à explorer. À la connaissance de Rainie, des caméras avec détecteur de mouvement avaient été laissées sur place. Si elles se déclenchaient, les unités spéciales du SWAT se mobiliseraient aussitôt. En attendant, priorité était donnée aux opérations d'investigation. Les informations que Sharlah avait à leur donner sur son frère n'en étaient que plus intéressantes, sans parler de la récente découverte de Rainie.

« Mange ton sandwich, dit-elle à Sharlah alors qu'elles approchaient de leur destination. On va avoir besoin de tes forces. »

Le bureau du shérif était toujours assiégé par un bataillon de camionnettes de reportage, tous projecteurs allumés. Rainie se félicita d'être au volant d'une voiture manifestement civile lorsqu'elle tourna vers la foule. Une cohue de journalistes se précipita vers elle, découvrit une femme sans intérêt avec sa fille et battit en retraite, en quête d'une proie plus intéressante. Rainie gagna le parking situé à l'arrière du bâtiment, plus calme, et se gara.

Sharlah avait réussi à avaler trois bouchées de son sandwich. Pas une de plus. Mais au moins, elle avait bu la bouteille d'eau.

Rainie regarda sa fille, soupira.

« Je t'aime, dit-elle d'un seul coup.

– Tu es fâchée contre moi. Je n'aurais pas dû me sauver.

– C'est sûr.

– Vous allez me priver de sorties, dit la jeune fille en contemplant ses genoux.

– Il y aura des sanctions. Sharlah... faire confiance est un art difficile. Surtout pour les gens comme nous. Toi, moi, Quincy. Nous avons tendance à croire que nous savons tout mieux que les autres. Et à préférer nous débrouiller seuls. Mais l'arrogance, les préférences personnelles, ce n'est pas ça qui doit primer dans une famille. On est là pour se faire confiance, s'épauler mutuellement.

– J'ai eu peur que vous lui fassiez du mal, murmura Sharlah. Ou pire, que lui vous fasse du mal.

– Je sais. Mais c'est là que la confiance doit intervenir. Au lieu d'agir seule, tu aurais pu venir nous voir. Nous faire part de tes craintes.

– Vous m'auriez répondu que vous sauriez vous y prendre avec lui.

– C'est juste. »

Sharlah avait l'air malheureuse comme les pierres. « Mais je ne sais pas si c'est vrai, dit-elle en levant finalement les yeux. Ce nouveau Telly... Son visage, la carabine. C'est un parfait inconnu.

– Mais il ne t'a pas fait de mal.

– Non.

– Il t'aime encore ?

– Je ne sais pas.

– Sharlah... » Rainie se tourna sur son siège pour regarder sa fille en face. « Peut-être que ton frère n'a pas dit ce que tu espérais entendre. Mais est-ce que toi, tu as eu la possibilité de dire ce que tu voulais ?

– Je lui ai dit que j'étais désolée. »

Rainie attendit.

« Je n'aurais pas dû le laisser partir, à l'époque. J'aurais dû demander de ses nouvelles, réclamer de le voir, je ne sais pas. C'était mon frère. J'aurais dû me battre davantage.

– Pourquoi tu ne l'as pas fait ? »

Sharlah secoua la tête, détourna les yeux.

Rainie garda le silence encore une fraction de seconde. À deux doigts, se disait-elle. Elles étaient à deux doigts des mots que Sharlah aurait eu besoin de prononcer. Sur ce qui s'était réellement passé ce fameux soir avec ses parents. Sur ce que Rainie avait commencé à soupçonner après sa conversation avec la psychiatre dans l'après-midi.

« Confiance », souffla Rainie.

Mais certaines leçons demandent plus de treize ans pour être assimilées. Sa fille mal dans sa peau secoua de nouveau la tête. Puis elle ouvrit sa portière et Rainie n'eut d'autre choix que de la suivre.

Luka se plut beaucoup dans les locaux du shérif. Il s'y déplaçait au petit trot raide, regard affûté et oreilles dressées. Un ancien officier de police qui reprenait du service.

Il faisait trop chaud pour laisser le berger allemand dans la voiture, fût-ce à cette heure tardive. Et même si Rainie aurait aimé penser que sa propre présence donnerait à sa fille la force d'affronter l'interrogatoire à venir, elle savait que Luka serait un plus grand soutien encore.

Elles prirent les escaliers qui montaient au premier étage, avec Luka en éclaireur, et trouvèrent Quincy dans la salle de réunion, en compagnie de trois autres personnes. Les murs étaient tapissés de photos. Des tirages d'imprimante, constata Rainie. La définition laissait à désirer, mais dans la mesure où il s'agissait de reproductions de vieilles photos et de pages de journal intime, on pouvait s'en contenter. Regroupées dans un coin, d'autres photos, celles du campement de Telly : un tas de matériel sur une palette en bois au milieu d'une petite clairière. Pas de quoi faire rêver Rainie, qui ne concevait pas un week-end d'escapade autrement qu'avec service d'étage.

Quincy leva les yeux à leur arrivée. Luka, qui l'avait déjà trouvé, poussait sa main du museau. Quincy lui flatta la tête et son regard croisa un instant celui de Rainie avant de se poser sur Sharlah. Rainie lut sur le visage de son mari toutes les émotions contradictoires qu'elle avait aussi éprouvées : soulagement, mais aussi irritation, colère, irritation encore, désespoir.

Les joies de l'éducation. Dire qu'ils s'étaient portés volontaires.

Elle répondit au regard interrogateur de Quincy par un petit hochement de tête. Sa façon de lui confirmer que oui, elle avait pu parler à leur fille. Et qu'il faudrait jusqu'à nouvel ordre s'en satisfaire, étant donné que ce n'était ni le moment ni l'endroit pour régler son différend avec Sharlah. Leur fille était de retour saine et sauve. Il y avait déjà lieu de s'en réjouir.

Rainie ouvrit les hostilités. « Elle l'a vu. »

Un homme se leva de table, une part de pizza à la main. Il portait une tenue de randonnée pleine de taches de sueur et des chaussures défraîchies. Le pisteur, devina Rainie. Comment Quincy avait-il dit qu'il s'appelait, déjà ? Cal Noonan. Luka s'approcha en trottinant, le renifla de bas en haut. Sembla le juger convenable. Pour sa part, l'homme ignora le berger allemand, termina sa pizza.

« Localisation approximative ? » demanda-t-il en prenant une punaise dans une boîte sur la table.

Lorsqu'elle avait récupéré Sharlah, Rainie avait enregistré les coordonnées GPS dans son téléphone. Elle montra son écran au pisteur.

« Rainie Conner, dit-elle pour se présenter.

– Cal Noonan. Merci. » Il y avait une carte grand format sur le mur derrière Rainie et Sharlah. Cal marqua les coordonnées avec sa punaise bleu vif. Puis il recula et tiqua.

« C'est à vingt kilomètres au sud du campement. » Il regarda Sharlah. « Il était toujours en quad ? »

Mutique, l'adolescente fit non de la tête.

« Il l'avait laissé quelque part ?

– Non, euh, non.

– Vous n'êtes pas sûre ? »

Sharlah haussa les épaules, mal à l'aise de se trouver au centre de l'attention. « Il était à pied, dit-elle tout bas. Avant que je le voie. Et, euh, après aussi. »

Rainie fixait ses chaussures et ne résistait qu'à grand-peine à l'envie de prendre sa fille dans ses bras pour la protéger. Mais les faits étaient là : Sharlah avait fugué pour rejoindre un homme soupçonné de multiples meurtres. Ce faisant, elle avait scellé son sort et s'était exposée à des interrogatoires, aux questions soupçonneuses de la police, etc.

« Est-ce que c'est son campement ? » Sharlah surprit Rainie en posant une question. La jeune fille montrait du doigt la série de photos se trouvant en face d'elles.

Le pisteur confirma. Il n'avait pas un regard méchant, pensa Rainie. Juste grave. Un homme qui avait eu une longue journée et vu deux coéquipiers tomber dans l'exercice de leurs fonctions. Elle remarqua que Luka restait à ses pieds, comme pour marquer son approbation. Et le shérif Atkins ainsi que Roy, son enquêteur, semblaient volontiers le laisser mener les échanges. Signe de respect, là encore.

« Il m'avait dit que vous le trouveriez », indiqua Sharlah, d'une voix plus claire.

Shelly Atkins considéra la jeune fille avec un regain d'intérêt. Elle traversa la pièce pour s'approcher de Sharlah. « Redis-moi ça : Telly savait qu'on trouverait son campement ?

– Il a dit que Henry ne résisterait pas à l'envie de vous en parler. » Sharlah prit une grande inspiration, regarda le shérif dans les yeux. Elle faisait de son mieux. Rainie se doutait que les autres personnes présentes ne devaient pas s'en rendre compte (à part Quincy, bien sûr), mais leur Sharlah, si timide, anxieuse et désireuse de rester dans l'ombre, s'efforçait de répondre à leurs attentes. « Telly m'a dit... qu'il voulait que vous trouviez son campement. Que ça vous occuperait. Là-bas, vous voyez. Pendant que vous seriez en train de fouiller le campement, lui partirait vers le sud. »

Cal était dépité. « Je vous l'avais dit, qu'il était rusé.

– Pourquoi vers le sud ? demanda le shérif sans quitter Sharlah du regard.

– Je ne sais pas.

– Est-ce qu'il a dit où il allait ?

– Non. » Sharlah donna des signes d'agitation, se balança d'un pied sur l'autre. Sa voix baissa d'un ton. « Euh... il a dit... il a dit que je ne pouvais pas venir avec lui. Que je ne pouvais pas le suivre parce que, enfin... » Elle termina dans un filet de voix : « Il a dit qu'il lui restait encore une personne à tuer.

– Qui ça ? » La voix de Quincy claqua comme un coup de fouet à travers la pièce.

Sharlah sursauta. Elle continua à regarder le shérif tout en répondant à la question de son père.

« Je ne sais pas.

– Est-ce qu'il était armé ? » continua posément Quincy. Pas la question d'un père à sa fille, mais d'un profileur à un témoin.

Une fois encore, Rainie s'obligea à regarder ses pieds, à ne pas intervenir. Elle avait ses méthodes. Quincy avait les siennes.

Luka, en revanche, se rapprocha de sa jeune maîtresse et lui donna doucement des coups de museau dans la main jusqu'à ce qu'elle la pose sur sa tête. Les doigts de Sharlah s'enfoncèrent dans le pelage du chien et elle parut y puiser des forces.

« Telly avait une carabine, répondit-elle à haute et intelligible voix. Et sur le visage, ajouta-t-elle en se touchant les joues de l'autre main, du maquillage, des rayures. Quand je l'ai découvert, devant l'arbre, j'ai failli ne pas le voir. On aurait pu le confondre avec un buisson. Après, il a ouvert les yeux. Et c'était ça qu'on voyait : le blanc de ses yeux... luisants. » Sa voix se perdit. Rainie n'avait aucun doute sur le genre de cauchemars que ferait sa fille dans les jours, les semaines, les mois à venir.

Le pisteur reprit la parole : « Quoi d'autre, comme matériel ? Un sac à dos ? De la nourriture, de l'eau ?

– Il avait un sac à dos bleu marine. De la même taille que le mien. Je lui ai proposé à manger. » Sharlah prenait bien soin de rester de biais par rapport à son père en disant cela. « Il a dit que ça allait. Mais il a pris de l'eau.

– Quelle quantité ?

– Oh... une bouteille.

– Est-ce que tu as vu d'autres armes ?

– Non.

– Mais son sac ? Est-ce qu'il se peut qu'il ait eu d'autres carabines sur lui ?

– Euh… » Sharlah plissa le front. « Des carabines, non. Mais le sac était lourd. Comme lesté. » Elle leva les yeux. « Je me suis demandé s'il l'avait rempli de nourriture ou de munitions.

– Et des pistolets ? demanda Quincy à sa fille. Est-ce qu'il en aurait eu un coincé dans la ceinture de son pantalon ? »

Nouveau signe négatif de la tête.

Le shérif Atkins se retourna vers les adultes de la pièce. « Les pistolets pourraient tenir dans le sac. Mais les deux carabines qui nous manquent…

– Il ne les a pas sur lui, grommela Cal. Pour être franc, j'ai aussi des doutes sur le fait qu'il trimballe trois armes de poing. Ça ferait une charge assez lourde, sans compter les munitions. Quitte à planquer les carabines, autant planquer un ou deux pistolets par la même occasion.

– Il a un autre repaire, conclut Shelly.

– Son vrai camp de base. Pas comme le faux qu'il a mis en scène à notre intention, dit Cal en désignant les photos.

– Avec un sac à dos rempli de ses journaux intimes et d'un album photo », souligna Quincy d'un air songeur. Il avait cette expression que Rainie connaissait bien, quand le reste de la pièce disparaissait et que n'existaient plus pour lui que les indices. « Pourquoi mettre des objets aussi personnels dans un campement factice ? demanda-t-il.

– J'ai une question encore plus importante. » Rainie prit une grande inspiration. L'heure était venue. « J'ai passé l'après-midi à étudier les photos de scène de crime. Je ne sais pas ce qui s'est passé chez les Duvall ce matin ni avec l'équipe de recherche cet après-midi. Mais les meurtres de la station-service… ce n'est pas Telly. Et je peux le prouver. »

« L'analyse des taches de rousseur », dit Rainie. Elle sortit un dossier de son sac, puis, sous le regard de tous, y compris de Sharlah, disposa sur un coin de la table de réunion une série d'images prises par la caméra de surveillance de la station-service. « Quincy et moi avons un jour travaillé sur une affaire où le meurtrier a été identifié grâce à cela. Pour faire court, il y avait très peu de chance qu'une autre personne ait des taches de rousseur disposées exactement de la même manière que celles qu'on voyait sur les photos où le meurtrier s'était pris avec ses victimes… Depuis ce jour-là, j'ai tendance à observer les taches de rousseur. »

Rainie pointa l'assortiment de photos. La première montrait un bras nu dans l'embrasure de la porte de la station-service, qui pointait un pistolet sur la victime masculine. Venait ensuite un plan au cadrage tout aussi improbable : un avant-bras coupé du reste du corps, désormais dirigé vers la caissière. Enfin, l'image qui avait principalement retenu leur attention ce matin-là : Telly Ray Nash, plein cadre, regardant droit vers la caméra avant de tirer.

« La définition n'est pas extraordinaire, dit Rainie, étant donné que la caméra de sécurité filme des images en noir et blanc granuleuses. Mais sur chaque plan arrêté, on voit bien le poignet du tireur et une bonne partie de l'avant-bras. Regardez et dites-moi ce que vous en pensez. »

Quincy fut le premier à s'approcher de la série de photos, Sharlah presque immédiatement derrière lui. Le conflit père-fille semblait déjà oublié, leurs regards à tous deux baissés, concentrés sur les images.

« Sur les plans où le tireur est hors champ, dit Quincy, l'avant-bras est plus épais. Et il y a une tache quelconque, peut-être un gros grain de beauté, cinq centimètres au-dessus du poignet.

– Telly n'a pas cette tache sombre, s'enthousiasma Sharlah. On ne voit rien à son poignet ! »

Shelly Atkins et Roy Peterson jouèrent des coudes pour se rapprocher. « Je ne comprends pas, dit finalement le shérif. D'après ces images, Telly aurait tiré sur la caméra de surveillance…

– Mais pas sur les victimes ? » s'étonna le pisteur, qui regardait par-dessus l'épaule de Shelly.

Rainie confirma. « Quand j'ai discuté avec l'assistante sociale, tout à l'heure, elle m'a raconté un épisode qui s'était produit dans la précédente famille d'accueil de Telly. Avant son placement chez les Duvall. La mère avait accusé Telly de vol. Telly n'a pas eu un mot pour se défendre ; il est parti, c'est tout. Mais plus tard la mère a découvert que c'était un autre enfant qui chapardait. »

Shelly la regarda avec de grands yeux. « Vous êtes en train de me dire que Telly a détruit la caméra de surveillance parce qu'il aime bien se laisser accuser ?

– Je crois surtout qu'il a *l'habitude* de le faire. » Rainie lança un coup d'œil à sa fille. « Bien utile à savoir, si vous étiez un vrai tueur en quête d'un pigeon à qui faire porter le chapeau.

– Il est victime d'un coup monté », conclut Quincy. Il pencha la tête sur le côté. « Pour le meurtre des Duvall aussi, tu crois ? Avec les antécédents qu'il a… C'est vrai qu'il ferait un excellent bouc émissaire.

– Mais pourquoi se laisserait-il accuser ? » Sharlah ne comprenait pas. « Pourquoi tirer sur la caméra de la station-service plutôt que de demander de l'aide ?

– J'ai une théorie », dit Rainie d'une voix douce. Nouveau coup d'œil vers sa fille. « Ces photos de toi qu'on a retrouvées dans le garage des Duvall : je ne pense pas qu'elles aient été prises par Telly pour te menacer. Je pense qu'elles ont été prises par un tiers et envoyées à Telly à titre d'avertissement.

– Soit Telly coopère…, comprit Quincy.

– Soit il arrivera malheur à Sharlah. » Rainie posa une main sur l'épaule de sa fille. « Héros ou zéro. Des années après, je crois que Telly est encore en train d'essayer de te sauver. »

33

Quincy trouva Sharlah assise par terre dans le couloir de la salle de réunion. Adossée au mur en parpaings, une main sur Luka allongé devant elle, son sac à dos à ses pieds. Le chien ne semblait rien avoir à redire au sol en lino fatigué. Quincy se dit qu'il n'y serait pas si mal, lui non plus.

Il s'assit donc à côté de Sharlah. Les bras sur les genoux. La tête contre le mur. Ils restèrent un bon moment ainsi. Un homme, sa fille et son chien. Des années plus tôt, l'assistante sociale avait expliqué à Quincy et Rainie qu'en un rien de temps ils cesseraient de penser à Sharlah comme à une enfant placée et la considéreraient simplement comme leur fille. Pour Quincy, en tout cas, la transition s'était faite rapidement. Sharlah lui semblait être autant sa chair et son sang que Kimberly et, pour être franc, probablement davantage que sa fille aînée, Mandy, qu'il avait aimée tendrement mais jamais vraiment comprise.

Alors que Sharlah et lui... ils étaient faits du même bois. Raison pour laquelle il ne parla pas tout de suite. Sharlah préférait le silence et ce n'était pas Quincy qui allait le lui reprocher. D'ailleurs, après la journée qu'ils venaient tous de vivre, ce calme était bienvenu.

Luka bâilla. Sharlah lui flatta le flanc.

« À quoi tu penses ? demanda finalement Quincy.

– Je voudrais rentrer à la maison.

– Moi aussi. »

Elle se tourna vers lui. « Mais tu ne vas pas le faire.

– Nous avons encore un tireur actif dans la nature. Tant que ce sera le cas…

– Telly est innocent, dit Sharlah d'un air buté. Tu as entendu Rainie.

– Pour les meurtres de la station-service, peut-être. Mais il y a eu d'autres victimes. Ses parents, l'équipe de recherche. Peut-être bientôt l'individu-mystère que ton frère annonce devoir encore tuer. »

Sharlah baissa les yeux, soupira d'un air malheureux.

« Qu'est-ce que tu voudrais, Sharlah ? demanda doucement Quincy. Si tu avais une baguette magique, qu'est-ce que tu ferais ?

– Je remonterais dans le temps, dit-elle aussitôt. Je reviendrais à l'époque où il n'y avait que Telly et moi avec nos parents. Mais cette fois-ci, je cacherais toutes les bouteilles d'alcool. Je ferais une razzia et je les viderais dans l'évier. Les drogues, aussi. Je les trouverais et je les jetterais dans les toilettes.

– Et les couteaux ?

– Ne seraient autorisés dans la maison que les couverts en plastique, dit-elle d'un air solennel.

– Et la batte de base-ball ?

– Des cure-dents. On mangerait avec des fourchettes en plastique et on jouerait au base-ball miniature en se servant de cure-dents et de petites peluches de vêtements.

– Telly et toi, vous grandiriez auprès de vos parents. Est-ce que tu crois qu'ils t'aimeraient davantage ?

– Telly m'aimerait. Il prendrait soin de moi. Comme il l'a toujours fait. Sauf que cette fois-ci, moi aussi, je prendrais soin de lui. On se suffirait l'un à l'autre.

– Mais vos parents ? » insista Quincy.

Sharlah secoua la tête. « Telly et moi, on se suffirait.

– Dans ce scénario, reprit Quincy au bout d'une minute, on ne se rencontrerait jamais, toi et moi. On ne formerait jamais une famille avec Rainie.

– Dans mon scénario, vous adopteriez une autre fille. Qui ne fugue pas. Qui vous obéit. Qui a même, disons, un talent utile pour le travail de police. Tiens, je sais : l'esprit de déduction, comme Sherlock Holmes. Rainie et toi, vous la formeriez, elle deviendrait un agent hors pair et battrait le record du nombre de tueurs en série mis à l'ombre.

– Tu ne crois pas que tu nous manquerais ? Qu'on sentirait ce vide dans nos vies, à l'endroit où tu aurais dû être ? »

Sharlah haussa les épaules. « Peut-être. Mais vous seriez tellement occupés à aller aux cérémonies d'hommage à votre fille que vous vous en remettriez. Et puis, Rainie et toi, vous vous en sortirez toujours, avec ou sans enfants. Alors que Telly…

– Il a besoin de toi ?

– Il est seul. Totalement seul. Et c'est ma faute. » Sharlah se détourna, caressa le pelage de Luka.

« Où se trouve Luka dans cet autre univers ? Si tu restes avec ta famille et que Rainie et moi ne te rencontrons jamais… »

Pour la première fois, une ombre passa sur le visage de Sharlah. Quincy vit les larmes lui monter aux yeux. Elle aimait Luka d'un amour si pur et si profond qu'il laissait Quincy espérer qu'un jour elle en éprouverait autant pour un de ses semblables.

« On adoptera un animal errant, Telly et moi, murmura-t-elle. Un chat. Il dormira avec nous la nuit, sortira ses griffes acérées comme des lames de rasoir si un méchant essaie d'ouvrir la porte. Il n'y aura que Telly qui saura s'y prendre avec lui. Et mon père se tiendra à distance, rien que pour ne pas énerver le chat. »

Autrement dit, dans ce nouvel univers, Sharlah sacrifierait son chien. Elle renoncerait à son précieux Luka pour que Telly puisse avoir un chat de garde à la place. Donc Sharlah serait punie malgré tout. Mais de quoi ? Qu'avait-elle donc fait de terrible au point que même si elle remontait dans le temps et que cette dernière nuit avec ses parents n'avait jamais lieu, elle devrait quand même tout à son frère ?

« Je sais que tu aimes ton frère », dit Quincy.

Sa fille lui lança un regard méprisant. En un clin d'œil, l'enfant vulnérable s'était changée en ado sans merci. Encore un rappel que sa fille ne grandissait que dans une seule direction – qui l'éloignait de lui.

« Quel que soit son comportement actuel et le jeune homme qu'il est devenu, continua posément Quincy, Telly reste ton frère et tout porte à croire que tu comptes beaucoup pour lui. »

Moins de mépris. Plus d'hésitation.

« Tu ne veux pas qu'il lui arrive malheur. C'est pour ça que si tu pouvais diriger le monde, tu remonterais le temps. Pour le sauver. Mais c'est plus profond que ça, n'est-ce pas ? Tu ne veux pas seulement qu'il soit en sécurité ; tu voudrais que vous soyez de nouveau ensemble, grand frère, petite sœur. »

Elle ne dit pas un mot.

« C'est pour ça que tu es partie à sa recherche. Pour l'aider. Pour jouer ton rôle de petite sœur. Alors quand il t'a repoussée... ça a vraiment dû te faire de la peine. Je suis désolé, Sharlah. Que tu aies dû endurer ça. »

Sharlah se rapprocha. Insensiblement, mais ce fut suffisant. Quincy leva son bras et elle se blottit contre lui.

De nouveau, plus de mots. Quincy posa sa joue sur la tête de Sharlah et fit de son mieux pour simplement profiter de cet instant. Rare. Fragile. Et voué à être de courte durée.

« Je ne sais plus qui il est, murmura Sharlah contre sa poitrine. Ce nouveau Telly, je ne le connais pas du tout.

– Il t'aime encore.

– Parce qu'il ne m'a pas fait de mal ?

– Parce que, dans son sac, au milieu de ses carnets, de son album photo, de ses objets les plus personnels, il avait un exemplaire de *Clifford le gros chien rouge* emprunté à la bibliothèque.

– C'était notre livre. Celui qu'il me lisait.

– Peut-être que si Telly avait une baguette magique, lui aussi fabriquerait une machine à remonter le temps. Et que dans ce nouveau monde, lui et toi ne rentreriez jamais chez vous. Vous resteriez dans la bibliothèque, ensemble à jamais.

– À lire, dit Sharlah tout bas. En mangeant les goûters donnés par la bibliothécaire.

– Une enfance idéale, je dirais. »

Sharlah s'écarta. Quincy ne la retint pas. Il la laissa se redresser, rassembler ses idées.

« Rainie va me ramener à la maison », dit Sharlah. C'était une affirmation, pas une question. « Luka et elle monteront la garde là-bas pendant que tu travailleras ici à essayer de retrouver mon frère. »

Quincy confirma.

« Et si tu le retrouves ?

– Sharlah, tu sais comment travaille un très bon profileur ? »

Elle secoua la tête.

« Il prend en compte toutes les statistiques et tous les calculs de probabilité sur le comportement criminel et ensuite il fait tout de même de son mieux pour ne pas se laisser enfermer dans ces schémas. L'être humain est une machine complexe. Au bout du compte, il n'existe pas encore d'équation qui permette de prédire tout l'éventail des comportements possibles.

– Je ne sais pas ce qu'il faut comprendre.

– Il faut comprendre que s'il existe un quelconque moyen d'aider ton frère, je le trouverai. À ce stade, nous ne savons pas encore de quoi il a pu ou non se rendre coupable. Mais si Rainie a vu juste et que Telly est victime d'un coup monté, je ferai de mon mieux pour le faire échouer. Pour ramener ton frère sain et sauf à la maison.

– Merci. »

Quincy prit sa fille dans ses bras. Pas trop longtemps. Sans trop serrer. Elle avait ses propres barrières et il se devait de les respecter. Mais elle lui fit la surprise de lui rendre son étreinte. Il accueillit cet instant, conscient de son caractère magique. Un cadeau. Qu'il aurait accepté de payer de dizaines d'autres après-midi d'angoisse pour le recevoir de nouveau.

« Tu te trompais au sujet de ta machine à remonter le temps, murmura-t-il. Si nous ne t'avions pas rencontrée... ça aurait fait un vrai vide dans nos vies, à Rainie et moi. Devenir parents d'accueil ne transforme pas seulement la vie de l'enfant, Sharlah. Tu as transformé la nôtre. Merci de faire partie de notre famille.

– Je suis désolée de t'avoir fait de la peine.

– Je sais. Et je te présente aussi mes excuses pour ce qui pourrait arriver à partir de maintenant. »

Quincy rentra à la suite de Sharlah et Luka dans la salle de réunion. Rainie, devant le mur du fond, examinait les photos de l'album de Telly prises par Cal. Sharlah la rejoignit et fut aussitôt captivée par cette juxtaposition de photos de Telly bébé, de photos scolaires et, oui, de photos de leur famille.

Quincy resta en retrait pour observer la scène. Il se rendit compte que Sharlah n'avait certainement jamais vu ces images et qu'elle était si jeune au moment de la séparation qu'elle ne se souvenait sans doute guère des visages de sa famille biologique.

Le premier cliché, affiché à hauteur d'yeux, montrait un bébé gazouillant. Telly Ray Nash, dix-sept ans plus tôt. Sharlah s'arrêta et toucha d'un doigt très léger la joue rebondie du nourrisson. Personne ne s'y opposa. Il ne s'agissait que de tirages papier, ils ne risquaient pas d'être abîmés par des traces de doigts. Et puis...

Jusque-là, ces photos n'étaient que des photos. Des images recueillies sur une scène de crime. Mais sous le regard avide de Sharlah, ces vestiges de son enfance reprenaient vie. Ils devenaient les souvenirs d'une famille qu'un drame avait déchirée.

Sharlah avança le long du mur, une main sur Luka, et Rainie, s'apercevant de la présence de sa fille, s'écarta. Comme Quincy, elle observa Sharlah dévorant des yeux ces images des cinq premières années de sa vie.

Quincy se fit la réflexion que la maman de Sharlah semblait tout ce qu'il y a de plus banal. Son fils de cinq ans sur les genoux, elle avait à la main un biberon destiné à sa fille, attachée dans un transat pour bébé. Un petit sourire aux lèvres, elle avait les cheveux bruns de Sharlah, ses yeux noisette. Le visage fin, les cheveux raides. À bien y regarder, on constatait que son haut à fleurs était élimé aux manches et que le transat n'avait pas l'air de première main. Clairement pas une famille qui roulait sur l'or, mais tout de même...

Cette galerie de photos dessinait le portrait d'une famille. D'une famille comme une autre. D'une famille comme tant d'autres.

Qui posait pour la postérité, mais gardait ses secrets.

« Est-ce que ce sont mes parents ? » demanda doucement Sharlah. Elle s'était arrêtée devant une photo de groupe, prise devant un bâtiment blanc. Maman, papa, un Telly de sept ou huit ans, une Sharlah haute comme trois pommes.

« J'imagine », répondit Rainie.

Sharlah se pencha vers l'image. Elle ne regardait pas sa mère, mais examinait attentivement le visage de son père.

« Telly lui ressemble comme deux gouttes d'eau, constata-t-elle.

– Tu te souviens de ton père ? demanda Quincy.

– Non. Dans ma tête, il est tout déformé. Un gros visage rouge. Des yeux exorbités. Comme un monstre dans un film, tu vois.

– Et ta mère ? relança Rainie.

– Je crois qu'elle nous aimait », répondit Sharlah d'une voix moins assurée. Luka poussa un gémissement, lui lécha la main. « Seulement... pas assez. »

Sharlah arriva à la dernière photo.

« C'est mon grand-père ? » Sur cette photo, on voyait un vieillard en trench-coat beige et feutre noir, debout à côté d'un garage gris.

« Je suppose », dit Rainie en se retournant vers Quincy.

Sharlah toucha son visage, puis le vieil homme, et secoua la tête.

« Je ne suis pas sûre. Les autres photos... Même si je ne me souviens pas précisément d'eux, je les reconnais, vous voyez ? Ils sont... exactement tels que je les imaginais. Mais celle-là, celle du grand-père... il y a quelque chose qui ne colle pas. » Sharlah ne comprenait pas. « Une minute : si j'avais un grand-père, comment ça se fait que je me sois retrouvée placée ? Il ne nous aurait pas plutôt pris chez lui ? »

Quincy, qui s'était rapproché d'elle, examinait lui aussi cette dernière image. « Tu ne te souviens pas de cet homme ?

– Non. D'un autre côté, ajouta Sharlah avec dépit, on ne peut pas dire que je me souvienne de qui que ce soit.

– Il est peut-être mort quand tu étais encore bébé, suggéra Rainie. Ça expliquerait qu'il n'ait pas pu vous recueillir, Telly et toi. D'après les services sociaux, tu n'avais plus de famille. »

Quincy continuait à cogiter. Quelque chose sur cette photo... « L'arrière-plan, dit-il d'un seul coup. Le garage devant lequel se tient l'homme. Il ne te rappelle rien, Rainie ? Je jurerais l'avoir vu quelque part... »

La voix de Quincy se perdit dans le silence, puis il se retourna brusquement vers Shelly, encore penchée sur les photos prises à la station-service. « La couleur du mur. Ce coin de la porte de garage. On est chez les Duvall ! Ce type se trouve devant le garage de Frank et Sandra, c'est une certitude. »

Sharlah en resta interloquée. Shelly les rejoignit promptement, ainsi que le pisteur. Tous deux étaient chez les Duvall avec Quincy l'après-midi même. Ils se concentrèrent sur l'arrière-plan de la photo.

« C'est sûr qu'on pourrait être chez les Duvall, convint Shelly.

– Et il n'y a pas très longtemps, précisa Noonan. Là, dans le coin : cette plante est un massif de lis d'un jour, en pleine période végétative. Je l'ai remarqué cet après-midi parce que c'était la première fois que je voyais des fleurs d'un orange aussi soutenu. Mais à la fin du printemps ou au début de l'été, le feuillage ressemblerait à ça.

– Si la photo a été prise cette année, dit Shelly.

– Telly ne vivait pas chez les Duvall, l'été dernier, dit Quincy. Il y a fort à parier que ça date de cette année.

– Qu'est-ce que ça signifie ? » Rainie le regardait. Elle avait posé son bras sur les épaules de Sharlah, qui semblait encore abasourdie.

« L'album de Telly est rempli de photos de son enfance, à l'exception de la dernière, qui représente un vieil homme devant la maison de sa famille d'accueil. Les parents ne sont pas présents. Juste le vieillard. Est-ce que ça voudrait dire qu'il était venu voir Telly, qu'il avait un lien avec lui mais pas avec les Duvall ?

– Un grand-père qui avait disparu de la circulation ? proposa Rainie. Qui avait perdu le contact avec les parents de Telly et Sharlah, mais qui essaierait de renouer ? »

Shelly les regarda. « Est-ce qu'il n'aurait pas été obligé de passer par les services sociaux ? Ce qui voudrait dire qu'on vous aurait vous aussi prévenus ? Surtout que vous avez entamé une procédure d'adoption. »

Que la réapparition d'un grand-père n'aurait pas manqué de compliquer.

« Personne ne nous a contactés, dit Quincy.

– Est-ce que ce type pourrait être un membre de la famille Duvall ? demanda Noonan.

– Telly n'a même pas mis de photos de Frank et Sandra dans son album. Pourquoi faire l'impasse sur eux et mettre la photo d'un membre de leur famille ? »

Personne n'avait de réponse à cette énigme.

Quincy sortit du cercle et se mit à faire les cent pas.

« Carnets de notes, journaux intimes, album de famille, marmonna-t-il en longeant la table de réunion. Aucune logique à apporter ce genre d'objets dans un campement factice. Ce n'est pas comme si en fouillant le sac d'un randonneur on allait s'étonner qu'il n'ait pas emporté son album photo. Alors pourquoi ces objets ? Quel message essaie-t-il de nous faire passer ?

– Héros ou zéro », rappela Rainie.

Quincy lui lança un regard. « Sur la dernière page de son carnet, il a écrit *héros*.

– Parce qu'il essaie de me sauver, dit Sharlah d'un air buté.

– D'un vieillard décati ? dit Rainie, qui jeta de nouveau un regard vers la photo avec un scepticisme évident.

– Souvenez-vous du téléphone de Telly, dit Quincy. Laissé dans la voiture de Frank. Il contenait des photos de Sharlah. Telly voulait que ces images nous fassent peur. Pour que nous surveillions Sharlah, que nous la gardions près de nous.

– Parce qu'il était trop occupé à mitrailler mon équipe pour s'en charger lui-même ? » demanda amèrement Noonan.

Quincy lui concéda ce point. « Cette photo aussi est un message. Il faut identifier ce vieillard. Et vite. »

On frappa à la porte. Tous se retournèrent pour découvrir l'enquêtrice Rebecca Chasen sur le pas de la porte, une feuille à la main.

« Ah, Roy, dit-elle, j'aurais besoin de toi une seconde. »

Son collègue s'approcha d'elle. Il baissa la tête et l'enquêtrice lui glissa quelques mots à l'oreille.

« Tu es sûre ? » demanda-t-il sèchement.

En réponse, elle lui tendit le document.

Roy hocha la tête et retourna son attention vers la salle de réunion, le fax à la main.

« Le légiste a procédé aux vérifications d'usage sur les empreintes digitales des Duvall. Et ça a payé : Frank Duvall est vraiment Frank Duvall ; Sandra, en revanche... D'après ses empreintes, son vrai nom est Irene Gemetti. Et elle est recherchée depuis trente ans dans le cadre d'une enquête pour meurtre. »

34

Henry Duvall avait pris une chambre dans un des motels bas de gamme qui se succédaient le long de la route côtière. Comme on était en haute saison, Shelly était étonnée qu'il ait pu en trouver une. L'établissement occupait un bâtiment blanc tout en longueur situé en retrait de la route, chaque chambre donnant sur le parking. CHEAP & CLEAN, disait une enseigne rouge clignotante. Propre et pas cher. Et en dessous, la promesse de wifi gratuit.

Shelly l'ayant prévenu par téléphone, Henry les attendait sur le pas de sa porte. Éclairé à contre-jour par la lumière de sa chambre, il les vit entrer sur le parking. Il portait le même short et le même tee-shirt que l'après-midi, mais il avait retiré ses chaussures de randonnée. En chaussettes, il paraissait plus petit, plus vulnérable. Un fils éploré, se dit Shelly, même si elle n'en était plus aussi convaincue.

Elle avait pris le temps d'enfiler une chemise propre, semblable en tout point à celle de son uniforme marron, sauf qu'elle sentait meilleur. Quincy n'avait même pas eu ce luxe. Il s'était passé de l'eau sur le visage et sur les bras dans les sanitaires des locaux du shérif, point final.

Lorsqu'ils sortirent de la voiture de Shelly, l'air du parking leur parut à la fois lourd et léthargique. Combinaison inhabituelle dans une ville qui associait toujours l'été à la fraîcheur de la brise côtière. L'océan était censé être leur salut, pas leur malédiction.

Shelly sentait déjà la sueur perler à la racine de ses cheveux et coller sa nouvelle chemise à sa poitrine. Quincy à sa suite, elle se dirigea vers la chambre de Henry. Celui-ci fit un pas en arrière, les invitant sans mot dire à entrer.

La chambre contenait un lit double défoncé, une télé à écran plat posée sur une vieille commode et pas grand-chose d'autre. Le climatiseur mural soufflait paresseusement, en émettant un cliquetis qui n'annonçait rien de bon. Si la température avait baissé depuis qu'il fonctionnait, c'était pure coïncidence.

Henry haussa les épaules, comme s'il lisait sur leurs visages ce qu'ils pensaient de cette chambre minable. « Je vous dirais bien que c'est un cran au-dessus du camping, mais peut-être un demi-cran seulement. Au moins, là où je campais avec mes potes, on avait un ruisseau pour se rafraîchir. »

Shelly se demanda où étaient maintenant les potes en question. Quand on apprend le meurtre de ses parents, on appelle des amis pour être soutenu, non ? Jusqu'à présent, ses enquêteurs n'avaient découvert aucun élément tendant à prouver que Henry se trouvait en ville deux semaines plus tôt et qu'il était allé avec Telly à la station EZ Gas. Mais l'enquête n'en était qu'à ses prémices et les agents étaient débordés. S'agissant de Henry Duvall, Shelly préférait s'abstenir de toute conjecture. Plus ils en apprenaient, plus elle était persuadée que l'explication des meurtres d'aujourd'hui était à chercher du côté de la famille Duvall et non de Telly Ray Nash.

« Je vous offre de l'eau ? proposa Henry. Ça, j'en ai. Et de quoi grignoter.

– Nous avons des questions sur votre famille », répondit Shelly. Elle posa ses mains sur ses hanches. Sa posture officielle de shérif, celle qui devait lui donner l'air plus grande, plus intimidante. *A contrario*, Quincy resta en retrait. Pas nécessairement pour jouer le flic gentil, plutôt celui qui se fait un peu oublier pendant qu'il examine discrètement la pièce et procède à ses propres observations. Shelly et lui s'étaient déjà livrés à plusieurs reprises à ce petit numéro, d'où la décision de Shelly de l'emmener avec elle.

Henry acquiesça d'un signe de tête. Il se dirigea vers le lit, seul endroit où s'asseoir, et se percha maladroitement au bord du matelas.

« Est-ce que le nom d'Irene Gemetti vous évoque quelque chose ? » Question posée sur un ton anodin par Quincy, derrière Shelly.

Henry fronça les sourcils. Il entendait le profileur, mais ne voyait pas son visage. « Non. Il devrait ?

– Que savez-vous du passé de votre mère ? De ses amis, de sa famille ?

– Ma mère ne parlait pas de son passé.

– Vous voulez dire qu'elle ne parlait jamais de ses parents ? demanda Shelly. Ou plutôt qu'elle ne racontait jamais d'anecdotes sur le bon vieux temps ?

– Les deux. Ma mère avait pour strict principe de ne jamais regarder en arrière. Chaque fois que je lui posais la question, j'obtenais la même réponse : elle était partie de chez elle à seize ans, elle s'était retrouvée dans la mouise, elle avait rencontré mon père et c'était là que sa vie avait vraiment commencé. C'était tout ce que j'avais besoin de savoir. Début, milieu et fin de l'histoire.

– Ça a dû attiser votre curiosité. » Quincy de nouveau. Il s'était éloigné des deux autres et examinait à présent la porte de la salle de bains. « Que disait votre père ?

– Va demander à ta mère. »

Au tour de Shelly, pour rediriger l'attention de Henry sur elle et l'obliger à la partager entre elle et Quincy : « Jamais elle n'a parlé de ses parents ? Pas une fois ?

– Son père n'était pas quelqu'un de recommandable. C'est tout ce qu'on m'a donné comme explication. Un type suffisamment abject, je suppose, pour que même après son départ, elle refuse tout contact avec lui. Pas de visites, pas de cartes de vœux, pas de coups de fil. Rien. » Henry haussa les épaules. « Bien sûr que ça m'intriguait. Qu'est-ce qui pouvait être si grave ? Au point qu'on ne puisse même pas en parler à une époque où tout le monde va étaler ses problèmes à la télé ? Mais ma mère n'a jamais bougé d'un iota sur le sujet. Après tout, je n'étais que son fils. Si elle refusait d'en parler, je ne pouvais pas y faire grand-chose.

– Irene Gemetti », répéta Shelly.

Mais Henry secoua la tête, l'air toujours aussi dérouté. « Je ne comprends pas.

– Est-ce qu'il vous est arrivé de taper le nom de votre mère sur Google ? De chercher à vous renseigner par vous-même sur son passé ? » Quincy revenait du fond de la chambre.

Henry rougit. « Possible. »

Quincy et Shelly attendirent.

« Des Sandra Duvall, il y en a une tripotée, finit par expliquer Henry. Huit ou neuf. Les seules informations que j'ai pu trouver sur ma mère, c'était sur sa page Facebook. Et disons qu'elle publiait plus volontiers des recettes de cuisine que ses secrets de famille.

– Mais Duvall n'est pas son nom de jeune fille, fit remarquer Quincy.

– Cela ne m'avait pas échappé, mais, partant de là, que faire ? Elle n'allait pas me donner une information aussi précieuse. Quant à lancer des recherches sur toutes les Sandra de l'Oregon...

– Elle n'était pas de Bakersville ?

– Non. C'est mon père qui l'a amenée ici. Au moins une chose que je sais. Ils s'étaient rencontrés à Portland. Ils ont eu un genre de coup de foudre qui a tout emporté. Au bout de quelques semaines, ils étaient mariés. Ensuite mon père a décroché son diplôme d'enseignant à la fac de Portland et ils se sont installés à Bakersville. Mon père était né ici. Il disait toujours qu'il n'y avait pas un endroit au monde où il aurait mieux aimé vivre.

» Vous savez ce dont je m'étais rendu compte ? ajouta d'un seul coup Henry. Il n'y a pas de photos de ma mère. Nulle part, vous voyez. Même pas de photo de profil sur sa page Facebook. Et toutes les photos qu'elle publie, ce sont des photos de moi, de mon père, éventuellement d'un plat ou d'une fleur du jardin. Mais jamais d'elle-même. J'ai été jusqu'à faire le tour de la maison en cherchant une photo de mariage, des photos où elle apparaîtrait avec mon père. Mais non. J'en ai trouvé de ma remise de diplôme, de mon père et moi en camping. Mais aucune de ma mère.

– Vous avez interrogé votre père à ce sujet ? demanda Shelly.

– Bien sûr. Il m'a dit que c'était logique : la personne qui prend toutes les photos n'apparaît jamais dessus. Mais de là à ce qu'il n'y en ait aucune ? Il se foutait de ma gueule. »

Quincy reprit la parole. « Pourquoi cherchiez-vous des photos de votre mère ? »

Henry reprit sa contemplation de la moquette, les épaules crispées. Shelly sentait la tension qui émanait du jeune homme. Le poids des secrets qu'il taisait.

Elle se rapprocha d'un pas. « Irene Gemetti. Vous connaissez ce nom.

– Je vous jure que non. Je n'ai aucune idée...

– Mais vous êtes au courant de quelque chose.

– Peu importe ! C'est Telly qui les a tués...

– Tués qui ? Vos parents ? Votre mère, sans photos ni passé ? » Shelly accentua la pression. « Qui est mort chez vous aujourd'hui, Henry ? Vous êtes-vous posé la question ? Qui était Sandra Duvall ? Et pourquoi protégez-vous encore ses secrets ?

– Je ne sais pas...

– C'est le vrai nom de votre mère, Irene Gemetti. Une femme toujours recherchée dans le cadre d'une enquête sur un meurtre commis il y a trente ans.

– Quoi ? » Henry se déplia comme un ressort, les yeux écarquillés.

Si ce gamin était un acteur, c'était le meilleur qu'elle avait jamais vu, se dit Shelly.

« Ma mère s'appelle Irene ? Elle est recherchée pour meurtre ? Vous rigolez ? » Mais il ajouta aussitôt : « Cette chose terrible qu'elle avait faite à seize ans. Elle ne plaisantait pas. Putain de merde. Ma mère. Putain de merde. » Il se rassit et contempla la moquette sans la voir.

Shelly l'observait en se demandant comment enchaîner lorsque Quincy vint se poster à ses côtés. Il attrapa le dossier qu'elle avait coincé sous son bras et le feuilleta rapidement jusqu'à ce que... « Regardez. » Il mit sous le nez de Henry la photo du vieillard devant le garage des Duvall. « Qui est cet homme ? Vous le savez. Alors dites-le-moi ! »

Henry leva les yeux vers lui, de nouveau l'air hébété et perdu. « Peu importe...

– *Qui est cet homme ?*

– Mon grand-père ! » Henry décolla du lit comme une fusée, le visage empourpré. « Le père de ma mère. Pépé Gemetti, j'imagine. Il avait retrouvé ma trace. Il s'est pointé un jour à la sortie d'un de mes cours. Il a dit qu'il voulait faire ma connaissance. Qu'il avait été ravi de découvrir qu'il avait un petit-fils. Mais il ne s'est pas présenté sous le nom de Gemetti. Il disait s'appeler David Michael, David Martin, un truc du genre. Et il n'a jamais parlé d'une quelconque Irene.

– Vous l'avez rencontré ? Vous avez parlé au père de votre mère ? insista Shelly.

– Non. Enfin, oui, je l'ai vu cette fois-là, mais ensuite... Oh et puis merde ! » Henry tourna sur lui-même, fit deux pas, heurta la table de chevet et s'arrêta. Tête basse, il poussa un profond soupir, conscient de n'avoir nulle part où fuir, nulle part où se cacher. Comme c'est souvent le cas devant la vérité.

« Je suis rentré à la maison pour les vacances de printemps, d'accord ? » Il se retourna. « J'ai interrogé mon père au sujet du vieux. Je n'ai pas abordé le sujet avec ma mère parce que je savais que ça finirait mal. Alors j'ai demandé à mon père si le père de ma mère était encore en vie et si, une idée comme une autre, je pouvais faire sa connaissance parce que j'étais pratiquement certain que lui aurait voulu me connaître. Et vous savez ce que mon père a répondu ? Même pas en rêve. Si j'avais un minimum d'affection pour ma mère, j'oublierais que ce grand-père fantôme s'était pointé. J'ai voulu discuter. Après tout, la brouille entre ma mère et son père était vieille de trente ans, pas vrai ? »

Quincy et Shelly attendirent.

« Et ce type était tellement... *vieux*. Il voulait peut-être se racheter, réparer ses torts, je ne sais pas. Après toutes ces années, quel mal y avait-il à cela ? » Henry secoua la tête.

« Mais rien à faire. D'après mon père, mon grand-père était un criminel notoire. Ou une incarnation de Satan. Franchement, je n'y comprenais que dalle. Mais si je tenais un minimum à ma mère, j'étais prié d'oublier que j'avais vu ce type et je ne reparlerais plus jamais de lui. Affaire classée.

– Mais vous n'êtes pas la fille de ce monsieur, dit Shelly tout de go. Vous êtes son petit-fils. Vous avez bien le droit d'avoir votre propre relation avec lui. »

Henry rougit de nouveau. « L'idée m'a traversé l'esprit, admit-il à mi-voix. Mais mon père... Il m'a conseillé de me demander pourquoi mon grand-père était réapparu d'un seul coup maintenant. S'il nous avait retrouvés après toutes ces années et qu'il voulait vraiment faire la paix, pourquoi ne pas contacter ma mère directement ? Au lieu de ça, il s'était arrangé pour retrouver le seul membre de sa famille qui avait la réputation d'être doué en informatique...

– Votre père pensait que votre grand-père voulait vous recruter pour ses malversations ?

– Les barons du crime ont aussi besoin d'informaticiens. Du moins, c'est ce que mon père a laissé entendre.

– Qu'avez-vous fait ? demanda Quincy.

– Rien. J'ai repris les cours. J'ouvrais l'œil, mais il n'est jamais revenu. Et puis, peu de temps après le début de mon stage d'été, mon père m'a appelé pour me dire que le problème était réglé. Mon grand-père était mort. D'un cancer.

– Ça remonte à quand ? demanda Shelly.

– Il y a un mois, disons. Juillet ?

– Vous l'avez cru ?

– J'ai essayé de taper son nom sur Google. David Michael. David Martin. David Michael Martin. Des David, il y en a à tous les coins de rue, mais aucun ne m'est apparu comme le diable incarné qui serait mort depuis peu.

– Un nom d'emprunt, là aussi », souligna Shelly en prenant note dans un carnet.

Quincy avait une question encore plus judicieuse : « Comment votre père avait-il appris la mort de votre grand-père ?

– Je crois qu'il a fini par avoir une petite conversation avec lui. Qu'il lui a dit de se tenir à l'écart de ma mère, de notre famille. Le vrai discours de macho.

– Chez vous ?

– Au risque que ma mère le découvre ? Sûrement pas. Papa a emmené Telly en randonnée. Il avait donné rendez-vous au papi dans les bois.

– En présence de Telly ? Telly aurait rencontré votre grand-père ?

– S'il l'a rencontré ? Pas que je sache. Mais est-ce qu'il en a entendu parler ? Ça, c'est certain. Telly était là le jour où j'ai raconté que le vieux était venu me voir à la fac. Quand mon père nous a interdit de parler à ce type, c'était valable pour tous les deux, Telly et moi. Peut-être bien qu'il a ajouté un truc du genre : et si jamais vous voyez un vieux schnock rôder autour de la maison, tirez à vue, ça évitera à maman d'avoir à le faire.

– Et Telly était d'accord ?

– On l'était tous les deux.

– Alors qui a rencontré votre grand-père chez vous ?

– Il n'est jamais venu chez nous.

– Henry, regardez la photo. Où se trouve cet homme ? » Quincy leva la photo tirée de l'album de Telly en montrant du doigt le garage à l'arrière-plan. Shelly vit Henry comprendre peu à peu la situation.

« C'est notre garage. Il est devant chez moi. Avant de mourir, mon grand-père est venu chez moi... Mais pourquoi ? Papa disait que ma mère le tuerait sans préavis.

– Il n'est peut-être pas venu voir votre mère, dit Shelly. Il avait d'abord tenté le coup avec vous. Puis avec votre père. Et ensuite... »

Henry blêmit. « Telly. Quel fils de pute. Après tout ce que papa lui avait dit, il rencontre mon grand-père. Le salopard. Il a vendu mes parents !

– Henry, vous êtes certain que votre grand-père est mort ? » demanda de nouveau Quincy.

Mais Henry secoua la tête.

35

Quand je suis rentré, d'abord je n'ai vu personne. Dix-neuf heures, un jeudi soir. Je revenais d'un rendez-vous avec Aly, ma conseillère de probation. Mon année de lycée officiellement terminée, mes cours d'été allaient commencer. Aly disait qu'elle était ravie de mes progrès. Tant mieux, l'un de nous l'était.

Aly aimait qu'on se retrouve dans un petit snack du centre-ville réputé pour ses milk-shakes. Elle tenait le cheeseburger-frites pour le meilleur repas au monde. Au début, je croyais qu'elle disait ça pour se mettre les jeunes dans la poche. Mais après l'avoir vue manger deux ou trois fois, j'étais revenu sur cette opinion. Pour un petit bout de femme, elle avait un sacré appétit.

Au moins, nos rendez-vous n'étaient pas trop désagréables. Ce jour-là, j'étais même plus ou moins impatient de la voir. Aly comprenait mon rapport à l'école. Elle ne s'attendait pas à ce que je devienne le premier de la classe du jour au lendemain. Mais elle voulait que j'apprenne à survivre dans cet environnement. Plus de concentration, moins de crises. Et elle m'avait obtenu la permission d'emporter mon iPod aux cours de rattrapage, pour que je puisse l'écouter pendant les pauses.

« Pour toi, la musique est un outil. Sers-toi des outils que tu as, Telly. Ils sont là pour ça. »

J'avais donc devant moi l'exaltante perspective de huit semaines de cours d'été et de musique dans les couloirs. Ensuite une dernière année de lycée. Dernière année pour mettre ma vie sur les bons rails. Dernière année avec les Duvall.

Je me demandais si les autres élèves, ceux qui avaient de vraies familles, étaient impatients de décrocher leur diplôme. Ou si tout le monde était aussi terrifié que moi.

Au début, je n'ai pas su identifier ce bruit. J'ai posé mon sac à dos dans le placard de l'entrée. Retiré mes tennis. Rangé mon iPod dans la poche arrière de mon pantalon. Et finalement j'ai compris. Des reniflements. Des sanglots.

Quelqu'un pleurait.

Je me suis figé dans l'entrée, désemparé.

Sandra. Ça ne pouvait être qu'elle. Qui d'autre aurait pleuré dans la maison ?

Avançant à pas feutrés, j'ai jeté un coup d'œil dans la cuisine. Personne. Puis le séjour. Personne.

Pour finir, j'ai remonté le couloir vers sa chambre. La porte était entrebâillée et les pleurs nettement plus audibles.

J'ai frappé à petits coups, hésitant à la déranger. « Heu... ça va ? » ai-je fini par demander.

Reniflement. Sanglot déchirant.

Lentement, j'ai poussé la porte. Sandra était assise au bord du lit. Elle portait la même jupe d'été et le même chemisier à volants que le matin. Sauf que maintenant elle se trouvait au milieu d'une montagne de mouchoirs en papier usagés, un verre d'eau à la main.

Elle a levé les yeux à mon entrée. Le nez rouge. Les yeux bouffis. Elle n'a rien dit. Elle m'a regardé, et moi je ne savais plus où me mettre.

« Frank est là ? » ai-je demandé avec espoir.

Elle a secoué la tête.

Je m'en doutais, même si j'aurais bien voulu obtenir une autre réponse. Frank était souvent absent ces derniers temps. Où il allait et ce qu'il faisait, je l'ignorais. J'avais parfois l'impression que Sandra ne le savait pas davantage. Mais elle n'insistait pas pour le savoir et moi non plus.

« Ce n'est pas grave d'être triste, a-t-elle dit d'un seul coup.

– Oui.

– Les gens comme toi et moi… On sait que pour chaque chose qu'on gagne, on en perd une autre. Il y a des jours où il faut pleurer ce qu'on a perdu. »

Je me suis rendu compte qu'elle avait la voix pâteuse. Sandra, que je n'avais jamais vue boire ne serait-ce qu'une goutte de vin, avait manifestement autre chose que de l'eau dans son verre. De la vodka pure ? De la tequila ? Mais où en avait-elle trouvé ? Comme ils accueillaient un adolescent perturbé, et tout ça, les Duvall étaient assez prudents sur la présence d'alcool dans la maison. Il arrivait de temps à autre que Frank rapporte un pack de bières. Mais de l'alcool fort ? Jamais de la vie.

J'ai avancé dans la chambre, inquiet à présent.

« Tu… tu veux que j'appelle quelqu'un ?

– Est-ce qu'ils te manquent ? a-t-elle demandé tout bas.

– Qui ça ? » Mais à l'instant même, j'ai su exactement de qui elle voulait parler. Je me suis figé, les mains dans les poches. Et j'ai enfin compris ce qui se passait : Sandra s'accordait une petite séance d'apitoiement sur son sort. Sa famille lui manquait. Tout comme certains jours, tous les jours, la mienne me manquait.

Elle m'observait, à présent, avec des yeux si perçants que j'ai dû détourner le regard.

« Est-ce que tu avais des frères et sœurs ? lui ai-je demandé.

– Non. Il n'y avait que moi. Fille unique. La veinarde.

– Ma sœur me manque, lui ai-je avoué.

– *Ma mère est morte.*

– *Aujourd'hui ? Je suis désolé...*

– *Il y a cinq ans. Cancer du sein. Je l'ai su plus tard. Je ne l'avais pas appelée, tu vois. Je n'ai jamais regardé en arrière. Elle est morte et je n'ai même pas eu l'occasion de lui dire au revoir.*

– *Tu l'aimais.*

– *Je la détestais ! D'avoir été si faible. D'avoir épousé cet homme. De le laisser hausser le ton, lever la main, faire tout ce qu'il voulait. Je vomissais cet homme, mais elle, je la détestais. Surtout vers la fin. Quand j'étais devenue aussi mauvaise que lui et qu'elle n'a pas fait un geste pour m'en empêcher. »*

Je ne savais plus quoi répondre. Ou alors si : « *Ma mère était triste*, ai-je dit tout bas. *C'est le souvenir le plus net qu'il me reste. Et quand elle était triste, elle était infiniment triste. En même temps, quand elle était gaie, elle était infiniment gaie. Quand j'étais petit, j'aurais voulu qu'elle soit gaie plus souvent.*

– *C'est ton père qui l'a tuée. »*

Je n'ai pas pris la peine de la détromper.

« *Il l'a poignardée. C'est en découvrant ton histoire que je t'ai choisi, Telly. Entre tous les gamins possibles, c'est toi que j'ai pris. Parce que je connais le bruit d'une lame qui s'enfonce dans la chair. Je connais la sensation du sang qui dégouline de tes mains. Frank ne sait pas. Il essaie de comprendre, mais il n'a jamais éventré que du gibier. Et ce n'est pas la même chose, pas vrai, Telly ? Ce n'est pas la même chose.*

– *Je suis désolé que ta mère soit morte.*

– *Je suis désolée que ta mère soit morte aussi* », a-t-elle répondu avec solennité. Puis elle a fondu de nouveau en larmes et pris un autre mouchoir.

« *Tu devrais appeler ta sœur*, a-t-elle repris au bout d'un moment. *Frank a son numéro et tous les renseignements qu'il te faut. Tu pourrais l'inviter à dîner. Je vous ferai ces ignobles macaronis au fromage en boîte.*

— Merci », ai-je dit, ce qui n'était pas vraiment une réponse. *Aly aussi m'avait tarabusté au sujet de Sharlah. Tout le monde pensait que j'avais besoin de clore ce chapitre. J'avais cassé le bras de ma petite sœur. Et alors, quoi ? La rencontrer, voir sa cicatrice, ça allait me réconforter comme par magie ?*

« *Tu ne vas pas l'appeler, m'a dit Sandra. Tu as la trouille.*

— *Non.*

— *Si.*

— *J'ai honte* », ai-je dit brutalement. *Parce que je pouvais parler à cette Sandra ivre. Tout comme elle-même pouvait me parler.*

« *Je frappais ma mère* », a-t-elle répondu.

Voilà qui était intéressant. Je me suis rapproché.

« *Je laisse croire à Frank que je me suis enfuie de chez moi parce que mon père nous maltraitait. Mais ce n'est qu'à moitié vrai. Mon père était un salaud sans cœur et sans pitié. Mais je suis surtout partie parce qu'un jour j'ai poussé ma mère dans les escaliers. Et ce n'était même pas la première fois que je criais sur elle, que je la frappais, que je lui donnais une gifle. Sans doute même pas la vingtième. Tu vois, vers douze ans, j'ai compris que j'avais le choix entre subir les tortures de mon père ou devenir sa complice. Alors j'ai choisi. Je suis devenue sa fille. Il était tellement fier de moi, ce connard.* »

Je n'ai pas bougé. Je ne voulais pas qu'elle arrête de parler. Même si je ne comprenais pas le début du commencement de cette vérité étrange, surréaliste : derrière Sandra la mère de famille épanouie, Sandra toujours prête à vous faire votre plat préféré, se cachait un bourreau.

« *Ma mère n'a pas pleuré quand elle a atterri en bas. C'est ce silence absolu qui m'a fait peur. Pendant quelques instants, j'ai cru qu'elle était morte. J'ai regardé mes mains. En réalisant ce que je venais de faire. Et en sachant que j'étais capable de le refaire, encore et encore. Que j'allais le refaire. Que jamais elle ne m'arrêterait.*

» Est-ce qu'elle m'aimait trop pour ça ? Ou est-ce qu'elle me haïssait trop ? Je n'ai jamais su répondre à cette question. Comment peut-on laisser son enfant devenir un tel monstre ? Mon père, au moins, était franc dans sa cruauté. C'est ma mère que je n'ai jamais su comprendre. Elle a fini par se relever. Elle est allée à la cuisine en boitillant. Elle s'est mise à préparer le dîner, sans dire un mot. Et je me suis rendu compte... je me suis rendu compte que je ne pouvais plus vivre comme ça.

— *Tu t'es enfuie.*

— *C'était la seule solution. Si mon père avait su que je partais, il ne m'aurait pas frappée. Il m'aurait tuée, c'est sûr.*

— *Pourquoi ?*

— *Parce que je lui appartenais. Comme ma mère. Et que mon père n'était pas du genre partageur.*

— *N'empêche... tu pleures en pensant à eux. »*

Elle a levé les yeux vers moi. « Tu ne pleures plus en pensant à tes parents ? »

Là, elle marquait un point. Je me suis assis par terre. Elle a levé son verre, mais j'ai secoué la tête.

« Je ne bois pas souvent, s'est-elle défendue. Et j'essaie de ne pas trop pleurer non plus. Ce qui est fait est fait. Et Frank est un homme extraordinaire. J'ai eu une chance incroyable. J'ai toujours une chance incroyable. Je le sais.

— *Mais il y a des jours...*

— *Il y a des jours.*

— *Tu me disais que ça irait de mieux en mieux. Que quand j'aurais ma propre famille, mes parents me manqueraient moins.*

– Je mentais. » Elle a pris une gorgée. « Sincèrement, tu as vraiment envie d'entendre que tu auras toujours un vide dans le cœur, que tu sentiras l'absence de tes parents comme un membre amputé ? Ça t'aide ? Ça te remonte le moral ?

– Non.

– Alors oublie ce que j'ai dit. Tu vas nager dans le bonheur toute ta vie. Une fille te fera tourner la tête. Ensuite tu auras deux merveilleux enfants, les plus beaux du monde, et tu ne connaîtras jamais ni épreuve ni déception. C'est mieux comme ça ?

– Est-ce que Henry te déçoit ?

– Grand Dieu, non. Mais c'est vrai que parfois j'aimerais mieux qu'il ne soit pas ce petit connard arrogant. Je t'en ficherais, des génies de l'informatique. »

J'aimais vraiment bien cette Sandra pompette. « Merci de m'avoir appris à faire le poulet à la parmesane.

– Ça l'a mis en rogne, hein ? Mais il a son père. Ils aiment bien se parler dans leur jargon de matheux. C'est normal que j'aie un enfant à moi, à mon tour. Alors voilà. Je lève mon verre à toi et moi, parce qu'ils auront beau lire tous les livres du monde, jamais ils ne sauront tout ce que nous savons. »

Elle a levé à nouveau son verre. Il a fallu que je détourne les yeux. Elle avait dit que j'étais son enfant. Elle et moi. Je pleurais. Je le savais, mais je ne pouvais pas retenir mes larmes.

« Il est vraiment méchant, ton père ? lui ai-je demandé.

– Oui.

– Parce qu'il boit, il se drogue ?

– Non, mon lapin. Parce que Dieu l'a fait comme ça et que ça lui plaît. Ton père avait une excuse. Le mien n'en a pas.

– Mon père était saoul le soir où il nous a agressés, mais ça n'est pas pour autant une excuse. Comme tu dis, Dieu a fait de lui un drogué et ça lui a plu. Il était plus heureux comme ça.

– Tu étais obligé de le tuer, Telly. Ne te reproche rien. Tu n'étais qu'un enfant. Tu as fait ce que tu devais faire.

– Peut-être que j'aurais dû m'enfuir de chez moi. En emmenant ma sœur.

– Et peut-être que moi, j'aurais dû tuer mon père, sauver ma mère. Tu vois, aucun de nous deux ne saura jamais.

– Tu gardes quand même un œil sur ta famille. C'est comme ça que tu as su que ta mère était morte ?

– Oui.

– Et ton père ?

– Tu veux dire le vieillard souffreteux qui suit mon fils jusqu'à sa fac avant de filer à des rendez-vous secrets avec mon mari ? »

J'ai ouvert de grands yeux. « Tu étais au courant ?

– Frank aime croire qu'il me protège, mais je n'en ai jamais eu besoin. Au bout du compte, je suis toujours la fille de mon père.

– Est-ce que tu vas le rencontrer ? Lui... accorder ton pardon ?

– Si ton père était encore vivant, si vous vous étiez seulement blessés l'un l'autre... Est-ce que tu aurais envie de le voir ? Est-ce que ça te réconforterait de lui offrir ton pardon ?

– Je ne sais pas. La question ne se pose pas. » Mais ce n'était pas tout à fait exact. Il y avait Sharlah, toujours Sharlah. Se sentirait-elle mieux si elle avait l'occasion de me pardonner ? Et inversement ?

Sandra connaissait le bruit glaçant du couteau qui se plante dans la chair. Mais moi je connaissais aussi celui d'une batte qui broie des os.

« Mon père ne cherche pas mon pardon », a dit Sandra. Elle a levé son verre, l'a terminé d'un coup de gosier. « Même à l'article de la mort, ce n'est pas son genre.

– Alors que cherche-t-il ?

– Dans mes rêves les plus fous, il veut que je le tue avant que le cancer ne le fasse. Au moins, ce serait une proposition intéressante. »

Que voulez-vous répondre à cela ?

« Mon père est riche, a-t-elle expliqué. Honteusement, scandaleusement riche. Des fonds occultes planqués dans les paradis fiscaux. Des baraques somptueuses aux quatre coins du monde, achetées avec de l'argent sale. En théorie, tout cela pourrait être à moi. En le tuant. Le roi est mort : vive la reine ! Tu vois le tableau. »

Elle a souri, mais c'était sinistre. À ce moment-là, elle n'était plus Sandra pompette ou Sandra ma mère de substitution. J'avais devant moi une femme que je ne connaissais pas du tout.

« Tu vas tuer ton père ?

– Pourquoi pas, s'il me le demande gentiment...

– Tu lui as parlé.

– Non. » Sa voix s'est brisée d'un seul coup. « Parce que c'est ça, le plus beau. Après toutes ces années, je ne sais toujours pas comment je réagirais en sa présence. Je crois que je me sentirais de nouveau toute petite, faible et démunie. Est-ce que tu pourrais me rendre un service, Telly ? Tu voudrais bien tuer mon père à ma place ? Je pourrais te trouver une batte de base-ball. »

J'ai secoué la tête. « Désolé, je ne tue que les poivrots qui pourchassent ma petite sœur avec un couteau.

– C'est marrant, hein ? La façon dont on grandit dans sa tête. On se promet de s'améliorer. Et au final, on ne change jamais vraiment.

– Je suis désolé », ai-je répondu, même si je ne savais pas très bien de quoi j'étais désolé. Parce que j'avais refusé de tuer son père ou parce que je constatais à quel point il l'avait fait souffrir ?

« Merci de faire partie de ma nouvelle famille, Telly. Frank et Henry m'aiment, mais il y a certaines choses que je ne peux pas leur confier. Des choses que toi seul peux comprendre, je pense. Nous sommes un peu des âmes sœurs, toi et moi. Et j'en suis navrée pour tous les deux. »

Elle a souri tristement. Mais pas moi. Ça ne me dérangeait pas d'être son âme sœur. C'était un honneur.

« Si le pire doit arriver, je t'aiderai.

– Il va mourir, a-t-elle répondu d'une voix plus assurée. Il va mourir. Ensuite tout sera fini et la vie reprendra son cours normal. À moins, bien sûr... »

J'ai attendu, mais elle n'est pas allée plus loin dans ses explications. Au lieu de cela, la consternation s'est peinte sur son visage.

« Telly, il se pourrait finalement que je doive te demander de garder un dernier secret pour moi. »

36

Luka est épuisé après nos aventures de la journée. Je le fais entrer dans la maison pendant que Rainie fait une ronde dans le jardin. Il engloutit une gamelle d'eau et s'allonge par terre dans le salon en lançant un regard plein d'envie vers ma chambre, au bout du couloir.

Je suis trop survoltée pour dormir. Tout me fait mal. Mes jambes. Ma poitrine. Mon cœur. Mais je ne peux pas me déconnecter aussi facilement que mon chien. Alors j'arpente la cuisine, je me sers un verre d'eau et j'inspecte le réfrigérateur à plusieurs reprises. Je devrais manger. Je devrais avoir faim. Mais rien ne me tente.

Je n'arrête pas de revoir mon frère disparaître dans les bois, la carabine prête à l'emploi.

Lorsque Rainie rentre, je tourne en rond autour de la table de la cuisine. Elle ne dit rien. Se sert aussi un verre d'eau. Dehors il fait encore chaud et lourd, mais à l'intérieur la climatisation a été efficace. Rainie est parcourue d'un petit frisson à cause du choc thermique et je devine les contours de son pistolet coincé dans la ceinture de son pantacourt.

« Tu crois vraiment que Telly est encore une menace pour moi ?

– Je crois qu'on n'est jamais trop prudent.

– S'il voulait me tuer, il aurait pu le faire quand nous étions seuls cet après-midi. Il n'avait pas besoin d'attendre que ça se complique. »

Elle hausse les épaules, mais ne range pas son arme. Je comprends qu'il ne s'agit pas de Telly. Du moins, vu l'attitude de mon frère cet après-midi, elle ne doit pas être trop inquiète sur ce front-là. Mais elle n'est pas rassurée pour autant. Car si ce n'est pas Telly qui a tué les victimes de la station-service, qui l'a fait ?

« Rien à signaler dans le jardin ? » demandé-je comme si la réponse ne m'intéressait qu'à moitié.

Elle me le confirme d'un signe de tête. « Tu te sens bien ?

– Mieux que jamais », lui assuré-je.

Son expression s'adoucit. « C'est ton frère, Sharlah. Tu as le droit de t'inquiéter pour lui.

– J'ai l'impression qu'il va arriver un drame et que si je pouvais me concentrer suffisamment, être assez intelligente, je pourrais l'éviter. Mais je n'ai jamais été aussi intelligente. Ni aussi chanceuse. »

Rainie ne dit rien. Elle s'assoit à la table. Au bout de quelques instants, je la rejoins.

« La plupart des gens traversent l'existence en sachant que la violence existe, mais ils s'en sentent protégés par une certaine distance, dit-elle au bout d'une minute. Ce n'est pas à eux que les malheurs arrivent. Toi, tu n'as pas cette protection, Sharlah. Tes cinq premières années ont été un exercice de survie continuel, et cela avant même que ton père ne vous agresse avec un couteau. Les coups du sort n'ont rien d'abstrait pour toi. Ce sont des événements bien réels. Et comme tu les as connus une fois, tu t'attends évidemment à ce que le pire se reproduise.

– Telly est dans le pétrin.

– Oui.

– Sa façon de porter sa carabine, de parler... Il va faire quelque chose de grave. Ou alors il se fera tuer en essayant.

– Je suis navrée, Sharlah. »

Je fais tourner mon verre d'eau. « Je ne pense pas qu'il ait tué les Duvall. Tu vois, on n'a pas de vidéo de ces meurtres ni rien, mais si c'était le cas, je te parie qu'on verrait l'autre gars de la station-service, celui qui a un grain de beauté au poignet. C'est lui, le coupable de tout ça. »

Elle ne dit rien.

Je m'obstine : « Vu la façon dont Telly parlait des Duvall, il les respectait. Il les appréciait. Il ne se serait pas retourné contre eux comme ça.

– On ne sait pas toujours ce qui pousse les gens au meurtre.

– Mais vous essayez, n'est-ce pas ? C'est le principe du profilage. Comprendre pourquoi les gens tuent et s'en servir pour identifier le meurtrier. »

Rainie me regarde avec gravité. « L'inné et l'acquis, me dit-elle brusquement. C'est la question de fond en matière de développement de la personnalité. Surtout quand il s'agit de criminels. L'individu est-il né mauvais ou bien est-ce le résultat de ce qu'il a vécu ?

– Telly n'est pas né mauvais, dis-je d'un air têtu. Il s'occupait de moi.

– Il est né dans une famille marquée par la violence. Il a été entouré de personnes toxicomanes et instables, élevé par un père qui considérait la brutalité comme un mode de résolution des conflits.

– Peut-être que notre environnement n'a pas été très favorable, concédé-je. Mais le tempérament inné de mon frère est bon. Je le sais. Même quand je l'ai vu aujourd'hui. Il y a encore du Telly en lui. Il faut me croire, Rainie. Il faut me croire.

– Mais je te crois, ma chérie. Telly aurait pu faire toutes sortes de choses cet après-midi, et parmi celles-là, il a choisi de te rendre à nous. Je lui en suis reconnaissante. »

Le silence se fait entre nous.

« Je voulais le sauver, finis-je par dire dans un souffle. C'est pour ça que je suis partie cet après-midi. Il fallait que je le voie. Rien qu'une fois. Je voulais arranger les choses.

– Je sais.

– Comment tu arrives à dormir la nuit ? »

Rainie a un petit sourire. « Je n'y arrive pas. Tu es bien placée pour le savoir.

– Ta mère ? » J'aborde le sujet parce qu'elle ne parle pas beaucoup de son passé. Comme chacun de nous. « Est-ce que... est-ce qu'elle te battait ? »

Rainie prend quelques instants. Pas pour éluder la question, mais pour préparer sa réponse. « Ma mère pouvait être maltraitante. Elle était alcoolique, tout comme je le suis. C'est parfois héréditaire. Mais je ne pense pas qu'elle ait eu l'alcool aussi mauvais que ton père, disons. En revanche, elle n'avait pas bon goût en matière d'hommes. Alors certains... Moi aussi, je sais ce que c'est de devoir s'enfermer à clé dans sa chambre la nuit.

– Je suis désolée », lui dis-je en toute sincérité.

Elle me prend la main sur la table. « Ça ira de mieux en mieux, Sharlah. Je sais que ce n'est pas l'impression que ça donne en ce moment, mais les choses iront en s'arrangeant. »

J'aimerais la croire, mais elle a raison : ce soir, ce n'est pas l'impression que ça donne.

Son portable sonne. Elle lâche ma main pour le sortir de sa poche. Je lis sur son visage qu'il s'agit de Quincy. Mais elle ne sort pas de la pièce et reste assise en face de moi, en hochant périodiquement la tête. Apparemment, Quincy a beaucoup à dire.

« Entendu », conclut-elle. Puis : « Oui, je peux faire ça. Je m'y mets tout de suite... Sois prudent... Je t'aime... À tout à l'heure. »

Elle repose le téléphone, prend une gorgée d'eau.

« Il t'a confié une mission ? »

Elle confirme : « Tu te souviens de la photo du vieil homme à la fin de l'album de Telly ? Il s'avère qu'il s'agit du père de Sandra Duvall, avec qui elle était brouillée.

– De Sandra Duvall ou d'Irene Gemetti ? »

Rainie sourit. « C'est là que ça devient intéressant. Non seulement Sandra a vécu sous un nom d'emprunt, mais son père, criminel patenté, également.

– Est-ce que c'est pour ça qu'ils étaient brouillés ? Parce qu'elle ne voulait pas participer aux activités familiales ?

– Je ne sais pas très bien. L'important, c'est que d'après Henry, le fils de Sandra, son père était revenu dans leur vie depuis peu. Il disait qu'il était en train de mourir d'un cancer et qu'il voulait se racheter. Mais, toujours d'après Henry, Sandra ne voulait pas entendre parler de lui. Donc il a commencé par contacter Henry, puis Frank, et comme tout cela n'avait rien donné, sans doute ton frère aussi.

– Je ne pige pas bien.

– La police non plus. D'où la mission qu'on m'a confiée : identifier le père de Sandra. Si nous en savions plus à son sujet, nous serions peut-être mieux à même de comprendre ce qu'il se passait chez les Duvall jusqu'à ce matin. Et ça devrait nous renseigner sur l'auteur et les raisons de leur assassinat.

– Je veux t'aider. »

Elle me toise. Mais comme on ne se refait pas, je lui rends la pareille. Luka, devinant qu'il va y avoir du spectacle, se lève et s'approche à pas de loup pour être aux premières loges.

Je demande : « Le vrai nom de Sandra est Gemetti, n'est-ce pas ? »

Rainie confirme.

« Donc la police n'a qu'à faire des recherches avec ce nom, ou même trouver l'acte de naissance d'Irene pour connaître le nom de son père.

– Roy Peterson a fait cela, sans succès. Cela peut vouloir dire qu'Irene est née dans une petite clinique qui n'a pas numérisé ses archives pour les intégrer aux bases de données, ou alors que sa naissance n'a pas été enregistrée. Ça a du bon, les bases de données, mais tu sais ce qu'on dit : on n'y trouve que ce qu'on y a mis. Si les Gemetti appartiennent réellement au milieu du banditisme, ils ont tout intérêt à se faire le plus discrets possible, à garder pour eux l'essentiel des informations les concernant. Mais il y a une troisième possibilité.

– Je t'écoute.

– Sandra Duvall est un nom d'emprunt, n'est-ce pas ? Qu'elle a inventé pour se couper de son passé.

– D'accord.

– Il se peut que son père en ait fait autant. Les grands criminels... il faut les voir comme des loups déguisés en agneaux. Quand il est loup...

– Il s'appelle Gemetti ?

– Voilà. Il se livre à certaines activités, à certains comportements dont il aimerait se dissocier. Surtout que, s'il réussit un peu dans les affaires, il se peut qu'il ait aussi envie de mener une vie d'agneau, de se promener librement, de profiter des fruits de son travail.

– D'où le deuxième nom.

– En l'occurrence, l'homme s'est présenté à Henry sous le nom de David Michael ou David Martin, peut-être même David Michael Martin, quelque chose comme ça.

– Rien que des prénoms.

– Rien que des noms très fréquents », corrige Rainie.

Je comprends : « Pour qu'il soit plus difficile de le retrouver. Il doit y avoir des centaines de milliers de David dans le monde, pareil pour les Martin, les David Martin...

– Exactement. Il se cache à la vue de tous en adoptant un nom si banal que personne ne le remarquera ou ne sera en mesure de le localiser s'il le souhaite.

– Tu ne peux pas faire des recherches sur tous les David ni tous les Martin... donc tu vas te concentrer sur Gemetti ?

– En fait, le sergent Roy Peterson creuse la piste Gemetti. C'est le nom du loup, or c'est Roy qui a accès aux fichiers de la police criminelle. Ce qui me laisse la recherche qui demande le plus de temps : partir à la pêche sur Google avec l'un des noms les plus communs de la planète. »

Je fais la moue, me mords la lèvre. « Je suis sûre que tu as un plan.

– Si tu étais une étudiante qui devait faire cette recherche sur Internet, comment t'y prendrais-tu ?

– Alors... on ne peut pas se contenter de taper David. Ou Martin. Ou Michael. On obtiendrait beaucoup trop de résultats. Donc il faut ajouter des critères. Susceptibles de restreindre le champ des recherches.

– Qu'est-ce que tu proposerais ?

– Que savons-nous de ce type ? Est-ce qu'il est de Bakersville, comme Sandra ?

– En fait, on pense qu'il vit dans la région de Portland. Disons dans l'Oregon, par sécurité.

– Bon, donc on veut une combinaison des David, Michael et Martin qui vivent dans l'Oregon. La liste va être longue. »
Elle confirme.

« Il est vieux ? Les vieux David Michael Martin qui vivent dans l'Oregon ? »

Rainie sourit. « *Vieux* est un terme trop général. Idéalement, il nous faudrait une année de naissance. Ça, ce serait très précis. Malheureusement...

– Tu ne connais pas son année de naissance.

– Non. On pourrait essayer une fourchette, mais d'après mon expérience, le résultat n'est pas beau à voir, surtout quand on découvre que l'année dont on avait besoin se situait juste en dehors de la fourchette. »

Je me renfrogne. « Comment vous arrivez à retrouver des gens, Quincy et toi ?

– Comme nous sommes en train de le faire. En échangeant des idées. »

Nous gardons toutes les deux le silence un instant. Rainie est la première à reprendre la parole : « Il est malade. Du moins, c'est ce qu'il a laissé entendre au fils Duvall. Malade et en train de mourir d'un cancer. »

Je me réjouis. « Ça, c'est une information précise.

– Oui et non. Les dossiers des patients sont couverts par le secret médical. C'est vrai qu'il y a plusieurs hôpitaux de pointe contre le cancer dans l'État. Il y a des chances que notre David ait consulté dans l'un d'eux, mais nous n'avons pas accès à cette information. Il nous faut des données publiques.

– Est-ce qu'il est riche ?

– On nous a laissés entendre qu'il était bon dans sa partie.

– Les gens riches ne se contentent pas d'être malades dans leur coin. » Je le sais, je l'ai vu à la télé. « Ils organisent des galas, des collectes de fonds, des campagnes sur Twitter, plein de trucs. Ils font de leur maladie un spectacle médiatique. »

Je crois un instant que Rainie va écarter mon idée, mais soudain… « Les galas, murmure-t-elle. Il y en a un à Portland. La plus grande soirée de collecte de fonds de l'année, consacrée à la lutte contre le cancer. On y voit les célébrités locales, les riches d'entre les riches… Suis-moi. »

Elle m'emmène dans le bureau. L'événement est à marquer d'une pierre blanche (je suis enfin admise dans le saint des saints), mais c'est l'enthousiasme que j'ai entendu dans la voix de Rainie qui retient mon attention. Elle va droit vers l'ordinateur, lance le moteur de recherche et en un rien de temps, l'écran se couvre d'une mosaïque d'images.

« Le gala contre le cancer *One Night, One Fight* est un dîner qui coûte cinquante mille dollars la table, ce qui en fait l'une des soirées les plus chic de Portland. Bien sûr, il y a des photographes dans tous les coins pour immortaliser ces instants glamour et mettre en ligne les photos, de manière à encourager les généreux donateurs pour l'année suivante. Or si nous ne connaissons pas le vrai nom du père de Sandra, nous savons à quoi il ressemble. Donc il suffit de nous mettre en chasse en ouvrant l'œil. Qu'est-ce que tu dirais pour la date ? On ne sait pas exactement quand David est tombé malade, mais vu comme il a l'air frêle sur la photo, je dirais que ça fait bien quelques années. Donc on va commencer il y a cinq ans et avancer dans le temps en espérant avoir de la chance. »

J'approuve. Rainie tape les termes de la recherche et l'écran tout entier se remplit d'un tourbillon étincelant de robes à paillettes, bulles de champagne et boules à facettes. *One Night, One Fight*, il y a cinq ans. J'en ai la tête qui tourne rien qu'à regarder toutes ces images, or nous avons des pages et des pages, plusieurs années, à passer en revue.

« Représente-toi le vieil homme de la photo dans ta tête, me conseille Rainie. Focalise-toi sur un détail concret : l'arête du nez, la distance entre les deux yeux. C'est ce visage que nous cherchons. Ne te laisse pas distraire par le reste. »

Nous travaillons lentement. Pas le choix. Je m'aperçois que, dès que j'accélère, les images se brouillent et je ne vois plus les visages, mon attention est attirée par telle robe, telles boucles d'oreilles. Rainie a raison : on se laisse facilement distraire.

Après avoir fait défiler toutes les photos d'il y a cinq ans, Rainie est obligée de télécharger celle du père de Sandra sur son téléphone pour rafraîchir l'image mentale que nous en avons. Elle l'agrandit jusqu'à ce que nous ne voyions plus que son visage. Avec le grossissement, il paraît flou et déformé, mais Rainie m'apprend les ficelles du métier : sur une feuille de papier, nous esquissons le contour de sa mâchoire, la forme de son nez, de ses yeux et de ses lèvres. Pas un visage, mais ses grandes lignes.

« Voilà l'homme que nous cherchons, me rappelle-t-elle. Ne t'occupe pas des cheveux, des tenues, des bijoux, du décor. Voilà les éléments qui nous permettront de l'identifier. »

One Night, One Fight, il y a quatre ans. Elle charge les images. Nous reprenons notre traque.

Jamais je n'aurais pensé qu'autant de gens aimaient porter des paillettes. Il y a même des nœuds papillons à paillettes.

Il y a trois ans.

Rainie nous apporte des gouttes pour les yeux. Les images déteignent les unes sur les autres. Je n'en peux plus des tenues de soirée, des cheveux bouffants et du fard à paupières bleu. J'ai aussi un peu faim à force de voir des images de nourriture, et en même temps la nausée à cause de toutes ces grosses taches de couleur. Je peux arrêter, me dit Rainie, me reposer un peu. Mais je devine qu'elle-même va continuer, alors je suis bien décidée à en faire autant. C'est comme le jeu *Où est Charlie ?* et nous n'avons pas encore trouvé notre personnage. Pas moyen d'aller se coucher avant d'avoir gagné.

One Night, One Fight, il y a deux ans. Rainie charge les photos. Nous nous penchons toutes les deux vers l'écran pour le scruter, commençons à descendre lentement sur la page.

Je le vois. Pas tout de suite. Il est sur le côté de l'image. Il porte un smoking noir, comme les autres hommes. Mais c'est sa main autour du verre de champagne qui attire mon attention : une main de vieux sous les lumières vives de la fête. La photo ne montre que son profil, mais je regarde son nez, comme Rainie me l'a appris, et je sais aussitôt que c'est lui.

« Là ! Regarde ! C'est lui ! »

Rainie suit mon doigt qui pointe l'image sur l'écran. « Possible », reconnaît-elle. Elle double-clique sur la photo, l'agrandit.

Le vieillard fait partie d'un groupe dont les membres se serrent les uns contre les autres. Il se trouve à côté d'un type sérieux qui a l'air en meilleure forme, et d'un autre encore plus jeune, une jolie fille au bras. Ils sont tous ensemble, je pense. À leur façon de se tenir si proches, ils ne viennent pas de se rencontrer. Ils se connaissent déjà. Sa famille ?

Mais Rainie ne regarde plus le vieil homme. Son regard s'est porté sur le plus jeune. Elle tique. Cligne des yeux. Tique encore.

« Je jurerais l'avoir déjà vu quelque part.

– Comment il s'appelle, comment il s'appelle ? » Je brûle de le savoir.

Rainie lit la légende : « David Michael Martin ».

Vraiment un nom idéal pour se fondre dans le paysage.

« Président de GMB Enterprises », continue-t-elle, puis...

Elle s'interrompt, quitte l'écran du regard et se tourne vers moi en ouvrant de grands yeux.

« Sharlah, je connais vraiment le jeune homme. On a commencé la journée en contemplant sa photo. C'est... » Elle relit attentivement la légende, mais les noms des autres membres du groupe ne sont pas donnés. « C'est l'une des deux victimes de la station-service. »

Je comprends le sous-entendu : « Il n'a pas été tué par hasard.

– Non. On a envoyé quelqu'un là-bas pour le descendre. D'abord Sandra Duvall, la fille de David Michael Martin. Ensuite cet homme, son... complice ? Il ne s'agit pas de meurtres aveugles. »

Rainie attrape déjà son téléphone pour appeler Quincy.

« Mais alors, qu'est-ce que c'est ?

– Je ne sais pas. C'est plus grave, plus ciblé. » Elle me regarde, téléphone à l'oreille, et je sais à quoi elle pense : les photos de moi, mon visage vu comme à travers la lunette d'un fusil.

Et là, il faut se rendre à l'évidence : je suis bien la fille de ma mère d'adoption. Parce que pendant qu'elle se demande comment elle va pouvoir me protéger, moi je me demande comment je vais pouvoir sortir Telly de ce piège.

Mais aucune de nous deux n'a la réponse.

37

Lorsque Quincy et Shelly revinrent de leur entrevue avec Henry, il était nettement plus de minuit. Ils trouvèrent Noonan, encore dans la salle de réunion, en train de planter des punaises dans la carte à grande échelle. Le pisteur leva les yeux à leur arrivée, puis se reconcentra sur sa tâche.

Quincy se versa du café, puis servit une tasse de tisane à Shelly.

Celle-ci grommela un merci et quitta la salle de réunion pour aller faire le point avec Roy. Quincy s'approcha du pisteur. La carte représentant les déplacements de Telly Ray Nash lui semblait couverte d'un nouveau semis de punaises violettes.

« Est-ce que j'ai envie de savoir ? demanda Quincy.

– J'indique tous les lieux où un individu répondant au signalement de Nash a été repéré. »

Quincy s'aperçut que Noonan avait en main ce qui devait être un compte rendu des témoignages recueillis au numéro d'urgence.

« Comment s'est passée la conversation avec le fils ? demanda Noonan. Est-il complice ? Ou coupable ?

– Si c'est le cas, c'est le meilleur menteur que j'aie jamais rencontré – et j'en ai vu des bons.

– Donc il est hors de cause ? Il n'a rien à voir avec ce qui est arrivé à ses parents ? »

Quincy grimaça, fit tourner sa tasse de café. « Je ne sais pas encore si j'irais jusque-là. La famille Duvall réserve bien des surprises. Mais Henry semble bel et bien avoir ignoré le vrai nom et le passé familial de sa mère. Il a reconnu son grand-père dans le vieillard de l'album photo de Telly : celui-ci aurait refait surface à l'improviste il y a quelques mois, avec l'intention de nouer une relation avec son petit-fils, peut-être avec le reste de la famille. D'après Henry, son père aurait mis son veto. Le père d'Irene Gemetti *alias* Sandra Duvall était un escroc de haute volée. Il ne fallait en aucun cas se fier à lui, même sur son soi-disant lit de mort.

– Sympa. Et il est vraiment mort, le papi ?

– J'espère que Roy ou Rainie sauront répondre à cette question. Ce serait aussi pratique de connaître son nom. » D'un signe de tête, Quincy montra la carte murale. « Les caméras laissées au campement ont montré des signes d'activité ?

– Rien du tout.

– Mais l'appel à témoins ? » Quincy désignait la liasse de papiers que tenait Noonan.

« Je cherche un tir groupé, expliqua le pisteur. Un ensemble de signalements dans une même zone qui justifient de creuser la question. Ou, mieux encore, une série de signalements groupés qui dessineraient une direction : ça nous indiquerait vers où Nash se déplace. Ça pourrait même nous aider à identifier sa prochaine cible. »

Quincy approuva : la piste était intéressante à suivre. Puis, constatant l'abondance et l'éparpillement des punaises violettes sur la carte, il haussa un sourcil sceptique.

« Beaucoup de signalements.

– Certes.

– Je ne vois pas de tir groupé.

– Non.

– Ni de direction.

– Je ne vous le fais pas dire. »

Noonan prit une nouvelle punaise violette et se repencha sur l'inventaire des appels. Quincy partit en quête de Shelly et Roy.

Pendant l'absence de Quincy et Shelly, le sergent Peterson avait cherché des informations sur l'enquête pour meurtre mettant en cause Irene Gemetti, *alias* Sandra Duvall. Il leur tendit un maigre dossier, auquel Quincy jeta un coup d'œil.

Pas grand-chose à se mettre sous la dent. Irene Gemetti était recherchée en vue d'un interrogatoire concernant le meurtre par arme blanche de Victor Chernkov, maquereau de bas étage dans le quartier de Pearl District à Portland. Si ce quartier était aujourd'hui connu pour ses lofts à plusieurs millions de dollars et ses épiceries tendance, on ne pouvait pas vraiment en dire autant il y a trente ans.

Le dossier contenait le rapport médico-légal sur le cadavre de Chernkov et la déposition d'un seul et unique témoin : une autre prostituée qui affirmait avoir vu Irene dans les parages juste avant la découverte du corps. Point final. Irene Gemetti n'avait jamais été retrouvée et, faute de nouveaux éléments, l'affaire était tombée aux oubliettes. Rien de surprenant pour Quincy. Aux yeux de beaucoup d'enquêteurs, le meurtre d'un maquereau était à peine répréhensible. La police était passée à autre chose et manifestement Irene Gemetti aussi.

Quincy reposa le dossier et regarda Roy, qui contemplait son écran d'ordinateur, l'œil hagard.

« Irene s'enfuit de chez elle à seize ans, murmura Quincy. Elle se lie avec une faune peu fréquentable. Elle se retrouve aux prises avec la violence. Doit fuir à nouveau.

– Et tombe droit dans les bras de Frank Duvall ? » demanda Shelly depuis le pas de la porte.

Quincy se retourna vers elle. « Son fils dit qu'il aimait les défis. »

Shelly prit une gorgée de tisane.

« Donc au lieu de se livrer à la police, dit-elle, Sandra se tourne vers Frank Duvall. Elle le convainc de l'épouser et de l'emmener dans notre coquette ville de Bakersville. Et là, quoi ? Elle se métamorphose du jour au lendemain en épouse parfaite et mère de famille ordinaire ? Fini la rue ? On tourne le dos à son méchant papa ?

– Toujours plus tentant que la prison pour meurtre, fit remarquer Roy.

– Et quand on tape le nom d'Irene Gemetti sur Internet ? demanda Quincy.

– *Nada*, dit Roy.

– Et le mac, Victor ? tenta Shelly.

– Même chose. Affaire trop ancienne. Ou trop insignifiante pour qu'Internet s'y intéresse.

– Et le seul nom de Gemetti ?

– Trop de résultats. Il faudrait pouvoir affiner la demande. Bizarrement, *grand-père* et *perdu de vue* ne sont pas des mots-clés aussi efficaces qu'on pourrait le penser. »

Quincy n'était pas surpris. Internet pouvait être une mine d'informations, mais parfois on était justement noyé sous la quantité. « Henry Duvall jure ses grands dieux qu'il ignore tout du passé de sa mère ou de son criminel de grand-père. Et pourtant, la dernière année n'a été marquée que par deux changements majeurs dans la vie des Duvall : ils ont accueilli

Telly Ray Nash et le père de Sandra a refait surface au bout de trente ans. La question est de savoir lequel de ces deux événements a entraîné l'assassinat des Duvall. Au début, nous pensions que c'était Telly. Mais maintenant ? »

Roy et Shelly partageaient son avis : plus le temps passait, plus il semblait que la clé de l'énigme résidait dans l'histoire familiale de Sandra Duvall.

« Rainie aura peut-être fait meilleure pioche », dit Quincy.

Presque comme en réponse, le téléphone de Quincy sonna. Il avala encore une amère gorgée de café noir et décrocha.

Rainie avait réellement du nouveau. Sharlah et elle arrivaient.

Ils se retrouvèrent dans la salle de réunion. La cellule d'enquête officielle, se dit Quincy : deux profileurs, un shérif, un enquêteur de la police criminelle, un pisteur bénévole et une adolescente de treize ans. L'escouade la plus hétéroclite que Quincy avait jamais vue.

Il considéra Sharlah avec inquiétude. Sa fille aurait dû être couchée depuis belle lurette, surtout avec le traumatisme qu'elle avait subi aujourd'hui. Mais Sharlah, tout comme Rainie, était loin d'avoir l'air fatiguée. En fait, elles semblaient toutes les deux excitées comme des puces. Quincy éprouva un immense sentiment de fierté. Pour sa fille, pour sa femme. Pour cette famille qu'il avait tant de chance de pouvoir dire sienne.

Rainie largua une pile de documents sur la table. Encore des photos, constata Quincy. Imprimées depuis leur ordinateur, manifestement. Elle les fit circuler.

« Je vous présente David Michael Martin, dit-elle. Ancien PDG de GMB Enterprises. Décédé d'un cancer il y a cinq semaines. »

Quincy prit la photo de groupe qu'il avait devant lui. Le frêle vieillard en grande tenue de gala ressemblait bel et bien à l'homme de l'album photo de Telly. Le regard de Quincy se porta ensuite sur le jeune homme.

Rainie hocha la tête d'un air entendu.

« Par ailleurs, je vous présente l'une des deux victimes de la station-service : Richie Perth. Il n'avait pas de pièce d'identité sur lui au moment du meurtre, mais quand j'ai découvert qu'il avait un lien avec David Michael Martin, j'ai appelé le légiste pour lui demander de faire une recherche sur ses empreintes digitales. » Rainie lança un regard vers Shelly. « J'espère que vous n'y voyez pas d'inconvénient.

– Aucun.

– Il s'avère que Richie travaillait aussi pour GMB Enterprises. Au sein de leur agence de location de bateaux de pêche.

– La voiture garée devant la station-service, se rappela Shelly : elle était immatriculée au nom d'une boîte domiciliée à Nehalem.

– Tout juste, confirma Rainie. Précisons que la société GMB Enterprises a été créée il y a quarante ans : de l'import-export à la petite semaine, spécialisé dans l'huile d'olive et le vinaigre. »

Quelques sourcils étonnés se levèrent autour de la table.

« Depuis cette époque, GMB a grossi jusqu'à peser cent millions de dollars, en faisant un petit peu de ci, un petit peu de ça. De l'import-export, du transport, de la location de bateaux de pêche... Tout ce que vous pouvez imaginer, GMB le fait. Du moins, sur le papier.

– GMB est une société-écran ! s'exclama Sharlah, dont Rainie avait manifestement fait l'éducation.

– Et une société très profitable, vous pouvez me croire. David Michael Martin, autrement dit le père de Sandra, en était le PDG depuis sa création, il y a quarante ans. Mais à sa mort, la succession a été prise par le directeur financier, Douglas Perth. Le père de Richie. »

Noonan leva la main. « Un instant. Le coup de la société-écran, je comprends. GMB servait de couverture au père de Sandra, c'est ça ? Puisque, d'après ce qu'on sait, ce David Michael Martin était un mafieux, en gros. Une sorte de parrain ? »

Rainie confirma d'un signe de tête.

« Mais il est possible de blanchir de l'argent sale, expliqua Quincy. En l'investissant dans une entreprise déclarée. D'où la création de GMB par David Michael Martin. C'était la façade légale qui dissimulait ses activités occultes. »

Rainie confirma de nouveau.

« Mais voilà que Martin meurt, continua Noonan. D'un cancer. Et comme toujours en pareil cas, il faut un nouveau dirigeant à l'entreprise.

– Douglas Perth, répéta Rainie. En tant qu'ancien directeur financier, il devait connaître tous les tenants et aboutissants des activités de la société, légales ou occultes. Vu le poste qu'il occupait, son rôle était précisément de convertir tous les gains illicites en profits licites.

– On est d'accord. Mais son fils… Richie… fait partie de nos victimes ? demanda Noonan. C'est là que je décroche. Si Douglas Perth est le grand bénéficiaire de la disparition de ce Martin, comment se fait-il que son fils se soit retrouvé l'un des grands perdants ?

– C'est ce qu'il nous reste à découvrir, admit Rainie. Mais nous sommes maintenant sûrs que ces meurtres ne sont pas le fruit du hasard. Sandra Duvall et Richie Perth ont un lien : la société GMB Enterprises. Autrefois dirigée par le père de Sandra et maintenant par celui de Richie. »

Le silence se fit autour de la table. Même Quincy avait du mal à démêler les fils de cet imbroglio. « Est-ce qu'on saurait si Sandra était sur la liste des gens payés par GMB, demanda-t-il finalement, si elle avait actuellement un lien avec l'entreprise ?

– Non.

– Même sous le nom d'Irene Gemetti ?

– Je n'ai pas retrouvé de compte en banque au nom d'Irene Gemetti, donc je n'ai évidemment aucune trace de paiements qu'elle aurait reçus. Mais si on part de l'idée que GMB n'est qu'un décor en trompe-l'œil, il se produit en coulisses des opérations entièrement différentes, que nous n'avons aucun moyen de connaître. Donc je ne peux pas être catégorique. Mais à première vue, Sandra/Irene ne recevait pas d'argent. »

Roy intervint : « J'ai examiné les relevés bancaires de Sandra Duvall. Ils ne font apparaître aucun revenu inexpliqué, ni sous la forme de versements mensuels, ni sous celle d'une rentrée ponctuelle. Et je n'ai rien trouvé non plus au nom d'Irene Gemetti.

– Donc, à l'origine, dit lentement Quincy, Irene avait un lien avec GMB Enterprises par l'intermédiaire de son père, David Michael Martin. Mais à seize ans, elle s'est enfuie et a commencé une toute nouvelle vie, sous une nouvelle identité, avec Frank Duvall. L'absence de mouvements financiers confirmerait qu'elle a véritablement rompu avec son ancienne vie, et avec son père. Henry n'avait pas tort sur ce point.

– Jusqu'au jour où son père l'a retrouvée, dit Shelly. Il a commencé par contacter Henry, à l'université. Puis par rencontrer Frank, et ensuite, on peut le penser, Telly.

– Henry vous a-t-il dit pourquoi son grand-père s'était manifesté ? demanda Rainie.

– Les remords d'un homme qui voit sa fin approcher, dit Quincy. Mais peut-être aussi le désir de recruter Henry pour l'entreprise familiale. »

Rainie ouvrit de grands yeux. « Il a accepté ?

– Lui dit que non. Mais est-ce que je lui ferais confiance à cent pour cent ? »

Quincy consulta Shelly du regard.

Celle-ci n'avait aucune certitude : « S'il a rejoint la petite entreprise, cela lui donne une raison de plus de nous mentir. »

Le silence retomba autour de la table, chacun réfléchissait.

« Pour corser le tout, ajouta enfin Rainie, Richie Perth a un casier judiciaire. Agression, violation de propriété, encore une agression. Son père est peut-être le crack de la finance qui se cache derrière les entreprises criminelles de GMB, mais Richie avait plutôt l'air adepte des bonnes vieilles méthodes musclées.

– Je pense qu'il a tué les parents de Telly », dit Sharlah.

Tous les yeux se tournèrent vers la fille de Quincy. Sharlah hésita, mais ne flancha pas. « Ce n'est pas Telly qui leur a tiré dessus. Il m'a parlé d'eux. Ils étaient gentils avec lui. Il ne les aurait pas tués. Jamais de la vie. »

Quincy était ému par sa fille. Par le courage qu'il fallait à son adolescente inhibée pour affronter le regard des adultes. Par sa loyauté manifeste envers son frère. Ils l'avaient trop mêlée à cette affaire, il devait le reconnaître. Mais c'était dans leur nature, à Rainie et à lui, de ne pas s'imposer de limites dans leur travail. Ce qui expliquait aussi que son autre fille, Kimberly, soit à son tour devenue agent du FBI.

« Richie était un voyou, n'est-ce pas ? » Sharlah avait repris la parole et elle regardait Rainie. « C'est bien ça que ça veut dire, des méthodes musclées, non ? Son père sait jongler avec les chiffres, mais Richie aimait faire du mal aux gens. D'où les agressions. »

Rainie hocha la tête.

« Donc il a tué Sandra et Frank, conclut Sharlah, parce que c'est ce que font les voyous : ils tuent les gens.

– Mais pourquoi ? demanda Rainie sans la brusquer. Ce n'est pas parce que Richie a commis des violences par le passé qu'il a tué deux personnes.

– Son père le lui a demandé », dit Sharlah.

Quincy et les autres ne suivaient plus.

« C'est comme ça que ça marcherait, non ? continua Sharlah. Tu disais que c'est maintenant le père de Richie qui dirige l'entreprise. Donc Richie a forcément agi sur son ordre.

– Mais dans ce cas, qui a tué Richie ? demanda Noonan, dérouté.

– Quelqu'un d'autre, répondit Sharlah aussi sec. Pas Telly, puisque nous avons vu la vidéo et que ce n'est pas son bras. Mais peut-être que Telly a été témoin du meurtre. Il était à la station-service, pas vrai ? Il a vu qui avait tué Richie et c'est pour ça qu'il a fui. Parce que sinon, cette autre personne allait le supprimer. »

Quincy cligna de nouveau des yeux. La théorie de sa fille était de plus en plus abracadabrante. Et cependant, il commençait à entrevoir les contours d'un scénario...

« Comment Sandra a-t-elle gagné sa liberté ? » demanda-t-il.

Les personnes présentes autour de la table arrêtèrent de regarder Sharlah et tournèrent leur attention vers Quincy.

« Sandra serait partie de chez elle à seize ans, disions-nous. Elle aurait fui un père qui, il y a trente ans, était déjà en train de bâtir un empire prospère. Mais quel criminel en pleine réussite laisse sa fille de seize ans s'en aller ? continua-t-il pensivement. Au risque d'apparaître faible ? Au risque même qu'elle représente un danger pour lui et pour son organisation ? »

Assise en face de lui, Rainie fut la première à comprendre où il voulait en venir : « Jamais un baron de la pègre n'aurait toléré un tel affront. Il aurait cherché à la retrouver.

– Sauf qu'il ne l'a pas fait. Irene s'est sauvée, elle a connu quelques déboires au début, c'est vrai, mais ensuite elle a rencontré Frank Duvall et elle a réussi à se construire une vie. Nouveau nom, nouvelle image, tout. Impossible de trouver le moindre lien entre elle et l'entreprise de son père. »

Rainie secoua la tête.

Quincy se pencha en avant et posa les mains à plat sur la table. Il jeta un coup d'œil vers sa fille, puis vers sa femme. « Et si David Michael Martin avait été empêché de courir après sa fille ? Si Irene, que nous croyons déjà capable d'avoir commis un meurtre, avait aussi compris la nature profonde de son père ? Alors elle a assuré ses arrières. J'ignore de quelle manière. Elle a volé quelque chose, mis un objet compromettant à l'abri. Tant qu'il la laissait tranquille, elle ne s'en servirait pas. Mais s'il s'avisait de la poursuivre...

– Elle appuierait sur le détonateur, conclut Rainie.

– Les chiens ne font pas des chats, railla Shelly. Mais quel rapport avec l'affaire qui nous occupe ? »

Quincy s'adossa à son siège. « Nous ne cessons d'en revenir aux changements qui sont intervenus dans la vie de Sandra et Frank Duvall. Ils ont accueilli Telly. Le père de Sandra a refait surface. Mais il y a eu un troisième événement : la mort du père, il y a cinq semaines. À la suite de quoi, Douglas Perth a pris la tête de GMB Enterprises et son fils Richie s'est pointé à Bakersville. Et si Irene et son père étaient restés dans une sorte d'équilibre de la terreur pendant trente ans ? Chacun vivant sa vie de son côté. Mais il est mort et maintenant... cet équilibre est rompu. Je ne sais pas ce qu'avait emporté

Irene/Sandra, mais Douglas Perth veut le récupérer. Et c'est pour ça qu'il a envoyé son fils. »

Quincy se tourna vers Roy. « Vous avez reçu le rapport balistique sur le meurtre des Duvall ?

– Non, mais je pourrais demander au légiste de chercher des résidus de poudre sur les mains de Richie Perth. Ce serait un début de confirmation.

– Si Richie a des résidus de poudre sur les mains, cela voudra dire qu'il a tiré avec une arme à feu peu de temps avant de mourir, expliqua Quincy à sa fille. Ce qui accréditerait ta théorie selon laquelle il a tué les Duvall. »

Sharlah acquiesça. Rien qu'à son expression, Quincy devina que sa fille était sûre de son fait.

« Ça n'explique toujours pas qui a tué Richie, dit Shelly. Bordel, mais combien j'ai de types qui se promènent dans mon comté un fusil à la main ? Et pourquoi Telly n'a-t-il pas dénoncé ce qui se passait au lieu de se retrouver à la station-service et de dégommer une caméra de surveillance ?

– J'en tiens pour ma première théorie, dit fermement Rainie : Telly est victime d'un coup monté visant à lui faire porter le chapeau. Il faut qu'il se laisse accuser s'il veut protéger sa sœur, donc il ne peut pas venir nous trouver directement. Alors, il sème des petits cailloux. Les photos de sa sœur dans son téléphone pour que nous veillions sur elle. Puis la photo du père de Sandra dans son campement factice. Il veut que nous comprenions ce qui est en train de se passer. Et que nous arrêtions le massacre.

– En mitraillant mon équipe ? » grommela Noonan.

Personne n'arrivait à expliquer cet épisode. Sharlah baissa les yeux, tout intimidée.

Une fois de plus, le silence se fit autour de la table ; tout le monde réfléchissait.

« Très bien, relança Shelly avec énergie. Nous avons quatre morts. Apparemment, Frank Duvall et Erin Hill ont été des victimes collatérales, les vraies cibles étant Sandra Duvall puis Richie Perth. Tous deux avaient un lien avec GMB Enterprises, qui a connu un grand chambardement il y a cinq semaines avec le décès de David Michael Martin. Aujourd'hui, un nouvel homme est aux commandes, le fameux Douglas Perth, et les gens se mettent à tomber comme des mouches. Si Telly Ray Nash a raison et que c'est à nous d'arrêter l'hécatombe, comment faire ?

– J'ai une théorie », dit Noonan.

Ils se retournèrent tous vers lui.

« Pas sur le crime lui-même, s'empressa-t-il d'ajouter. Je n'y connais que dalle en criminalité. Mais j'ai travaillé sur la carte. D'après les données les plus fiables dont nous disposons (notamment le lieu de la rencontre entre Sharlah et son frère), Telly se dirige vers le sud. Tout le reste, y compris le campement factice, n'était que de la poudre aux yeux. »

Quincy observa le pisteur. « Quelle distance entre la dernière position connue de Telly et la maison des Duvall ?

– Quelques kilomètres. »

Quincy hocha la tête. « Il fait nuit, maintenant, observa-t-il. Tout est calme. Les médias font le siège ici. Les policiers sont rentrés pour la nuit. Donc si Sandra possédait une quelconque police d'assurance sur l'entreprise criminelle de son père et que personne ne l'a encore trouvée...

– Vous pensez que Telly est en train de retourner chez ses parents ? demanda Shelly à Quincy et Noonan.

– Si c'est bien le fin mot de l'histoire, oui, répondit Quincy. Il y a trente ans, Sandra a emporté quelque chose et Douglas Perth veut le récupérer. Le problème, c'est qu'il n'est pas le seul. Est-ce qu'il aurait un rival ? À l'intérieur, à l'extérieur ?

Allez savoir. Si Richie est allé chez les Duvall, c'est pour une raison bien précise. Qui l'a lui-même conduit à sa perte.

– Mais si Richie était là-bas le premier, est-ce qu'il n'aurait pas déjà découvert l'information ? Information que le deuxième assassin lui aurait ensuite prise ? demanda Shelly.

– Je pense qu'il n'a rien trouvé, dit Quincy. D'après la position des corps, il a tué Frank immédiatement pour supprimer une menace potentielle. Sandra, il l'a peut-être laissée en vie le temps de répondre à ses questions, mais elle a quand même été tuée dans la chambre ; trois balles dans le dos, alors qu'elle sortait de son lit. Elle n'a pas pu se lever, exhumer son secret vieux de trente ans, le donner et rejoindre son côté du lit à reculons. Je crois que l'erreur du meurtrier aura été de tuer Frank Duvall. Après cela, je ne vois pas une femme de la trempe de Sandra lui céder. D'autant qu'elle n'était pas tombée de la dernière pluie : qu'elle parle ou non, elle savait son sort scellé. Pourquoi donner cette satisfaction à son assassin ?

– La digne fille de son père », souligna une nouvelle fois Shelly.

Quincy lança un regard à Sharlah. « Ça arrive. »

Shelly fit la moue. Quincy voyait qu'elle réfléchissait. Certaines affaires commencent par des indices, qui donnent naissance à des théories. Mais dans d'autres, comme celle-ci, on se réunit pour échafauder des théories qui frôlent l'extravagance, mais qui, espère-t-on, conduiront à des indices. D'après l'expérience de Quincy, il n'y avait que le résultat qui comptait.

Shelly devait en être arrivée à la même conclusion. « Oh, et puis zut ! Allons-y pour la chasse au trésor. On n'a pas de meilleure piste, de toute façon. Roy, appelle le légiste. Demande-lui de rechercher des résidus de poudre sur les mains de Richie Perth et vérifie de ton côté tous les antécédents de notre ami. Vois aussi si tu peux faire venir Douglas Perth en vue d'une audition. Qu'on entende ce que le père a à dire pour la défense de son fils. Quant à nous... »

Le regard de Shelly se posa sur Noonan. « Comment font les pisteurs pour retrouver des informations secrètes ? Dans la nuit noire et sous la possible menace d'une mort imminente, évidemment ?

– C'est ce qu'on va découvrir. »

Quincy se leva. Embrassa Rainie, serra Sharlah dans ses bras. Puis Cal, Shelly et lui reprirent la route pour se rendre une fois de plus chez les Duvall.

Quincy se demandait si Telly Ray Nash était réellement retourné là-bas. Et ce qu'il allait leur en coûter de le découvrir.

38

Shelly éprouvait une sensation bizarre. Comme une déman-geaison entre les omoplates, impossible à gratter. Sur les petites routes qui menaient chez les Duvall, elle se surprit à conduire plus lentement que nécessaire, à regarder chaque virage de la route trembler à la lisière de ses phares. Pas d'éclairage nocturne à la campagne. Et la plupart des habitants n'étaient pas du genre à laisser une lampe allumée toute la nuit sous leur porche. Ils parcoururent donc des kilomètres et des kilo-mètres dans les ténèbres, les silhouettes écrasantes des pins ne découpant que des formes noires sur le ciel bleu marine. Par une nuit comme celle-ci, il ne manquait pas d'endroits où un tireur embusqué pouvait se cacher. Surtout s'il avait une carabine puissante et des talents de chasseur.

Le fait que Telly Ray Nash n'ait pas été l'auteur des meurtres de la station-service ne prouvait pas qu'il n'était pas un tueur. Seulement qu'il y avait plus d'un individu dangereux en cir-culation dans le comté.

Shelly se gara à plusieurs maisons de celle des Duvall, en retrait de la route, derrière une haie de ronces. Elle n'avait pas envie de donner trop de publicité à leur présence. Pas avec tous les points d'interrogation qu'il y avait encore dans cette affaire.

De son coffre, elle sortit son fusil de service et des munitions. Quincy le prit sans hésiter. Comme l'indiquait son tee-shirt, il était moniteur de tir, alors que les talents de Cal répondaient mieux aux exigences d'une fouille que, disons, d'une mission de surveillance.

« Je n'ai pas de lunettes de vision nocturne, les prévint Quincy en fixant le premier chargeur avant d'en glisser deux de réserve dans ses poches. Alors si l'un de vous a l'intention de courir vers moi, je lui conseillerais de commencer par s'identifier.

– Votre position ?

– Pas de surplomb possible, donc je vais m'en tenir à un schéma de patrouille classique et faire des rondes à intervalles aléatoires autour de la maison. En espérant que vous trouverez ce que vous cherchez avant qu'un malfaiteur ne surgisse des ténèbres.

– Ça marche. »

Cal intervint : « Et que cherchons-nous ? »

Shelly fronça les sourcils. Cela faisait un moment qu'elle étudiait la question. « Quelque chose de féminin », répondit-elle finalement, ce qui lui valut deux regards interloqués. « Imaginez ça : à voir la page Facebook de Sandra Duvall, elle tirait beaucoup de fierté de son rôle de mère et d'épouse. Donc la maison était son domaine. Si elle cherchait à protéger un secret, elle devait le garder à proximité. Pas dans le garage, qui était le fief de son mari. Ni sur l'ordinateur, qui était le joujou du fiston.

– D'autant qu'il y a trente ans, les ordinateurs étaient de gros machins encombrants, fit remarquer Quincy avec humour. Son père n'en avait sans doute même pas chez lui : il devait se trouver dans les locaux de l'entreprise. Donc si Sandra voulait s'emparer rapidement de quelque chose avant de fuir, le choix devait être limité. Elle a peut-être trouvé un exemplaire des comptes trafiqués de son père dans son bureau. Ou bien une photo compromettante dans sa bibliothèque, le trophée d'un meurtre.

– Les assassins font réellement ce genre de choses ? s'étonna Cal.

– Ils font réellement ce genre de choses, confirma Quincy. Et dans le cas du crime organisé, exposer de tels souvenirs à la vue de tous permet aussi de rappeler à vos sous-fifres de quoi vous êtes capable, c'est toujours utile pour maintenir la discipline.

– Vous cuisinez ? demanda Shelly à Cal.

– À part du fromage ?

– C'est bien ce que je pensais. Entendu. Vous prenez la chambre, je commence par la cuisine. Vous aimez bien vous mettre dans la tête de la cible, alors bon courage. Personnellement, je vais me mettre dans celle d'un cordon-bleu. Vu le nombre de recettes qu'elle publiait, Sandra avait une passion pour la nourriture. Donc si elle voulait garder quelque chose à portée de main, il y a toutes les chances que ça se trouve dans la cuisine.

– Bizarre, dit Cal.

– Je sais. C'est précisément pour cette raison que personne n'a encore mis la main dessus. »

Quincy partit le premier : il s'éloigna au petit trot sur la route, fusil à la main, et disparut dans la nuit. Ils lui laissèrent cinq minutes, puis Shelly entendit deux déclics sur sa radio : le signal que la voie était libre. Cal et elle se mirent en marche, mais elle avait toujours du mal à contenir sa nervosité.

Elle avait été capable de foncer tête baissée dans un bâtiment en flammes. Il n'y avait aucune raison pour qu'une nuit sombre et moite lui donne la tremblote.

Elle remarqua que la respiration de Cal n'était pas vraiment paisible à côté d'elle.

« Ça va aller, dit-elle. On entre, on trouve notre indice, on ressort. Et on boucle cette affaire.

– Je ne suis pas inquiet, répondit-il sèchement. Je suis en colère.

– À cause de votre équipe ?

– Non. Parce que je suis terrorisé. Honnêtement, ça me fout en rogne.

– Comme je vous comprends », dit Shelly.

Ils s'approchèrent de la maison. Aucun signe de Quincy. La preuve qu'il faisait bien son travail, se dit Shelly. Autre bonne nouvelle, le ruban de scène de crime qui barrait la porte était encore intact. Elle l'avait remis en place après leur précédent passage. Elle sortit son couteau, coupa le nouveau ruban et entrouvrit la porte.

L'odeur n'avait franchement pas faibli. Cal et elle prirent tous les deux un instant : dernière goulée d'air frais avant de plonger.

Shelly passa la première, suivie de Cal. Il referma la porte derrière eux et ils furent engloutis dans une obscurité chaude et fétide.

Ils s'éclairaient à la lampe torche, faisceau dirigé vers le bas, en se tenant éloignés des fenêtres pour éviter d'être visibles. Encore une fois, la discrétion était de mise. Si des hommes de main sévissaient réellement dans les parages (Dieu seul le savait à ce stade), autant ne pas donner l'alerte.

Cal partit à gauche, vers les chambres. Shelly ne lui enviait pas sa mission. Elle prit la direction de la cuisine.

Il aurait été pratique de savoir ce qu'ils cherchaient. De se le représenter mentalement et ensuite de voir où cela pouvait se trouver dans la pièce. Elle aimait bien l'idée de Quincy : il s'agissait peut-être d'un souvenir. La balle avec laquelle David Michael Martin avait commis son premier meurtre, par exemple. Un objet que la jeune fille aurait facilement pu dérober dans le bureau de son père, mais également dissimuler durant les mois où elle avait été à la rue.

C'était le morceau du puzzle qui contrariait Shelly : non seulement Sandra s'était enfuie de chez elle à seize ans, mais elle s'était retrouvée sans abri et acculée à la prostitution – du moins, c'est ce que laissait penser la mort du maquereau. Quel objet volé l'adolescente avait-elle pu conserver, alors même qu'elle était en situation de survie au quotidien ?

Shelly commença par les pots à épices. Sandra en avait plusieurs rangées suspendues au-dessus de la cuisinière. Très coquets et rustiques. Shelly les attrapa et, sous la lumière de la lampe torche, les secoua un à un. Elle commença par les épices les plus exotiques pour elle. L'anis. Elle ne savait même pas quel plat on pouvait parfumer avec de l'anis, ce qui dans son esprit en faisait une bonne cachette. Mais elle fut bredouille de ce côté-là.

Après les épices, elle passa au freezer. D'après Henry, sa mère avait l'habitude d'y planquer un petit pécule. L'astuce était connue. Au point, se disait Shelly, que Sandra n'aurait sans doute pas dissimulé son bien le plus précieux au même endroit. Mais il aurait été idiot de ne pas s'en assurer.

Rien non plus dans le freezer.

Le cellier.

Poêles et casseroles. Mijoteuses, tiroirs entiers remplis d'ustensiles dont Shelly ignorait même qu'ils avaient un usage en cuisine. Et puis...

Une étagère de livres. Aux pages cornées, semées d'éclaboussures. Depuis le grand classique *Joy of Cooking* jusqu'à un mince guide pour mijoteuse à la tranche jaunie, en passant par un classeur rempli de recettes découpées dans des revues. Une bibliothèque précieuse et régulièrement consultée. Personnelle.

C'était là. Shelly le sut, sans l'ombre d'un doute. Ces livres de cuisine étaient à Sandra ce que ses carnets intimes étaient à Telly. Sa joie et son salut, mais aussi la source de sa détermination. Chaque repas qu'elle préparait, chaque moment qu'elle créait pour sa famille, renforçait l'image de Sandra Duvall. La femme qu'elle voulait être. Tout sauf la fille de son père, finalement.

Shelly descendit tous les volumes de l'étagère. Ils formaient une pile impressionnante. Puis elle les examina en commençant par celui du haut, avec des gestes vifs à présent, consciente du temps qui passait pendant qu'elle tournait les pages, de plus en plus vite. Elle cherchait des feuilles qu'on aurait insérées dans les ouvrages, peut-être même des bouts de papier collés par-dessus une recette, à l'intérieur d'une recette. Disons, une liste d'ingrédients pour faire une mousse au chocolat dans laquelle on trouverait d'un seul coup le nom de complices. Ou des instructions pour faire dorer un poulet qui seraient émaillées de numéros de compte en banque, de consignes pour faire un virement ou autres.

Un livre, le suivant, le suivant.

Rien, rien, rien.

Cal entra, bouche ouverte, souffle court. Il vit ce qu'elle était en train de faire, puis, sans un mot, alla au réfrigérateur, ouvrit le freezer et se mit la tête à l'intérieur. Il essayait de s'éclaircir les idées, se dit-elle. Ou d'engourdir son sens de l'odorat après une heure passée dans un abattoir.

Inutile de lui demander s'il avait trouvé quelque chose : il l'en aurait immédiatement informée. Tout comme lui-même n'avait pas besoin de lui poser la question en la voyant feuilleter le dernier volume.

« C'est forcément là, ronchonna-t-elle en refermant le livre de recettes pour mijoteuse et en contemplant la pile reconstituée. Ça, c'est Sandra Duvall. »

Cal ne dit rien. Garda la tête dans le freezer.

« Ce sont ses bibles. Frank n'y aurait jamais touché. Ni Henry, ni son père, ni un tueur à gages.

– J'aime bien les livres de cuisine, dit Cal depuis le freezer. Il y en a de vraiment chouettes qui ont été écrits par des moines sur la fabrication du fromage. D'autres de l'époque des pionniers, aussi. »

Shelly regarda la pile. La cuisine autour d'elle. Elle était dans le vrai. Aucun doute. Alors qu'est-ce qu'elle avait raté ?

Son regard se posa sur l'étagère vide. L'écrin idéal.

Bien sûr, parce que même si quelqu'un avait l'idée d'envoyer valdinguer les livres de Sandra, qui aurait songé à fouiller…

Elle passa la main sur le bas de l'étagère, les côtés, le dessous, et là…

Une détonation. Sèche, de quoi leur vriller les nerfs. Immédiatement suivie de deux autres.

La fenêtre de la cuisine vola en éclats.

« Couchez-vous ! » hurla Cal.

De nouveaux coups de feu illuminèrent la nuit.

« Quincy ! » cria Shelly dans sa radio en se jetant à terre et en dégainant son arme.

Mais son appel resta sans réponse.

39

La première chose que fit Quincy pendant sa ronde fut d'identifier et d'inspecter tous les recoins susceptibles d'offrir une couverture. Les Duvall possédaient un terrain d'une superficie conséquente (un demi-hectare, au bas mot), ce qui n'avait rien de très surprenant dans le secteur. Une belle pelouse au cordeau et bien entretenue aurait été agréable, mais non, ils laissaient l'essentiel de la propriété à l'état sauvage. Bosquets d'arbres par-ici. Broussailles par-là. Sans parler du massif de sapins de Douglas à côté du garage ou de la rangée de rhododendrons exubérants qui occultait l'essentiel du côté gauche de la maison. Autant de cachettes idéales pour un intrus qui attendrait son heure avant de balancer un pruneau.

Quincy marchait la crosse du fusil contre l'épaule, canon pointé vers le sol.

Dans des conditions comme celles-ci, le meilleur atout de Quincy était son ouïe. À l'écoute des rythmes de la nuit – l'ululement de la chouette, le cricri des grillons. Des bruits rassurants quand tout allait bien, mais qui se taisaient d'un seul coup à la moindre perturbation.

Il était anormalement essoufflé. Si la température avait baissé, il faisait toujours largement plus de 30 °C. En conséquence de quoi, son tee-shirt était collé à son torse, des gouttes de sueur roulaient sur ses joues et, dans cette atmosphère lourde et humide, chaque respiration exigeait un effort.

Il y avait bien longtemps qu'il n'était plus en service actif, mais il se souvenait de ce qu'on lui avait appris. Respirer posément. Inspirer lentement par le nez. Expirer lentement par la bouche. Cette technique permettait de mieux oxygéner les poumons, de stabiliser le rythme cardiaque, de détendre les muscles. Il se devait d'être prêt, mais pas crispé. Les tensions provoquaient des crampes musculaires et brûlaient de l'énergie sans nécessité, si bien que lorsque venait enfin le moment d'agir, la sentinelle était trop lessivée pour réagir correctement.

Inspirer. Expirer. Balayer la forêt du regard. L'arrière de la maison. Sous la terrasse. Écouter les grillons. Longer le côté des chambres, apercevoir des flashs de lumière par les fenêtres (Cal qui cherchait), puis tourner au coin vers la façade, inspecter les rhododendrons. Répéter la manœuvre. Mais en sens inverse. Ou alors longer une fois dans chaque sens la même façade, puis la suivante et encore la suivante.

Varier les parcours, éviter la routine. Si quelqu'un l'épiait, Quincy voulait au moins lui donner du fil à retordre ; il faisait donc en sorte que ses déplacements soient imprévisibles et son corps ramassé sur lui-même.

Il venait de s'immobiliser une nouvelle fois au coin du garage. L'endroit précis où le père de Sandra avait été pris en photo – quelques semaines, quelques mois plus tôt ? Une question lui traversa l'esprit : si l'homme se tenait là, devant le garage, qui avait pris cette photo ? Manifestement, elle n'avait pas pu être prise depuis la maison. Elle avait dû l'être depuis le jardin clôturé. Peut-être depuis l'endroit où un autre buisson de rhododendrons débordait de la barrière ?

Il venait de faire un nouveau pas, lorsqu'un coup de fusil claqua.

Il se laissa tomber par terre.

Sans réfléchir. Une réaction instinctive. Il était à découvert, au milieu de l'allée, à plusieurs mètres de l'abri le plus proche. Alors il s'était laissé tomber, le nez sur l'asphalte, lorsqu'un deuxième coup retentit et que la balle ricocha sur le sol à côté de son oreille.

Il fallait qu'il se mette en sécurité. Tout de suite. Qu'il trouve un angle pour riposter. Tout de suite. Qu'il rentre chez lui auprès de sa femme et de sa fille. Tout de suite.

Reptation. Le fusil devant lui, il se tortilla sur l'asphalte chaud jusqu'à la rangée de sapins qui jouxtait le garage. Ce n'était pas pour rien si l'armée adorait obliger ses recrues à se promener sur le ventre à longueur de journée. Cela pouvait vraiment être utile.

Trois nouvelles balles. *Bang, bang, bang !* Il tressaillit et baissa la tête, mais se rendit compte au même instant que ces tirs étaient différents : ils venaient de devant lui, pas de derrière. Des tirs croisés ? Deux tireurs qui le pilonnaient ?

Nouveau tir, une vitre vola en éclats. Il entendit Shelly crier son nom, mais il n'était pas en mesure de répondre. Il avançait centimètre par centimètre et, comme tout son poids reposait sur son torse et ses bras, il était presque incapable de respirer.

Enfin il toucha au but. Le bord de l'asphalte, l'humus. Il roula sur lui-même. Quatre roulés-boulés et il fut derrière le sapin, à bout de souffle. Il aurait voulu que ces arbres soient jeunes et touffus plutôt que des géants tout en jambes, sans branches basses.

Il mit enfin la main sur sa radio. « Deux tireurs, indiqua-t-il à bout de souffle. Ne sortez pas de la maison. Je répète :

ne sortez pas. Vous seriez pris entre deux feux. Appelez des renforts. Il nous faut une unité du SWAT.

– Compris. » Ensuite la voix de Shelly ne sortit plus de sa radio, mais il l'entendait comme un murmure à travers la vitre brisée, à une quinzaine de mètres de là.

Il se rendit compte qu'il saignait. Du sang coulait sur sa joue. Il avait une tache humide sur l'épaule gauche. Une sensation de brûlure dans l'avant-bras droit. Est-ce qu'il avait réellement pris une balle ? Est-ce qu'il avait été touché par ricochet ? Il n'aurait pas su le dire et l'heure n'était pas aux inventaires.

Les premiers tirs venaient du bout de l'allée. Il en était certain. Quelqu'un, s'approchant de la propriété, avait découvert Quincy et ouvert le feu. Un voisin ombrageux, convaincu d'avoir surpris un intrus ? Il y avait peu de chance. Un voisin l'aurait au moins interpellé, n'aurait pas tiré sans sommation.

Et cela n'expliquait pas non plus le deuxième tireur, de l'autre côté. Était-il perché dans un des sapins ? Encore une fois, ils étaient maigrelets et dépourvus de branches basses. Pas facile d'y grimper. Un autre point en hauteur, dans ce cas.

Le regard de Quincy monta vers le toit. Là, à côté de la cheminée. Une ombre qui n'aurait jamais dû s'y trouver.

Quincy jura dans sa barbe. Quelle erreur de débutant ! Il n'avait jamais regardé en l'air, jamais pensé à ce fichu toit. Et voilà le résultat : toute son équipe était clouée sur place et lui-même troué comme une passoire. Abruti, se dit-il. Mais là encore, l'heure n'était pas à faire la liste de ses bévues.

Lentement, il leva son fusil et le cala au creux de son épaule gauche. Le mouvement le fit légèrement grimacer, mais, en tout état de cause, la blessure semblait plus superficielle que profonde. Ou alors, c'était l'état de choc et l'adrénaline qui le rendaient insensible. Regardant dans le viseur, il fit le point sur la silhouette. Un homme, aucun doute. Avec une carabine. Mais il était pour l'essentiel à l'abri de la cheminée. Un tireur avisé. Il avait soigneusement choisi sa position.

Juste à ce moment-là, six tirs retentirent coup sur coup. En provenance non pas du toit, mais de l'autre côté. Les balles vinrent se loger les unes après les autres dans la façade de la maison, du côté de la cuisine, là où il avait entendu la voix de Shelly.

Quincy se retourna pour essayer d'identifier cette menace, pendant que derrière lui la silhouette sur le toit ripostait. *Bang, bang, bang !*

Un choc. Métallique. Sur une voiture plongée dans le noir, comprit Quincy. Garée de l'autre côté de la route, à peine visible. Mais la troisième balle du tireur perché atteignit sa cible et fit voler en éclats le pare-brise. Une seconde plus tard, le moteur démarrait et la voiture s'éloignait sur les chapeaux de roues.

Un tireur de moins, restait l'autre.

Mais lorsque Quincy se retourna, le toit était désert.

Il resta à l'abri de la rangée d'arbres, qu'il suivit jusqu'à l'arrière de la maison. Ce fut là qu'il le retrouva. Même s'il s'y attendait plus ou moins, Quincy se surprit à agripper son fusil plus fermement, le souffle bloqué dans la gorge.

Le garçon se tenait à trois mètres de lui, sa carabine mollement tenue dans les bras, le visage masqué par l'obscurité. Sharlah avait raison : il s'était grimé de telle sorte que seul le blanc des yeux ressortait dans la nuit. C'était une vision fantastique. Comme s'il n'était pas tout à fait humain.

« Telly Ray Nash, dit posément Quincy.

– Vous n'avez rien à faire ici, répondit le garçon d'une voix moins furieuse que catégorique. Vous devriez être chez vous pour protéger ma sœur.

– La protéger de qui ?

– C'est vous l'expert, à vous de le découvrir. Moi, j'ai d'autres priorités, comme celle de sauver ma peau.

– Tu nous as laissé une photo du père de Sandra. Tu voulais qu'on se renseigne sur lui.

– Ça a fait avancer l'enquête ? » Telly avait l'air réellement curieux de le savoir.

« Il s'appelle David Michael Martin. Il est à la tête d'une organisation criminelle. Du moins, il l'était jusqu'à sa mort. Mais tu le savais déjà, n'est-ce pas ? C'est toi qui l'as rencontré ici. »

Lentement, le garçon le détrompa d'un signe de tête. Il continuait à scruter les alentours, vigilant. « Non, c'est elle. Elle disait qu'elle ne le ferait pas. Qu'elle n'avait rien à lui dire. Mais je me doutais... La famille reste la famille. Même quand on la hait, c'est difficile de s'en détacher.

– Sandra a fait venir son père ?

– Je les ai entendus parler, alors je suis sorti discrétos pour prendre cette photo, à tout hasard.

– Que voulait-il ?

– Je ne sais pas très bien. Il n'arrêtait pas de lui dire qu'il allait mourir. Elle, elle disait : alors vas-y, fais-le. Qu'il n'avait pas besoin de sa permission.

» Mais il ne lui demandait pas son pardon. J'ai plutôt eu l'impression... qu'il essayait de la prévenir. Quand il serait mort, il ne pourrait plus la protéger. Mais je ne savais pas ce que ça voulait dire.

– Et ensuite ? »

Telly haussa les épaules. « Le vieux est mort. Comme il l'avait promis. Sandra a reçu un message. Elle l'a froissé et jeté. La page était tournée.

» Sauf que l'histoire ne s'est pas arrêtée là. Son père avait dit vrai. »

Telly jeta un nouveau regard autour de lui, scrutant les bois. « J'ai reçu des photos. Je les ai trouvées, dans mon sac à dos. Des photos de Sharlah. Mais quelqu'un avait dessiné une cible autour de sa tête.

– Qu'as-tu fait ?

– Rien. Je ne savais pas très bien ce que ça signifiait, de qui ça venait. J'en étais encore à essayer de démêler tout ça quand... un après-midi, je suis rentré et il y avait une batte de base-ball sur mon lit. Toute neuve. Avec encore les étiquettes. Et un message : "Les instructions suivront."

– Il voulait que tu tues tes parents, sinon il tuerait Sharlah ?

– J'imagine. Mais pourquoi ? Comment ? Je ne comprenais rien. » La voix de Telly se brisa. « Je ne savais plus quoi faire.

– Est-ce que tu as remis la batte à Frank ou Sandra ? »

Réponse négative. « J'ai plutôt cherché à savoir comment allait Sharlah. J'avais déjà quelques renseignements, alors un jour j'ai attendu à la bibliothèque et elle est venue... Elle avait l'air heureuse. Vraiment heureuse. Elle avait ce chien, le berger allemand. Et je me suis renseigné sur vous deux – votre femme et vous. D'anciens policiers. Je me suis dit que celui qui laissait ces messages devait bluffer. Parce que jamais vous n'auriez laissé quoi que ce soit arriver à Sharlah. »

Quincy attendit.

« J'ai tout caché, murmura Telly. Les messages, la batte. Je les ai planqués dans le garage... J'ai fait comme si ça n'était jamais arrivé, mais...

– Ce matin... », le relança Quincy, même s'il connaissait déjà la suite. Il voulait l'entendre de la bouche de Telly. Et continuer à le faire parler. Les forces spéciales devaient être en route. Vu l'état dans lequel se trouvait Quincy, le visage ensanglanté, une tache de plus en plus grande sur le tee-shirt, il n'était pas au mieux pour appréhender un suspect armé.

« Je suis rentré de mon jogging et je les ai trouvés. Dans leur chambre. Abattus comme des chiens. Frank… Il n'a même pas eu le temps de quitter son lit. Aucune chance. Frank, qui était capable de résoudre n'importe quel problème, et bon sang ! si vous l'aviez vu avec une arme. Et Sandra… Henry m'avait dit qu'elle était encore plus douée que Frank, mais on ne le saura jamais parce qu'elle non plus, elle n'a pas pu sortir de la chambre. Tous les deux tués à bout portant. Comme ça. Lâchement.

– Tu as pris les armes, la voiture et tu as déguerpi.

– Il y avait un autre petit mot. Toujours sur mon lit. "C'est toi l'assassin." Il y avait aussi un téléphone jetable. J'ai reçu le message cinq sur cinq : mes parents d'accueil étaient morts et je devais me laisser accuser. Ça recommençait.

– Sinon quoi ?

– Il y avait une nouvelle photo de Sharlah. Sauf que celle-là avait été prise chez elle. Devant sa maison. Je ne savais plus ce qu'il fallait penser. Ce qu'il fallait croire.

– Tu as fui.

– J'ai attrapé quelques trucs. J'ai fait au mieux. Mes carnets, les photos. Puisque tout le monde allait se lancer à mes trousses, autant vous donner des indices intéressants à trouver. Mais après que j'ai laissé les affaires au campement, le téléphone jetable a sonné. Un type. Il disait qu'il avait une nouvelle mission pour moi. Qu'il était temps qu'on se rencontre.

» Alors je suis parti vers la station EZ Gas, mais la voiture est tombée en panne. J'ai dû faire les dernières centaines de mètres à pied.

– Tu avais déjà été là-bas, dit Quincy. Avec Henry. »

Le garçon secoua la tête, mais en se détournant, refusant de croiser son regard. « Je suis arrivé juste à temps pour entendre les coups de feu. J'ai couru. Moi aussi, j'avais une arme à ce moment-là. Je vous jure que j'ai essayé. Mais ils étaient déjà morts. Et il y avait un vieux qui attendait à l'extérieur, le pistolet encore à la main...

– Qui ça ?

– Je ne sais pas. Je ne l'avais jamais vu. » De nouveau, ce regard fuyant.

« Il l'a pointé droit sur moi, continua Telly. Il m'a dit : "C'est toi l'assassin, souviens-toi." Puis il me l'a collé dans la main et il est parti.

– Il t'a donné l'arme qui avait servi à tuer les deux victimes de la station-service.

– Il y avait du sang dessus, murmura Telly. Celui de la fille, je pense. Des projections ? Ce n'est pas comme ça que vous dites ? Du sang sur le pistolet, et ensuite sur moi. J'ai essayé de m'essuyer la main. Mais ça ne partait pas. Ça ne partait pas... »

Le vomi, devina Quincy. Dans la maison, Telly avait agi en pur mode survie. Mais ensuite, à la station-service, en regardant le sang sur ses mains, l'horreur de la situation l'avait finalement rattrapé et il avait vomi. Cela dit, il aurait été encore plus intéressant de savoir ce qu'il avait fait de cette arme compromettante.

« Je ne l'ai plus, dit Telly comme s'il lisait dans les pensées de Quincy. Le 9 mm. Je l'ai balancé dans la nature à la première occasion. Je regarde suffisamment de séries policières. Je savais qu'il me l'avait donné pour me faire porter le chapeau. Je ne suis pas complètement abruti.

– Il nous faut une description de cet homme. Il faut que tu viennes avec nous et que tu collabores... »

Telly secouait déjà la tête. « Impossible. Vous n'avez toujours pas compris. Pourquoi est-ce que je suis entré dans la station ? Pourquoi j'ai explosé la caméra de surveillance ? »

Quincy était perplexe. « Pour qu'on te voie.

— Voilà. Parce que *c'est moi le coupable.* Vous ne pigez toujours pas ? Tant que la police est à mes trousses, je remplis ma moitié du contrat et ma petite sœur est en sécurité.

— Telly, tu n'es pas seulement recherché par la totalité des policiers de cet État. À l'heure qu'il est, des dizaines d'illuminés et de braves gens se promènent dans la région avec des armes. Le premier qui te coince...

— Elle est la seule famille qui me reste.

— C'était une raison pour tirer sur les agents lancés à tes trousses ?

— J'étais obligé ! Il fallait que je m'échappe, qu'ils continuent à chercher. Je voulais... je voulais seulement les blesser, vous voyez, en visant les épaules. Est-ce qu'ils vont bien ? Ils vont s'en sortir ?

— L'un d'eux est toujours dans un état critique. »

Le garçon se décomposa. Pour la première fois, Quincy vit le poids du stress et de la peur sur ses épaules. Le garçon essayait de tenir la rampe, mais ce n'était pas pour autant qu'il y arrivait.

« Vous savez le comble ? murmura-t-il. Je ne tire même pas très bien. Surtout avec une carabine. Frank avait juste commencé à m'apprendre cette année. Avec un pistolet, je me débrouille, à cinq mètres. Mais la carabine, je ne l'ai jamais vraiment apprivoisée. Vous avez vu combien de balles il m'a fallu ce soir, rien que pour toucher une voiture à l'arrêt ? Mais c'est moi le tireur le plus redouté de tout l'ouest de l'Oregon.

» J'étais obligé, répéta-t-il d'une voix plus forte. De tirer sur ces agents pour les éloigner. Les autres veulent quelque chose. Sinon, pourquoi tuer Sandra et Frank ? Pourquoi l'homme de la station-service ? Ils cherchent quelque chose. Si je le trouve en premier, je pourrai peut-être négocier. Nous mettre à l'abri, Sharlah et moi. C'est le dernier espoir qui me reste.

– Viens avec moi. On te protégera. Je t'en donne ma parole. »

Le garçon leva les yeux. Sourit, un éclair blanc dans la nuit. « Alors que c'est moi qui viens de vous sauver la vie ?

– Telly...

– Vous ne pouvez pas m'aider. Mais ce n'est pas grave, vous savez. Tout ce que j'attends de vous, c'est que vous protégiez ma sœur. » Il leva sa carabine. « Si je ne trouve pas ce qui fait courir ces gens, ils s'en prendront à elle. Je le sais. La vie n'a aucune valeur pour eux. Il n'y a que ce qu'ils veulent qui compte à leurs yeux et nous sommes des dommages collatéraux. »

Rugissements de moteurs. Quincy les entendit au loin. Les forces spéciales.

Il voulut dire quelque chose. Promettre à ce garçon que tout se passerait bien. Qu'il pouvait lui faire confiance, qu'ensemble ils trouveraient une solution.

Mais s'il ne connaissait pas Telly, il connaissait Sharlah. Et elle non plus n'aurait jamais gobé un tel discours.

Alors il dit : « Je vais m'occuper de ta sœur. Mais toi, prends soin de toi. Parce qu'elle a besoin de son frère. Tu es sa famille et elle a besoin de te revoir.

– J'aimais Frank et Sandra, dit d'un seul coup le garçon. Et je ne le leur ai jamais dit. Je n'ai pas su. Mais dites à ma sœur que je m'étais trouvé une vraie famille. Et que c'était... génial. C'est ce qu'on méritait tous les deux. Sharlah comprendra. Elle sera heureuse pour moi. »

Grondements de moteurs, beaucoup plus proches.

Telly sourit une dernière fois. Un sourire triste. Mélancolique. Il se retourna, fit un premier pas.

« Reste, lança Quincy en essuyant un nouveau filet de sang qui coulait dans son œil.

– Sinon quoi ? Vous allez tirer ? »

Ils connaissaient tous les deux la réponse à cette question.

Telly s'enfonça dans l'obscurité.

Vacillant sur ses pieds, Quincy n'eut d'autre choix que de le laisser partir.

40

Rainie et moi sommes assises à la table de réunion lorsque Quincy et son équipe reviennent enfin. Il est super tard. Deux, trois heures du matin ? C'est clair que je devrais être au lit, mais Rainie ne dit rien, alors moi non plus. Nous veillons. J'imagine que c'est un peu comme d'autres parents et enfants qui ont vu un proche partir à la guerre.

Luka dort sous la table. C'est le seul d'entre nous qui soit capable de se détendre tout en restant sur le qui-vive. Des bruits de pas résonnent dans le couloir et hop ! sa tête se relève, une oreille pivote. Mon chien policier est prêt à l'action.

Alors Quincy apparaît et, sur le coup, nous restons sans voix. Je ne vois que du sang. Sur son visage. Son tee-shirt, son bras. Mon père.

Et pour la première fois, je comprends. Ce qui se passe vraiment. Ce que mon frère pourrait me coûter.

« Est-ce que tu es... », commence Rainie, qui s'est déjà levée.

Et moi : « Est-ce que c'est lui qui t'a fait ça ? Telly t'a blessé ?

– Je vais bien, s'empresse de répondre Quincy. Juste des égratignures. Un ricochet. » Il me regarde. « Une balle tirée par quelqu'un d'autre, Sharlah. Pas par ton frère. En fait, Telly vient sans doute de me sauver la vie.

– Et où est-il ? demande Rainie.

– Il a filé juste avant l'arrivée des forces spéciales. Avec mes, euh... blessures, je n'étais pas en état de le retenir. »

Je suis incapable de me lever, de bouger les jambes, de sentir mon corps. C'est Rainie qui s'approche de Quincy. Indifférente au sang et à la sueur, elle l'enlace. Luka est là aussi ; il le flaire à tout-va, une plainte sourde dans la gorge. Quincy grimace, mais rend son étreinte à Rainie.

Il me regarde par-dessus son épaule et j'ai envie de penser qu'il sait pourquoi je reste paralysée, toutes ces choses qu'une fois de plus je ne sais pas comment exprimer.

Ce sont mes parents, me dis-je. Ma famille.

Je me lève. Je rejoins Quincy, Rainie, mon chien. Et je les prends tous dans mes bras, comme je peux.

Pour autant, je ne dis rien.

Mais c'est inutile.

Parce que Rainie et Quincy comprennent depuis toujours.

Quincy s'absente pour faire un brin de toilette. Le shérif Atkins est partie discuter avec son sergent. Le pisteur nous a retrouvées dans la salle de réunion. Il descend des litres d'eau et refuse de croiser notre regard. Ses mains tremblent violemment. Les derniers événements chez les Duvall l'ont secoué, mais il fait de son mieux pour ne pas le montrer. J'ai de la peine pour lui. Luka s'approche, s'appuie contre sa jambe. Au bout d'un moment, le pisteur se penche pour lui gratouiller les oreilles. Je suis fière de mon chien. Il est plus doué que moi pour les relations humaines.

Le shérif Atkins lève à peine le nez lorsqu'elle entre dans la pièce. Elle a dans les mains une liasse de papiers, qu'elle feuillette rapidement. Le sergent Roy et mon père la suivent en file indienne. Quincy a troqué son tee-shirt ensanglanté pour une chemise de shérif qu'ils avaient en réserve. Le voir en uniforme marron nous fait sourire, Rainie et moi, mais nous baissons vite les yeux.

Shelly s'interrompt le temps de nous adresser un petit salut. Quincy dépose un baiser sur la joue de Rainie, flatte la tête de Luka et, bien sûr, me presse gentiment l'épaule.

« Tu tiens le choc ? me demande-t-il d'une voix douce.

– Tu as vraiment vu mon frère ?

– Oui.

– Tu lui as tiré dessus ?

– En fait, c'est lui qui a tiré sur la personne qui me visait. Je dois dire que je lui sais gré de son intervention.

– Je le savais, dis-je farouchement. Il est gentil. Je vous l'avais dit. C'est mon Telly. Je le savais, je le savais, je le savais. »

Quincy me presse une nouvelle fois l'épaule. « Ne t'emballe pas, Sharlah. La nuit va être longue et nous avons encore beaucoup de découvertes devant nous.

– À ce propos, dit Shelly avec entrain. Comme nous le soupçonnions, lorsque la jeune Irene *alias* Sandra a fui son père et son entreprise criminelle, elle a emporté un moyen de pression avec elle. Au moment où nous avons été grossièrement interrompus, je venais de trouver une série de chiffres scotchée sous l'étagère où elle rangeait ses livres de cuisine. Je les ai rentrés dans la base de données de la brigade financière et figurez-vous qu'un résultat est sorti. Vous vous rappelez l'affaire des Panama Papers qui a révélé l'existence d'une multitude de comptes occultes appartenant à tout un éventail d'individus allant du richissime homme d'affaires au politicien haut placé ? Eh bien, vous pouvez ajouter David Gemetti, le père de Sandra, à la liste. Le numéro en question est celui de son petit bas de laine à l'étranger. Je me mettrai en rapport avec les services fiscaux pour en savoir davantage, mais les informations parcellaires que je peux tirer des documents rendus publics indiquent que le compte est dormant depuis des années. Ni versement ni retrait. Ce qui témoigne peut-être de la dissuasion qu'Irene exerçait sur son père. Tant qu'il lui fichait la paix, elle ne touchait pas à l'argent.

– Cela représente quelle somme ? demande Quincy.

– Au début de cette année, vingt millions de dollars. »

Le silence se fait dans la pièce. Même moi, je n'en reviens pas. Vingt millions de dollars. Ça fait… un paquet d'argent. Je n'arrive même pas à me le représenter. Un max de fric. De quoi voir venir.

Le pisteur est le premier à réagir : « Une petite minute. Son père est mort, n'est-ce pas ? Donc Sandra Duvall aurait dû hériter de toute façon ? Pourquoi garder ce compte en banque secret ?

– Si Sandra s'était présentée comme la fille et unique héritière de David, alors oui, elle aurait touché l'argent, répond Shelly. Mais cela supposait d'admettre qu'elle était Irene Gemetti et de répondre de l'accusation de meurtre portée contre elle il y a trente ans. Reprendre son identité n'était donc pas si facile qu'il y paraît.

– Avec vingt millions de dollars, on peut se payer un sacré bon avocat de la défense, proteste Cal. Si elle voulait l'argent, cette histoire de meurtre commis alors qu'elle était mineure et peut-être même en situation de légitime défense face à un maquereau notoire aurait pu se régler assez facilement, il me semble.

– Je ne pense pas qu'elle voulait l'argent, affirme posément Quincy. Si tel avait été le cas, elle aurait déjà pioché dans le compte. Mais Sandra avait choisi de tirer un trait sur Irene Gemetti. Je ne crois pas que la mort de son père y ait changé grand-chose.

– Autrement dit, vingt millions de dollars dorment sur un compte en attendant preneur. Soit autant de raisons de la tuer, dit Shelly en secouant la tête.

– Qui pouvait être au courant ? demande Rainie.

– Avec la divulgation de ces documents confidentiels, quiconque prenait le temps de s'y retrouver dans ce maquis, explique Shelly. Mais je ne vous cache pas que ça ne se lit pas comme un roman. Le plus probable est donc qu'il s'agisse d'un proche de David Michael Martin. Ce qui nous ramène à Douglas Perth, nouveau PDG de GMB Enterprises, continua-t-elle en brandissant une nouvelle feuille. En tant qu'associé de longue date de Martin et responsable des finances de la société, il paraît logique qu'il ait eu connaissance de l'existence du compte, mais aussi de la raison pour laquelle Martin n'y touchait pas. Il a aussi dû être le premier à tirer les conséquences de la disparition du patron : le compte était maintenant à qui voulait se donner la peine de le prendre.

– Je ne comprends pas », dis-je. C'est sorti tout seul. Je me retrouve bien malgré moi sous le regard de plusieurs adultes. « Si ce Douglas est au courant pour le compte en banque, pourquoi est-ce qu'il ne prend pas tout simplement l'argent ? Pourquoi revenir vers Sandra ?

– Peut-être parce qu'il ne peut pas, dit Rainie en lançant un regard à Quincy. Ce n'est pas le tout de connaître l'existence du compte. Encore faut-il montrer patte blanche pour accéder aux fonds. Sandra aurait pu le faire, si elle s'était fait connaître comme la seule famille et légitime héritière de Martin. En revanche, un associé... Douglas Perth savait, mais ce n'était pas pour autant qu'il pouvait faire main basse sur l'argent.

– Un code secret », marmonne Cal. Il s'écarte de la table, se relève déjà, arpente la pièce. Les pisteurs ne sont peut-être pas à l'aise dans les espaces clos. Et comme il s'aperçoit que tous les yeux sont sur lui : « La plupart des comptes en banque sont associés à un code, n'est-ce pas ? Si je veux faire un retrait sur mon livret d'épargne, je dois taper mon code. Ça ne doit pas être bien différent dans les banques à l'étranger.

– Non », confirme Quincy qui penche la tête sur le côté, prend son air de penseur. « Peut-être que Sandra détenait cette information dont Douglas Perth avait impérativement besoin : la clé pour débloquer vingt millions de dollars. »

Rainie enchaîne : « Donc Douglas lui a envoyé son fils Richie pour récupérer le code PIN, le mot de passe ou je ne sais quoi.

– Ça fait une heure que Roy essaie de joindre Douglas Perth, officiellement pour l'informer de la mort de son fils, mais M. Perth ne répond à aucun de ses numéros, indique Shelly. De sorte que je me demande s'il ne serait pas le tireur numéro deux qui se promène dans mon comté.

– Celui qui a un grain de beauté au poignet ? m'étonné-je. Celui des images de la station-service ? »

Rainie n'est pas d'accord. « Pourquoi Douglas Perth aurait-il tué son propre fils ? Surtout s'il avait agi sur son ordre ?

– Objection retenue, concède Shelly. Pour info, dit-elle en regardant Quincy, le légiste a confirmé que Richie Perth avait des résidus de poudre sur les mains. On peut donc penser que c'est bien lui qui a tué le couple Duvall. Reste à savoir ce qui s'est passé ensuite.

– Telly m'a dit qu'ils étaient morts quand il est rentré chez lui ce matin, raconte Quincy à l'ensemble du groupe. Sur son lit se trouvait un message disant que c'était lui l'assassin. Et un téléphone jetable. Auparavant, Telly avait reçu des photos de toi, Sharlah, accompagnées de menaces de mort te concernant. Des instructions devaient suivre. Telly n'avait pas encore décidé quelle conduite adopter quand il a retrouvé les cadavres de Frank et Sandra. »

Je hoche la tête, mais cela ne dissipe pas la confusion qui règne dans mon esprit. Je caresse Luka, en quête de réconfort, mais c'est peine perdue.

Quincy continue : « Il me paraît à peu près certain que Richie a commis le meurtre des Duvall. Pour le confirmer, il nous faudrait l'arme et une analyse balistique, mais je pense que Rainie a vu juste : Doug Perth connaît l'existence de ces vingt millions de dollars, mais il n'a pas les moyens d'accéder au compte. Il charge donc son fils d'extorquer cette information. Richie entre dans la maison au petit matin. Il descend tout de suite Frank Duvall, qui n'a même pas le temps de se redresser dans son lit. Le message envoyé à Sandra est clair : Parlez ou ce sera votre tour.

– Donc elle parle, souffle Shelly. Elle donne le mot de passe. Et ensuite, il la descend alors qu'elle tente de fuir.

– Ça m'étonnerait, dit Quincy. Je pense que Sandra a dû refuser de lâcher le morceau. Ce qui expliquerait que des gens en soient encore à courir aux quatre coins de la ville et à mitrailler la maison des Duvall. En tout cas, notre présence était indésirable pour une certaine personne. Peut-être la même personne qui s'est retournée contre Richie, qui l'a tué et qui cherche à son tour le mot de passe. Voir la police fouiller le domicile des Duvall ne devait pas lui plaire. Nous risquions de trouver l'information avant lui.

– Mais pourquoi Telly ? » Je n'ai pas pu m'empêcher de l'interrompre. « Pourquoi lui coller tout ça sur le dos ? »

Quincy me répond avec douceur : « Parce que ce ou ces individus ne peuvent pas se permettre que la police s'intéresse au passé de Sandra. Ils ne veulent pas que nous nous interrogions sur les liens qui existaient entre elle et David

Michael Martin ou sur les méthodes de gestion de ce dernier. Or, étant donné ses antécédents, Telly est le bouc émissaire idéal. Ils l'obligent à endosser la culpabilité des meurtres…

– Mais il n'a rien fait !

– Sauf qu'il veut te protéger. Il t'aime, chérie. Tu avais raison sur ce point. Ton grand frère veut toujours être un rempart pour toi. »

Cela m'achève. Je baisse les yeux, contemple le crâne noir de Luka et cligne rapidement des yeux. Rainie, assise à côté de moi, pose un bras sur mes épaules. Je voudrais m'écarter, être plus solide, plus forte, mais ce n'est pas le cas. Je pense surtout à mon frère, qui s'efforce toujours de me protéger. Moi, sa petite sœur, qui ne lui ai même pas adressé la parole depuis des années.

Je ne suis pas triste : j'ai honte.

« C'est là qu'il me reste un point d'interrogation, continue Quincy. D'après Telly, après avoir trouvé les Duvall et le message, il a chargé le matériel de camping dans la voiture et il est parti. Il savait qu'il était dans le pétrin. Pour protéger Sharlah, il fallait qu'il ait l'air d'un assassin en fuite. Mais tant qu'à avoir la police aux trousses, il a voulu semer des indices, notamment la photo de Martin prise chez les Duvall.

– Il a rencontré le père de Sandra ? demande Rainie, le bras toujours sur mes épaules.

– Non. D'après Telly, c'est Sandra qui a eu une entrevue avec lui. Peut-être qu'elle avait finalement décidé de faire amende honorable. Telly ne savait pas trop. Mais après son départ de la maison des Duvall, il a reçu un appel sur le téléphone jetable. On lui donnait rendez-vous à la station EZ Gas. Là-bas, il a retrouvé quelqu'un qui lui a mis un 9 mm dans la main. "C'est toi l'assassin", a dit l'homme – la même phrase que dans le message chez les Duvall – et il est parti.

» À l'intérieur de la station-service, Telly a trouvé Richie mort, ainsi que la caissière. Désemparé, il est entré dans le champ de la caméra et il a tiré, l'idée étant toujours de se faire passer pour le coupable. Il le fallait, s'il voulait protéger Sharlah. »

Rainie s'écarte, le front plissé. « Donc l'ancien bras droit de David aurait envoyé son fils Richie récupérer le mot de passe auprès de Sandra. Richie aurait tué Sandra et Frank. Et ensuite lui-même se serait fait tuer ?

– Voilà, dit Quincy.

– Je n'aime pas cette histoire, dis-je simplement.

– Eh bien moi, je ne la suis pas jusqu'au bout », dit Shelly. Elle se masse la nuque. « On dirait qu'il nous manque un protagoniste. Un rival de Doug Perth, peut-être ?

– Hypothèse logique, approuve Quincy.

– Et cet individu mystère aurait liquidé la concurrence… Mais lui aussi a voulu faire porter le chapeau à Telly, donc il devait savoir que cela faisait partie du plan de Richie, constate Shelly.

– Ce qui signifie qu'il ne s'agit pas d'un rival extérieur, mais au contraire d'un ennemi intérieur. Qui connaissait le plan d'origine, confirme Quincy. Dans une organisation comme GMB Enterprises, ce genre de lutte intestine n'a rien de bien surprenant.

– Mais il n'a toujours pas le mot de passe, dit Rainie. C'est pour ça qu'il est retourné chez les Duvall ce soir. Il est tombé sur vous et il a ouvert le feu.

– Pourquoi se retenir, pour vingt millions de dollars ? » demande Quincy en touchant avec embarras l'estafilade sur sa tempe.

Je ferme les yeux. J'ai mal à la tête. Je voudrais rentrer chez moi et dormir… toute ma vie. Mais je sais qu'à mon réveil, rien ne sera arrangé. En fait, si nous ne trouvons pas un moyen d'aider Telly, d'identifier le mystérieux rival, la situation pourrait encore empirer grandement.

« Telly m'a décrit l'assassin de la station-service comme un vieil homme, dit Quincy. Mais il a détourné les yeux en disant cela. Il m'a aussi affirmé qu'il n'était jamais venu dans cette station auparavant. Mais là encore, j'ai eu l'impression qu'il mentait.

– Pour couvrir quelqu'un ? s'interroge Shelly. Henry Duvall, vous pensez ? Mais pourquoi ? »

Quincy regarde Shelly. « Henry a admis que c'était lui que son grand-père avait sollicité en premier. Sur le fait qu'il n'a pas donné suite, nous n'avons que sa parole. Et s'il avait rencontré le vieux ? Et si son grand-père lui avait parlé de ces vingt millions de dollars ?

– Tu penses que Henry aurait tué ses propres parents ? demande Rainie.

– Non, je crois que c'est Richie qui a tué les Duvall. Mais cela donnait à Henry deux bonnes raisons de se lancer à ses trousses : venger ses parents et s'emparer lui-même des vingt millions. Henry pouvait aussi vouloir tendre un piège à Telly : manifestement, ça n'a pas été le coup de foudre entre ces deux-là. Puisque le monde de Henry était en train de s'effondrer, pourquoi ne pas faire aussi payer ce faux frère ? Je suis sûr qu'il y verrait une certaine justice.

– Mais pourquoi Telly ne l'aurait-il pas dénoncé ? demande Shelly. Vu leurs sentiments réciproques, Telly ne pourrait-il pas de son côté vouloir balancer Henry ?

– Sauf s'il a l'intention de lui régler son compte lui-même.

– Encore une personne à tuer », me rappelé-je d'un seul coup.

Quincy me regarde. Hoche lentement la tête.

« Exactement. »

Une nouvelle fois, les adultes se lèvent et quittent la pièce.

41

Sandra et moi n'avons jamais reparlé de cette soirée. Nous avons repris notre petite vie. Cours d'été pour moi, entretien de la maison pour elle, animation d'un stage de science pour Frank au YMCA. Trois personnes qui vivaient sous le même toit, chacune attendant que l'autre fasse un geste.

J'avais pris l'habitude de sortir courir tous les matins au saut du lit. Pour dépenser mon « trop-plein d'énergie », comme disait Aly, ce qui devait m'aider à me concentrer en classe. Je ne sais pas si je supportais vraiment mieux le lycée, mais courir était agréable. C'était un des seuls moments où j'avais l'esprit libre, où je n'avais plus ce poids sur la poitrine. Je ne me demandais plus ce que j'allais devenir l'année prochaine. Je n'entendais plus résonner le cri de ma sœur. Quand je courais, il n'y avait plus que mes bras qui tiraient et mon cœur qui battait. Je me concentrais sur mon souffle court, heurté, et pendant cinq cents mètres, un kilomètre, dix kilomètres, je me sentais presque libre.

Je suis rentré tôt ce mercredi-là, j'avais battu mon record. La maison était déserte, Frank déjà parti à son stage, Sandra très certainement à l'épicerie – elle aimait y aller aux aurores. Je suis entré dans la salle de bains en ayant déjà retiré mes vêtements puants. Une petite douche et c'était l'heure de partir en cours. J'étais dans ma chambre, j'enfilais mon tee-shirt, quand j'ai entendu la porte du garage s'ouvrir. Sandra qui revient des courses, me suis-je dit.

Short, chaussettes, tennis. J'ai ouvert ma porte et là...

Je les ai entendus.

Sandra parlait à voix basse avec quelqu'un qui répondait d'une voix encore plus grave. J'ai su aussitôt qu'elle était en conversation avec son père.

Il avait une voix d'outre-tombe. Encore plus faiblarde et fluette que la fois où il avait rencontré Frank. Quand bien même je n'aurais pas été convaincu qu'il était mourant ce jour-là, maintenant j'en étais certain.

J'ai avancé à pas de loup vers le séjour, car la voix de l'homme était trop gutturale pour porter. Je me suis accroupi tout au bout du couloir, d'où je pouvais les épier. Le père de Sandra, qui portait encore son trench-coat beige malgré la chaleur qu'il faisait à l'extérieur, s'effondra dans un fauteuil relax. Debout face à lui, Sandra serrait ses bras croisés autour de sa taille. Je ne voyais pas son visage, mais je devinais à sa posture qu'elle était tendue.

« Deux... trois choses, dit l'homme d'une voix sifflante. Plus beaucoup de temps... il faut... que tu saches. » Il fut pris d'une toux. Grasse, mouillée. On aurait dit un homme qui se noyait, du liquide dans les poumons.

Sandra ne fit pas un geste. Elle ne lui offrit pas d'eau, ni rien. Elle se contenta d'attendre.

« Doug... Tu te souviens de Doug ? Un type intelligent. Il va... reprendre l'affaire. »

Sandra ne dit rien.

« Je pourrais m'arranger... que tu aies un siège... au conseil d'administration.

– Non.

– *Une vraie entreprise... Irene...*
– *Ne m'appelle pas comme ça.*
– *Une vraie entreprise. Maintenant. »*
Elle le regardait, de marbre.
« Tu es... ma famille. »
Elle garda le silence.
« On veut toujours... servir... sa famille. »
Toujours rien.
« Ton fils. » Le vieil homme changea d'angle d'attaque. « Un garçon brillant. » Une quinte de toux. « Il ira loin... dans la vie. Je lui ai offert un poste.
– *Fiche-lui la paix.*
– *Pas vraiment... à toi de décider. » Le vieil homme sourit. Une vision d'horreur. Une large bouche béante, des joues creusées. On aurait dit un cadavre animé qui souriait à pleines dents. Je baissai les yeux vers la moquette.*
« Fiche-lui la paix ! ordonna de nouveau Sandra.
– *Sinon quoi... Tu vas me tuer ? »*
Sandra se raidit. De mon poste d'observation, je la voyais frémir de colère. « Qu'est-ce que tu veux ? demanda-t-elle froidement. Dis-le, qu'on en finisse.
– *Ta mère », dit-il, et pour la première fois je vis Sandra broncher. « Je l'ai portée en terre... Personne aux funérailles... Même pas sa fille... Pour un dernier hommage.*
– *Quoi, maman ?*
– *Je serai enterré... à côté d'elle. Comme ça, si tu veux la voir... il faudra me voir aussi. Obligé. Faudra venir nous voir tous les deux. Tu honoreras tes parents.*
– *Tu as toujours été un connard manipulateur. »*
Le vieillard rit. Ou du moins il essaya, mais cela se solda par une nouvelle quinte de toux grasse, pénible. Quand elle s'arrêta enfin, le silence se fit dans la pièce.

« *Je ne te déteste pas...* », *reprit-il au bout d'un moment. L'air songeur.*

Sandra ne répondit pas.

« *Je t'admire... même. Tu as tué un homme... j'ai su. Ton premier.* » *Il hocha lentement la tête.* « *Ma fille. Je t'ai tout appris.* »

Sandra, que je voyais de dos, frissonna. Je n'arrivais pas à savoir si elle était d'accord avec lui ou horrifiée.

« *Ta mère... trop faible. Trop malade pour un deuxième enfant. Je voulais un garçon. J'ai dû me contenter de toi. Mais toi ! Tu m'as eu. Jusqu'au trognon. Un garçon m'aurait trahi en face. Renversé. Remplacé. Toi...* » *Le vieil homme hocha la tête, perdu dans ses pensées.* « *Tu as joué une partie au long cours... jamais vu personne... d'aussi fort.* »

Sandra n'ouvrit pas la bouche. Elle semblait connaître la suite.

« *Mais tous les jeux ont une fin.* » *Il leva les yeux vers sa fille. Des yeux chassieux.* « *Quand je mourrai... D'autres sont au courant, Sandra. Doug sait. Le compte, notre petit secret... il a été rendu public. Ce n'est plus un jeu. Plus notre petit secret. Prends cet argent. Vas-y. Vide le compte. Je m'en fous. Ça ne me fera plus rien. Mais fais-le. Avant que d'autres aient à en souffrir.*

– Je souffre déjà, moi.

– Doug va vouloir le fric. Pour lui, cet argent va avec l'entreprise.

– Il n'a qu'à le prendre.

– Ne fais pas l'idiote ! » *Pour la première fois, il montrait les crocs, se rebiffait.* « *Ce n'est pas comme ça que je t'ai élevée.*

– C'est sûr ! Tu m'as élevée pour que je devienne violente, cupide et cruelle. Eh bien, manque de bol, je n'en ai rien à faire, de ton fric. Je ne me souviens même plus de ce mot de

passe à la con. Si tu veux le donner à Doug, vire-lui tout. Ce n'est pas moi qui t'en empêche.

— Ton fils...

— Laisse Henry en dehors de ça !

— Tu crois que les enfants font toujours... ce que veulent leurs parents ?

— Cette conversation a assez duré, dit Sandra en faisant volte-face.

— Attends ! Irene...

— Ne m'appelle pas comme ça !

— J'essaie de me racheter. Est-ce qu'un vieil homme n'a pas le droit au... repentir ? »

Mais Sandra persistait à lui tourner le dos. Une minute s'est écoulée avec lenteur. Le vieil homme a encore poussé un long soupir de mauvais augure. Puis...

Il s'est levé en tremblant, s'appuyant lourdement sur sa canne. Sandra n'a pas esquissé un geste pour l'aider. Je me suis avisé avec retard qu'ils allaient traverser la cuisine, vers la porte d'entrée.

J'ai battu en retraite dans ma chambre, puis j'ai eu une fulgurance : j'ai attrapé mon téléphone, j'ai ouvert ma fenêtre sans bruit et je suis sorti par là. J'ai couru droit devant moi en me disant que je pourrais me planquer derrière le massif de rhododendrons avant que le père de Sandra ait fini son laborieux trajet.

J'étais en train de tourner au coin de la maison en levant mon téléphone pour prendre quelques photos quand je suis tombé en plein sur Frank, également accroupi derrière les rhododendrons, son téléphone à la main pour la même raison.

« Chut », m'a-t-il dit alors que je me jetais par terre à côté de lui.

La porte d'entrée s'ouvrait justement. Nous ne disions plus rien. Nous nous contentions de mitrailler. Une branche m'empêchait de voir le perron. Je suis passé rapidement de l'autre côté de Frank et j'ai retrouvé le vieux qui descendait précautionneusement le perron, s'arrêtait devant le garage. Clic, clic, clic.

Pas de chauffeur. Ça m'a surpris. Dans les films, le parrain a toujours un chauffeur, des gardes du corps, des sous-fifres. Mais le père de Sandra s'est péniblement installé tout seul dans sa Cadillac noire. Puis il est resté là un long moment, sans doute pour reprendre son souffle.

Un homme qui se noyait dans ses sécrétions. Je l'avais entendu quand il parlait. Il ne mentait pas : quiconque avait cette voix-là ne restait pas longtemps ici-bas.

Sandra est restée sur le perron. Sans bouger. Jusqu'à ce qu'enfin son père démarre, passe la marche arrière et s'éloigne dans l'allée.

Au dernier moment, j'ai cru la voir lever la main. J'ai cru, en zoomant sur mon téléphone, voir des sillons humides sur ses joues.

L'ultime adieu d'une fille à son père.

Puis elle a tourné les talons, est rentrée dans la maison et a fermé la porte.

Frank et moi étions assis côte à côte par terre.

Je n'ai pas pu m'empêcher de lui demander : « Tu as entendu ?

– L'essentiel.

– C'est quoi, tout cet argent dont il parle ?

– Aucune importance, Telly.

– Il a parlé de Henry...

– Ne t'en fais pas pour ça. Henry est un garçon intelligent. Il sait où est sa vraie famille.

– Le vieux va vraiment mourir ?

– Oui.

– *Et elle s'en fiche pour de vrai ?*

– *Non. Son père l'a toujours sous-estimée. Elle avait prévu que ce jour arriverait, même quand lui n'y pensait pas. Quant à l'argent et à tout le reste...* » *Frank s'est tourné vers moi et m'a décoché un sourire.* « *Sandra a déjà fait le nécessaire. Il sera le dindon de la farce. Même mort. Le dindon de la farce.* »

J'ai attendu le départ de la police et je suis retourné chez Frank et Sandra pour reprendre mon guet sur le toit. Je n'avais nulle part ailleurs où aller. De toute façon, je ne pouvais pas partir bien loin à pied, surtout que j'avais déjà je ne sais combien de kilomètres dans les pattes. Et quelque chose me disait que la nuit n'était pas encore terminée.

De fait, environ une heure plus tard, une paire de phares s'est profilée sur la route et s'est arrêtée à trois maisons de chez nous. Le conducteur a tout coupé. J'ai attendu, à plat ventre à côté de la cheminée, le doigt sur la détente.

Un individu est apparu au bout de l'allée. Il se déplaçait avec raideur. J'ai cherché à distinguer s'il avait un fusil, mais dans l'obscurité je ne voyais rien.

J'ai attendu qu'il soit presque à la porte.

Et je n'ai dit qu'un seul mot : « *Henry.* »

42

À trois heures du matin dans la touffeur de cette nuit d'été, le motel de Henry était plus animé que Shelly ne l'aurait souhaité. Des clients traînaient devant leurs chambres, installés sur des pliants avec des bières qu'ils planquèrent discrètement derrière eux en voyant arriver le shérif.

La voiture de son premier adjoint était déjà là. Shelly avait pris Quincy dans son véhicule. Roy suivait dans le sien. Un gros contingent pour interroger un seul homme. Comme toujours, Shelly sentait l'adrénaline circuler dans ses veines.

Elle ressentait aussi le grand calme qui allait de pair. Elle était le shérif. C'était sa ville, ses administrés. Rien qu'elle ne soit capable de gérer.

Elle se gara devant la réception. Ni gyrophare ni sirène. La journée avait déjà été mouvementée et Shelly voulait mener cette nouvelle opération de manière aussi feutrée et maîtrisée que possible. D'autant que Henry Duvall, indépendamment des soupçons qu'ils nourrissaient à son égard, sortait aussi d'une longue journée éprouvante. D'après l'expérience de Shelly, les gens fatigués et stressés peuvent très vite devenir imprévisibles.

À supposer que Henry soit armé (et c'était bien leur hypo-thèse), il était encore plus impératif d'agir vite et bien. Frapper à la porte. Le menotter avant qu'il ait eu le temps de dire ouf. L'embarquer pour une audition plus poussée pendant que Roy et Quincy fouilleraient la chambre.

Shelly prit son chapeau, l'enfonça sur son crâne. La dernière pièce de son uniforme était en place.

Quincy et elle descendirent de voiture.

Shelly entra la première dans la réception. Son adjoint s'y trouvait déjà et posait toutes les bonnes questions. Non, le veilleur de nuit n'avait pas vu Henry quitter sa chambre. Et d'après le registre des véhicules, son RAV4 gris métallisé se trouvait encore sur le parking. Parfait.

Shelly ressortit, héla Quincy et Roy.

« Henry doit être dans sa chambre. Inutile de faire plus de remous que nécessaire. On va y aller, Quincy et moi. On va frapper à sa porte, dire qu'on a du nouveau au sujet de ses parents. Il a déjà répondu une fois à nos questions aujourd'hui, donc on peut espérer que notre retour n'éveillera pas ses soupçons. Une fois qu'il aura ouvert, je le mettrai en garde à vue.

» Vous, dit-elle en s'adressant à Quincy, ouvrez l'œil au cas où il aurait un pistolet. On a eu assez de drames comme ça pour aujourd'hui. »

Roy alla se poster à un endroit stratégique à l'autre bout du parking : derrière une voiture, d'où il aurait la porte de la chambre en ligne de mire sans que Henry puisse le voir. Pendant ce temps-là, l'adjoint alla voir le groupe de buveurs le plus proche et leur enjoignit tout bas de regagner leurs chambres. Ils ramassèrent leurs bières sans se faire prier.

Voilà, le moment était venu de se jeter à l'eau. De nouveau, cet étrange cocktail d'adrénaline et de calme profond.

Quincy hocha la tête. Ils approchèrent.

La chambre était plongée dans le noir. En pleine nuit, rien de surprenant. Si leurs hypothèses étaient exactes et que Henry avait commencé sa journée en découvrant les cadavres de ses parents avant de se faire lui-même justice, il avait à coup sûr besoin de recharger ses batteries.

Shelly se plaça de face au milieu de la porte. En femme qui n'avait rien à craindre. Quincy était légèrement décalé sur le côté ; il fallait qu'il prenne garde à ne pas se trouver dans la ligne de visée de Roy.

Shelly frappa à grands coups à la porte. « Henry Duvall, appela-t-elle d'une voix forte. Shérif Atkins. Navrée de vous déranger, mais nous avons du nouveau sur vos parents. J'ai pensé que vous aimeriez être tenu au courant. »

Rien.

Elle frappa de nouveau. Avec autorité, se plut-elle à penser.

Rien.

Elle lança un regard vers Quincy, qui semblait contrarié. Lentement, il s'écarta pour jeter un œil par la fenêtre. Les rideaux n'étaient qu'à moitié tirés. Il se plaça juste en face de l'ouverture, mais c'était peine perdue.

« Trop noir », articula-t-il sans bruit.

Au tour de Shelly de faire la grimace.

« Henry Duvall, répéta-t-elle. C'est le shérif Atkins. Ouvrez. Il faut qu'on se parle. C'est urgent. »

Puis les secondes se changeant en minutes : « Qu'on aille me chercher la clé », murmura-t-elle à Quincy, qui fit signe à l'adjoint.

Celui-ci revint bientôt au petit trot, le passe-partout du veilleur à la main.

« Henry, essaya-t-elle une dernière fois. C'est le shérif Atkins. Je vais entrer, d'accord ? Il faut qu'on se parle. Il s'agit de vos parents. »

Elle enfonça la clé dans la serrure et sentit Quincy se tendre légèrement à côté d'elle, même si sa respiration resta lente et régulière. Elle se concentra sur cette idée en tournant la clé, en sentant le pêne se rétracter. Elle se décala alors sur le côté, pour être au moins en partie protégée par la porte, qu'elle ouvrit en douceur.

« Henry », lança-t-elle à nouveau, d'une voix plus retenue, explorant la pièce du regard.

Mais avant même d'allumer la lampe, elle sut que la chambre était vide. Elle sonnait creux. Ce qui n'avait pas beaucoup de sens, étant donné que la voiture de leur suspect était encore sur le parking et son sac à côté du lit.

« Shelly », dit tout bas Quincy.

Alors, elle aperçut des taches, discrètes, se confondant avec le motif marbré du dessus-de-lit. Du sang. Même si elles étaient difficiles à voir, un pas de plus et l'odeur la prit au nez.

« Telly est arrivé avant nous, murmura-t-elle.

– Dans ce cas, où est le corps ? »

Ils fouillèrent toute la pièce, mais sans trouver la réponse.

43

À la seconde où j'ai prononcé le nom de Henry, il a relevé la tête et son visage a été un bref instant illuminé par le clair de lune. Vêtu d'un short et d'un tee-shirt, il avait l'air presque aussi exténué que moi. En outre, il se tenait bizarrement de côté, la main droite plaquée sur son flanc gauche, où se trouvait une tache sombre.

« Telly. Sale fils de pute. » Henry ne m'avait jamais aimé. Je cherchais toujours à voir s'il était armé, mais il semblait avoir les deux mains vides. Alors pourquoi était-il revenu à la maison ? À moins, bien sûr…

« Ce n'est pas moi qui les ai tués, ai-je lancé.

– Ben voyons…

– *Ce n'est pas moi qui les ai tués !* »

J'ai hurlé ces mots. Du moins, j'ai essayé. Mais je crois bien que ma voix était étranglée par les sanglots. Frank et Sandra. Sandra et Frank. Mes premières vraies figures parentales. Ça aurait marché. Je sais que ça aurait marché. Mais maintenant…

Henry était encore là, qui montrait les dents.

Du coup, je nous ai facilité la vie : je me suis redressé de toute ma hauteur. Je lui ai fourni une cible bien visible, au cas où il aurait eu un pistolet caché au creux des reins.

Pourquoi pas ? Et j'ai dit : « Je connais le secret de ta mère. J'étais là quand elle a rencontré ton grand-père. Je sais ce qui se passe. »

Il n'a pas répondu, mais n'a rien attrapé non plus dans son dos. Au contraire, il s'est tenu le côté plus fortement, en vacillant un peu sur ses jambes.

« Tu es passé dans leur camp ? lui ai-je demandé. Tu fais partie de cette autre *famille* maintenant ?

— Jamais je n'aurais...

— *Tu l'as trahie !* Ton grand-père l'a dit à ta mère. J'étais là, dans la maison, quand il a essayé de la prévenir. Qu'est-ce que tu as foutu, Henry ? *Qu'est-ce que tu as fait comme connerie ?*

— Je ne sais pas de quoi tu parles ! Je n'ai jamais rencontré le vieux. C'est toi qui l'as fait. C'est toi... le seul responsable ! » C'était maintenant Henry qui m'engueulait, mais je ne marchais pas.

« Tu voulais ramasser l'argent !

— Quel argent ? Mais de quoi tu parles, Telly ? Est-ce que tu as ce qu'il cherche ? Est-ce que tu sais ce qui se passe ? Ma mère... je n'y comprends rien. Ma mère... » La voix de Henry s'est brisée. Il a baissé la tête, s'est brutalement affaissé contre un poteau du porche.

Il avait l'air en colère, mais aussi sincèrement perdu. Il y a eu un mouvement fugitif, à la limite de mon champ de vision...

Et alors j'ai compris. Tout s'est éclairé. Henry n'était pas seul. Là, au bout de l'allée, se tenait un autre homme. À cette distance, j'ai eu la vision fugace d'un type corpulent équipé de lunettes de vision nocturne. Il a levé son fusil.

Dernier regard sur Henry, la main crispée sur ses côtes.

Il avait pris une balle, étais-je en train de comprendre. Il avait été blessé par cet homme, qui devait être celui de la station EZ Gas, celui qui m'avait donné le pistolet ensanglanté et qui avait mis toute cette affaire en branle. C'était lui ma cible, lui que j'avais désespérément cherché. Sauf que maintenant...

J'étais debout sur le toit, totalement vulnérable. Le chasseur était devenu gibier.

L'homme regarda droit vers moi et appuya sur la détente.

Touché.

44

Vers trois heures du matin, Rainie vit que Sharlah avait du mal à tenir le coup. Assise à la table de réunion, la jeune fille luttait vaillamment en tournant une bouteille d'eau entre ses mains. Luka était déjà endormi à ses pieds ; le gros chien s'étirait dans son sommeil, comme en plein rêve délicieux.

La troisième fois où Rainie surprit Sharlah à piquer du nez, sa décision fut prise.

« Viens, dit-elle en se levant. Ce n'est pas pour rien que Shelly a un gros fauteuil relax dans son bureau.

– Ça va, marmonna Sharlah.

– Tu dors debout. Si ta tête tombe plus bas, tu vas t'assommer. Et puis on a le droit de dormir pendant une enquête. Regarde l'autre. » Rainie montrait le pisteur, qui pionçait dans un coin de la salle de réunion, le chapeau sur le visage, la tête sur son sac.

« Quincy…, bredouilla Sharlah.

– Il sera de retour d'une minute à l'autre. Ensuite il y aura une audition officielle et des tonnes de paperasse à remplir. Rien que tu puisses faire, de toute façon. Autant que tu dormes un peu. Comme ça, demain matin, tu pourras être le seul membre de la famille encore lucide parce que Dieu sait que Quincy et moi, nous ne le serons plus.

– Telly...

– Ce qui doit arriver arrivera, l'encouragea gentiment Rainie. Il n'y a rien que tu puisses faire pour lui cette nuit. »

Elle voyait bien que Sharlah n'était pas franchement convaincue, mais, sur un dernier geste de sa main, la jeune fille se leva à contrecœur. Luka se réveilla instantanément et ne quitta pas Sharlah d'une semelle lorsqu'elle prit son sac à dos et suivit Rainie dans le bureau du shérif.

En tant que grosse légume, Shelly Atkins était l'heureuse titulaire du fameux bureau d'angle. Il n'était pas immense, mais disposait bel et bien de fenêtres qui donnaient sur les parkings à l'arrière et sur le côté du bâtiment. Mieux encore, on y trouvait un vieux fauteuil relax gris. Tout droit sorti des années 1990, avec son coin usé et ses fines rayures mauves, c'était leur meilleur espoir de voler quelques heures de sommeil.

Sharlah ne se donna même pas la peine d'incliner le dossier. Elle se recroquevilla sur le siège élimé et s'endormit en quelques secondes, la tête sur l'accoudoir. Luka s'écroula au pied du fauteuil. Un seul soupir et il s'éteignit aussi comme une bougie.

Rainie s'attarda un instant. Caressa les cheveux en bataille de sa fille. S'émerveilla de ses traits paisibles, même dans un moment pareil.

Elles avaient encore tant de choses à se dire. De difficultés présentes à résoudre. De difficultés passées à démêler.

Mais elle aimait cette enfant, d'un amour dont elle connaissait l'existence par ouï-dire, mais que, même lorsqu'ils avaient accepté de devenir famille d'accueil, elle n'avait pas été certaine d'éprouver un jour. Sharlah leur était arrivée tout en angles aigus, silences pesants et méfiance têtue. Déterminée à faire tout ce qui était en son pouvoir pour les dégoûter d'elle.

Au contraire, quand Rainie regardait Sharlah, elle se voyait trente ans plus tôt. Était-ce de l'amour ou de l'égocentrisme ? Rainie l'ignorait, mais plus Sharlah essayait de les repousser, plus elle était déterminée à la garder auprès d'eux.

Elle devinait la fillette qui se cachait sous ces dehors. Elle la connaissait. Elle-même était passée par là.

Un jour, Quincy et elle se le disaient souvent, Sharlah serait une jeune femme remarquable. En espérant qu'ils seraient tous encore en vie pour le voir.

Rainie coinça une mèche de cheveux bruns derrière l'oreille de sa fille. Elle embrassa deux doigts de sa main et les posa sur la joue de Sharlah. Puis elle lui souhaita de faire de beaux rêves, même si pour toutes les deux ce n'était jamais gagné d'avance.

Ensuite elle retourna dans la salle de réunion. Elle avait encore du pain sur la planche et ne voulait pas déranger sa fille dans son sommeil. Elle se repencha sur les photos des scènes de crime. La maison des Duvall, la station EZ Gas. Que savaient-ils avec certitude et qu'est-ce qui leur avait échappé ?

Le téléphone sonna. Une fois. Le sien ? Celui de quelqu'un d'autre ? Elle avait dû s'assoupir. Groggy, elle alla au bout du couloir pour voir comment allait sa fille.

Mais Sharlah, Luka, le sac à dos...

Le bureau du shérif Atkins était vide.

Sharlah avait disparu.

45

À la première sonnerie de mon téléphone, je suis désorientée. Debout là-dedans, on va être en retard à l'école ! J'attrape maladroitement mon sac, ma main rencontrant d'abord la tête de Luka avant de trouver la lanière, puis je le hisse sur le fauteuil où je me trouve.

Encore un carillon. La sonnerie par défaut, pas une des chansons personnalisées pour Rainie ou Quincy. Ça aura été le seul avertissement avant que je sorte mon téléphone, que je réponde et que j'entende la voix d'un inconnu me dire : « Si tu veux revoir ton frère en vie, tu m'apporteras ce qu'il a mis dans ton sac. Tout de suite. »

Je me fige. Incapable de respirer. Incapable de parler. Je reste assise sans un bruit, sans un mouvement, dans le noir. Devant moi, Luka pousse un gémissement sourd.

« Si tu viens avec le chien, je le descends, dit l'homme.

— Qui êtes-vous ? » Je n'ai pas pu me retenir de poser cette question idiote. Aucune chance qu'il me réponde, mais je n'arrive pas à faire marcher mes neurones. Mon frère est en danger de mort et je suis devenue débile.

L'homme se marre. « Tout de suite, répète-t-il.

– Attendez ! » Il faut que je dise quelque chose, que je réagisse. Que je raisonne comme un profileur. Que ferait Quincy ou Rainie ? « Comment est-ce que... Une preuve de vie ! La preuve que vous détenez Telly. Qu'il est vivant. Il me la faut. »

Un bruit étouffé. Peut-être le mouvement du téléphone à l'autre bout du fil. Puis une voix que je reconnais : « Ne le fais pas », dit Telly. Il a l'air tendu. Stressé ? ou blessé ?

« Rends-moi ça, ordonne l'homme d'une voix dure derrière lui. *Tout de suite !*

– Souviens-toi de maman », murmure Telly. Puis il quitte le téléphone et je retrouve un interlocuteur qui ne m'inspire guère de sympathie.

« Henry Duvall ? » essayé-je, après un petit effort de réflexion. Même si je me représentais Henry comme un jeune homme et que cette voix me paraît plutôt celle d'un homme âgé.

« Est-ce que c'est après lui que court la police ? » Petit rire. « Heureux de constater que mes efforts ont payé. Mais non, Henry est un peu occupé en ce moment. À se vider de son sang. Ça ne l'a pas empêché de me conduire chez ses parents, droit dans les bras de ton frère. J'ai dû le plomber un peu, lui aussi. Ah ! Les jeunes... Ça passe sa vie à flinguer les méchants dans les jeux vidéo, et le jour où ça compte dans la vraie vie, ça hésite. Bon. D'après ton frère, tu as ce que je veux, et tu vas me le remettre avant qu'il y ait d'autres victimes.

– Je ne sais pas conduire », dis-je, parce que franchement c'est la seule idée qui me traverse l'esprit. Je ne me demande pas si je vais aller voir cette personne ou si je vais lui livrer le secret de Telly, mais *comment* je vais le faire.

« Ton frère dit que tu connais la bibliothèque.

– Oui.

– À pied, ce n'est pas très loin du bureau du shérif. Sois-y dans vingt minutes.

– Mais...

– Vingt minutes. »

Ça coupe. Fin de la conversation. Je me retrouve de nouveau seule dans le noir.

« Luka », dis-je dans un souffle.

Il gémit, me lèche le visage.

« Luka. » Alors je referme mes bras autour de son cou et je le serre tout contre moi parce que je vais avoir besoin de sa force et de son entraînement pour la suite des opérations.

Telly a trafiqué quelque chose avec mon sac à dos dans les bois. Il ne s'est pas contenté d'en sortir une bouteille d'eau, il y a ajouté un objet. Je l'ai su tout de suite, j'ai senti que le sac était plus lourd. Et Telly savait que je savais. Mais je n'ai pas posé de questions parce qu'il y avait des choses que je n'avais pas envie de savoir. Et ensuite, avec Rainie qui me tenait à l'œil, je n'ai pas eu l'occasion d'inspecter mon sac et d'affronter l'évidence.

J'ouvre le grand compartiment de mon sac. Et je considère le lourd objet métallique que je m'attendais justement à y trouver. Un pistolet. Celui, j'imagine, qui a servi à tuer les victimes de la station-service. Et que mon frère a ensuite caché dans mon sac à dos parce qu'il ne pouvait pas se permettre qu'on le retrouve sur lui.

Et maintenant l'homme qui m'a appelée veut le récupérer ?

Je ne comprends pas. D'abord, qui est ce type, surtout si ce n'est pas Henry Duvall ? Et pourquoi veut-il récupérer son arme ?

Je pars à la pêche avec un crayon. Je le passe dans la boucle qui protège la détente, comme je l'ai vu faire dans les séries policières et, avec beaucoup de précaution, je sors l'arme de mon sac, en gardant un œil sur la porte ouverte et en priant pour que Rainie n'arrive pas pendant que j'examine ma trouvaille. Je ne suis pas surprise, et cependant...

Pourquoi l'autre aurait-il pris mon frère en otage pour récupérer ce pistolet ? Il ne peut pas être la clé donnant accès à vingt millions de dollars.

Et, d'un seul coup, je comprends. À quel point j'ai été bête. Telly avait besoin de se débarrasser de l'arme, d'accord, mais il s'en est aussi servi pour faire diversion, son poids évident servant à masquer l'objet qu'il avait réellement besoin de cacher. Il s'attendait sans doute à ce que je le trouve, peut-être même à ce que je le remette à mes policiers de parents, mais j'étais trop occupée à souffrir du rejet de mon frère pour regarder ce qu'il avait mis dans mon sac.

Je regarde une nouvelle fois dans le grand compartiment. Sous la bouteille d'eau à moitié vide et les emballages de barres de céréales, je découvre ce que j'aurais dû voir il y a des heures. Un objet petit, inoffensif, qui, pour le coup, est certainement la clé donnant accès à des dizaines de millions de dollars.

Cela me prend encore cinq minutes. Je me déplace à pas de loup dans le bureau du shérif, allume son ordinateur, fais enfin ce que j'aurais dû faire il y a belle lurette. Mais si je suis lente, je ne suis pas totalement idiote.

Je sais lire un écran d'ordinateur. Et je comprends maintenant à quel point mon frère est en danger.

L'auteur de l'appel-mystère est rusé : la bibliothèque est un bon lieu de rendez-vous.

Elle se trouve seulement à cinq ou six rues ; elle est déserte à cette heure de la nuit ; et le parking est entouré de buissons et d'arbres suffisamment fournis pour dissimuler une entrevue secrète.

JUSTE DERRIÈRE MOI 455

J'imagine que c'est un bon point. Mieux vaudrait que nous ne soyons pas dérangés. Cela risquerait de pousser l'individu à nous tuer, Telly et moi. Mais peut-être qu'il va le faire de toute façon. Je ne connais pas l'identité de cet homme et je sais encore moins ce dont il est capable.

Je vais y aller. Est-ce que ça fait de moi une imbécile ?

Ou bien les événements à venir sont-ils tout simplement... inéluctables ?

Mon père, le visage écarlate, les yeux exorbités, qui nous pourchassait tous les deux avec un couteau ensanglanté. À huit ans de distance, nous sommes revenus à la case départ. Un autre fou. Une autre nuit où nous jouons notre vie.

Souviens-toi de maman, m'a dit Telly.

C'est ce que je fais.

J'attire Luka à moi. Je murmure à son oreille, bricole son collier.

Ensuite je glisse cet affreux pistolet au creux de mes reins, coincé dans la ceinture de mon short, j'enfile mon sac à dos et je descends les escaliers sur la pointe des pieds.

Luka a ses instructions, j'ai les miennes. Bibliothèque, à nous deux.

La nervosité me gagne alors que je suis à moins d'une rue de ma destination. La bibliothèque de Bakersville est un bâtiment sur deux niveaux avec un hall spacieux et une espèce de clocher. Cette tour a vraiment de l'allure, mais je m'avise à l'instant que c'est l'endroit idéal où se poster avec une carabine longue distance. Peut-être l'individu-mystère m'a-t-il déjà dans le viseur. Qu'est-ce qui l'empêche de tirer puis de me dépouiller de mon sac ?

Je ne sais pas. Je suis anxieuse, j'ai peur et je suis... vulnérable. Luka me manque, lui qui trottine toujours à mes côtés. En même temps, je suis contente qu'il ne soit pas là avec moi parce que si ce type est réellement en train de m'observer depuis la tour de l'horloge...

Je n'aurais pas supporté que Luka soit blessé.

De toute façon, il ne peut pas être présent pour ce dénouement. Il y a huit ans, Telly et moi n'avions pas d'animal de compagnie.

Je ralentis le pas lorsque j'arrive au coin, face au parking de la bibliothèque. Je tends l'oreille, guettant je ne sais quoi, n'importe quoi.

Les rues sont désertes. Droit devant, un feu de circulation passe du rouge au vert sans spectateurs. Bakersville n'est déjà pas très animé le jour, alors la nuit...

Pendant que je traverse, j'ai une inspiration. Je retire mon sac à dos et je l'accroche sur mon ventre. Comme ça, mon torse est protégé par un bouclier improvisé. S'il tire dans le sac, il risque d'endommager le secret de Telly.

J'aimerais me sentir géniale, mais en définitive je suis surtout en train d'obliger un type que je ne connais pas à viser ma tête. Je suis pratiquement certaine que Rainie et Quincy auraient trouvé un meilleur plan mais, pour l'instant, c'est ce que je peux faire de mieux.

Le parking. Je ralentis à l'approche de l'entrée. Il y a des réverbères normalement. Du moins, dans mon souvenir. Mais soit il a trafiqué les ampoules, soit elles s'éteignent automatiquement la nuit, parce qu'à l'heure qu'il est, le parking est totalement plongé dans le noir. Je scrute les lieux, mes yeux s'accoutument déjà à l'obscurité, mais je ne vois rien.

Une fois de plus, je lève les yeux. Examine le toit, le clocher.

Souviens-toi de maman, a dit Telly.

Compte sur moi.

Mais je regrette de ne pas pouvoir revenir en arrière un instant, prendre Rainie dans mes bras et lui dire que je suis désolée.

Droit devant, nous disions.

Je passe entre les arbres, traverse les haies qui bordent le parking. Je suis venue, conformément aux instructions. La suite des opérations ne dépend pas de moi, mais je ne veux pas être une cible plus facile que je ne le suis déjà.

Et alors que j'approche des portes de la bibliothèque : « Stop. »

La voix de l'homme, derrière moi. Je me retourne et je distingue la forme d'une voiture dans le coin au fond du parking. Peut-être un homme à côté. Difficile à dire, d'aussi loin.

« Pose le sac à dos. »

Je ne bouge pas.

« Pose-le et tire-toi, sinon je vous descends tous les deux, ton frère et toi. »

Je ne bouge toujours pas. Il a vraiment une voix de vieux, mais qui est-ce ?

« Tu m'as entendu ?

– Je veux le voir. Je ne ferai rien avant de l'avoir vu. »

Silence. À mon tour de me demander s'il m'a entendue. J'ai le dos trempé de sueur. Et les épaules secouées de sursauts.

« Écoute, petite...

– Il y a une bouche d'égout, ici. Les eaux se jettent probablement dans l'océan. Je n'en suis pas sûre, mais on est si près de la côte... qu'en pensez-vous ? » Je brandis un petit objet métallique. Je ne sais pas s'il peut le voir dans le noir, mais je m'en fiche. « Montrez-moi mon frère ou je balance ça dans les égouts.

– Espèce de petite salope.

– Montrez-moi mon frère. »

Un soupir. Je reconnais ce ton : encore un adulte que je mécontente. Si je n'étais pas aussi terrorisée, je serais fière de moi.

Un bruit de portière qu'on ouvre. Puis : « Sharlah. »

Telly. Il a une très mauvaise voix. Il est blessé, je pense. Ce type a blessé mon frère.

« Tu vas bien ? demandé-je doucement.

– Ça peut aller. » Je ne le crois pas une seconde.

« Et Henry ? » J'essaie toujours de comprendre.

« Approche, m'ordonne l'homme en interrompant notre conversation.

– Non.

– Alors je vais tirer…

– Et ça partira dans les égouts ! » À mon tour de l'interrompre, d'une voix tout aussi hostile. « Tirez sur mon frère ou sur moi, faites un pas à droite ou à gauche, et ça part dans les égouts. La clé qui donne accès à vingt millions de dollars, pas vrai ? Il s'agit bien de ça. Vingt millions de dollars. Un paquet d'argent. Ce serait dommage de le laisser échapper maintenant. »

L'autre ne répond pas. C'est inutile. Je sens d'ici sa colère et sa frustration. Vous allez apprendre ce que c'est qu'un trouble oppositionnel avec provocation, ai-je envie de lui dire. Si ça vous met en rogne à ce point, imaginez ce que ce doit être pour mes pauvres parents, qui doivent affronter ça tous les jours.

« Tu ne sais pas…

– C'est une clé USB, le coupé-je. Je sais ce que c'est qu'une clé USB. Je sais comment la brancher sur un ordinateur et la lire. Sandra Duvall a transféré l'argent, pas vrai ? Elle a sorti les vingt millions du compte en banque de son père et elle s'en est servie pour créer une fondation. La fondation Isabelle R. Gemetti. C'était le nom de sa mère ? Elle va se servir de cet argent pour venir en aide à d'autres femmes comme sa mère ? Ce serait toute l'ironie de l'histoire, non ? Et je m'y connais en ironie. Tout comme je m'y connais en bouches d'égout. »

Un râle enroué. Telly, je crois. Il rit. Est-ce qu'il est fier de moi ? J'espère, parce que je ne sais pas très bien comment enchaîner.

« Où est Henry ? demandé-je. Qu'est-ce qui lui est arrivé ?

– À la maison, dit Telly d'une voix rauque. Chez les Duvall... Il a pris une balle.

– Ta gueule, dit l'homme. Cet argent est à moi. Je me fous de savoir sur quel compte il se trouve et à quel nom. Il est à moi et je vais le reprendre.

– Envoyez-moi mon frère.

– Non.

– Je ne m'éloignerai pas de cette bouche d'égout. Si vous voulez votre clé USB, venez la chercher. »

L'homme ne bouge pas. Il n'arrive pas à se décider. Il pèse le pour et le contre ?

Je suis contente que le parking soit sombre et désert. À présent ma main tremble de manière incontrôlable. Je ne sais pas quoi faire ensuite. La bouche d'égout est mon seul moyen de chantage. Si je m'en éloigne, je suis morte, donc je ne bouge pas. Mais bon, s'il s'approche, qu'est-ce que je fais ?

Telly s'enfuira en rampant pendant que le vieux aura le dos tourné, l'autre me prendra la clé USB, me descendra et ensuite il retrouvera Telly pour le tuer à son tour ?

Telly ne m'abandonnera pas. Nous sommes solidaires sur ce coup-là, comme il y a huit ans.

Souviens-toi de maman, il a dit.

Mon dos est trempé de sueur. Mes épaules secouées de sursauts.

L'homme s'avance vers moi. À pas fermes et réguliers. Il sort de l'ombre. De plus en plus proche, jusqu'au moment où je découvre le fusil entre ses mains. Il fait trop sombre, mais je serais prête à parier qu'il y a un grain de beauté au-dessus de son poignet blême.

« C'est vous, le tueur de la station-service », lâché-je. Je ne reconnais toujours pas ce type. Il est vieux, c'est sûr. Il a de la bedaine, des bretelles tiennent son jean sans forme. Mais même à cette distance, je sens l'intensité de son regard. Un ancien associé du père de Sandra Duvall, j'imagine. Le genre de type que les scrupules n'étouffaient pas à l'époque et qui, à en juger par le carnage de ces dernières heures, se souvient parfaitement comment on tire.

« Ton père est le profileur du FBI », dit-il d'une voix rauque. Il est à cinq mètres de moi maintenant et il avance régulièrement. Je laisse retomber mon bras. Je ne veux pas qu'il voie ce que j'ai à la main. Pas encore. « Donc la police est au courant pour l'argent.

– Vous avez tué Richie Perth, dis-je en faisant de mon mieux pour avoir l'air sûre de moi. Après qu'il a tué les Duvall. Vous vouliez garder l'argent pour vous.

– La police n'a pas chômé.

– Mais quand vous avez voulu accéder au compte, l'argent n'y était plus. Parce que Sandra l'avait viré. Mais ça, elle ne l'a pas dit à Richie, n'est-ce pas ? Elle a gardé son secret.

– Richie a toujours été un peu stupide. Le genre d'idiot qui tire avant de poser des questions. Moi, je sais mieux m'y prendre. » Il pointe le fusil sur ma poitrine.

« Qui êtes-vous ? » Je suis réellement curieuse de le savoir. Tant qu'à me faire tuer par ce type…

« Jack George. J'ai rencontré l'équipe de recherche cet après-midi. Disons que j'ai connu Dave à la grande époque. On a gravi les échelons ensemble. Avant de prendre ma retraite, j'étais son bras droit.

– Les gangsters ont le droit de prendre leur retraite ?

– Ceux en qui on a confiance, oui. David a eu un tuyau sur la nouvelle vie de Sandra il y a quelques années. À peu près à l'époque où j'ai pris ma retraite. Il m'a demandé de venir m'installer ici, de garder un œil sur sa fille et l'autre sur les opérations à Nehalem. Bakersville est une ville agréable. Et à mon âge, on n'aime pas trop s'ennuyer. »

Je ne sais pas quoi dire.

« Ensuite on a diagnostiqué un cancer à Dave, continue Jack George. Il a décidé de se racheter. Mais Sandra, comme elle se fait appeler, ne s'est jamais laissé fléchir. Elle se croyait peut-être meilleure que son père, mais si tu veux mon avis, le problème c'est qu'ils se ressemblaient trop. Des têtes de pioche, tous les deux, inflexibles.

– Vous étiez au courant pour l'argent ? La façon dont elle avait neutralisé son père ?

– Comme j'ai dit, on se connaissait depuis toujours, Dave et moi. Tu essaies de gagner du temps », dit-il.

Tu m'étonnes. Jack George s'est immobilisé à trois mètres de moi. À cette distance, il peut voir que je suis bel et bien au-dessus d'une bouche d'égout et que je tiens quelque chose dans mon poing. Il fait la grimace, l'air hésitant.

Derrière lui, je vois mon frère avancer lentement en claudiquant. Il se déplace avec difficulté ; on dirait qu'il a les mains attachées dans le dos. Ce qui signifie qu'il est à la fois blessé et ligoté. Autrement dit, je suis seule sur ce coup-là. À défier du regard un homme armé d'un fusil.

« Doug Perth m'a appelé pour me confier son plan », continue Jack George. Il me regarde intensément, guettant un signe de faiblesse. « Il voulait que je file un coup de main à Richie en échange d'une partie de la somme. Mais après toutes ces années, pourquoi me contenter d'une partie de la somme ? C'est pas comme si j'avais une retraite dorée. Richie m'a appelé après avoir tué Sandra. En pleurnichant qu'elle l'avait roulé. Elle avait fait mine de lui donner l'information, alors il l'avait tuée. Sauf qu'ensuite il avait consulté le solde du compte et constaté qu'il était vide. Mais je connaissais Sandra. Elle avait toujours été fine mouche. Si l'argent avait disparu, c'est qu'elle l'avait mis quelque part. Il suffisait de retrouver sa trace. Alors j'ai supprimé mon rival...

– Vous avez tué Richie et la caissière.

– Et j'ai pris contact avec ton frère. Je savais que Richie avait fait en sorte qu'il se laisse accuser pour te sauver la vie. Richie lui avait envoyé des photos où tu étais prise pour cible, il avait laissé une batte de base-ball sur son lit. L'idée n'était pas mauvaise. Pourquoi changer une équipe qui gagne ? J'ai donné rendez-vous à Telly à la station-service et je lui ai mis le nouveau marché en main : s'il voulait protéger sa petite sœur, il pouvait aussi porter le chapeau pour la mort de Richie. Mieux encore, s'il voulait sauver sa peau à lui, il pouvait retrouver l'argent disparu. Mais on dirait bien que Telly avait appris un ou deux trucs auprès de Sandra. Il a voulu la jouer perso, semer des indices pour la police, cacher la clé USB avec les nouvelles coordonnées bancaires dans ton sac – le sac d'une fille qui vit pour ainsi dire sous protection policière.

» Mais la famille est une chose puissante, tu ne crois pas ? Qu'est-ce qu'on ne ferait pas pour elle. »

Le vieil homme me sourit. Puis il pointe le fusil sur ma poitrine. À cette distance, il ne risque pas de me rater.

« Ton frère ne voulait pas me donner ton nom ni ton numéro de téléphone. Mais moi, j'ai été payé pendant des années pour mes talents de persuasion. D'ailleurs, ajoute-t-il, quand j'ai compris que Henry n'avait pas les coordonnées bancaires et Telly non plus, il ne restait plus qu'une seule personne à qui Telly aurait pu confier un tel secret. D'où ce petit rendez-vous avec toi. Fin de partie, ma belle. Donne-moi ce que je veux et tu reverras peut-être ta famille. »

Jack George me toise. Je prends une profonde inspiration. On y est. Le moment de vérité. Parce que je ne crois pas un mot de ce que me dit ce gangster retraité. À la seconde où je lui aurai donné ce qu'il veut, Telly et moi serons morts. Je m'en doutais depuis le début.

« J'ai une mauvaise nouvelle pour vous, lui dis-je tout bas.

– Sûrement pas. »

Je lève la main gauche et passe la droite dans mon dos.

« Je n'ai pas la clé USB. » Je lui montre ce que j'ai réellement dans la main, un coupe-ongles en métal que je garde toujours dans mon sac.

Souviens-toi de maman.

« Quoi ?

– J'ai confié la clé à mon chien. C'est vraiment un bon chien. Et intelligent, aussi. Au moment où je vous parle, il est en train de donner l'information au shérif. Vous n'aurez pas l'argent.

– Espèce de petite... »

Un rugissement étouffé derrière lui. Telly est enfin assez près pour passer à l'action, comme j'imaginais qu'il tenterait de le faire. Pas de batte de base-ball pour mon frère, cette fois-ci. Non, il fonce en titubant vers l'homme, les bras attachés dans le dos, tête baissée pour se transformer en bélier humain.

Je ne réfléchis pas. Je n'hésite pas.

Souviens-toi de maman.

Je prends vivement le pistolet au creux de mes reins. L'autre objet que Telly a planqué dans mon sac.

Je ne sais pas tirer. Je n'ai aucune idée de ce que je fais.

Tout comme je ne savais pas ce que je faisais, il y a huit ans, quand j'ai pris la batte des mains de mon frère hébété et que je suis allée au-dessus de ma mère qui reprenait connaissance.

La femme qui nous aimait. La femme qui riait, qui chantait, qui dansait avec nous dans la cuisine. La femme qui ne nous avait jamais protégés, même quand mon père battait Telly si violemment que mon grand frère le suppliait de ne pas le tuer.

Si elle vivait encore…

Ce jour-là j'ai levé la batte.

Aujourd'hui je pointe le pistolet.

Le hurlement acharné de Telly.

Le cri de rage de l'homme, en écho.

Un seul coup de feu résonne dans la nuit.

Jack George s'effondre.

Et Luka entre au galop dans le parking, suivi de Quincy, Rainie et du reste de la troupe. Quincy a son 22 à la main. C'est lui qui a visé dans le mille, vu que mon pistolet n'a émis qu'un déclic creux. C'est là qu'on voit à quel point je n'y connais rien en armes à feu : Telly avait retiré toutes les balles et je ne me suis aperçue de rien.

Je m'en fiche. Je me fiche de tout sauf de Telly.

Je cours vers lui, qui vacille, met un genou à terre.

Mon frère. Mon grand frère, si fier, si fort, qui représentait tout pour moi.

Je le prends dans mes bras juste au moment où il bascule vers l'avant.

Nous tombons tous les deux dans un puits sans fond.

Et Telly ne se relève pas.

ÉPILOGUE

Autrefois j'avais une famille.

Sandra et Frank ont essayé de faire au mieux pour moi. Mais Sandra était poursuivie par ses propres fantômes. Elle m'a parlé d'eux, après la visite de son père. De la dernière soirée qu'elle avait passée dans la maison de son enfance. De sa grande évasion, du fait qu'elle avait emporté avec elle les coordonnées du compte occulte de son père.

Pendant trente ans, cette information lui avait servi de moyen de pression. Il ne voulait pas que quiconque soit au courant, alors si elle gardait son secret, lui garderait le sien.

Mais il y a un an, l'existence de ce compte caché avait été rendue publique avec la divulgation de documents financiers détenus par un cabinet d'avocats à l'étranger. Du jour au lendemain, son père avait été balancé aux yeux de ses propres lieutenants. Et certains d'entre eux, notamment Douglas Perth, surent ce que Sandra avait fait des décennies plus tôt, en volant les coordonnées bancaires.

Le père de Sandra a tenté de l'avertir qu'à son décès elle perdrait la protection que sa présence lui offrait encore. Mais elle ne l'a pas cru. Elle a suivi sa petite idée. Le jour de la mort de son père, elle a viré les fonds sur un autre compte afin de créer une fondation en mémoire de sa mère, une fondation qui aiderait les foyers pour femmes battues de tout le pays. L'ironie de la chose lui plaisait : vingt millions de dollars mal acquis finalement employés au service d'une bonne cause.

Ce qu'elle n'avait pas prévu, c'était que les associés de son père seraient déterminés à mettre eux-mêmes la main sur le magot. Quincy m'a expliqué ça plus tard. Comment le successeur de Martin, Doug Perth, avait donné mission à son fils de trouver Sandra et le moyen d'accéder aux fonds.

Comment Richie avait tué Frank et Sandra dans leur lit et tenté de me faire porter le chapeau à moi, l'enfant placé caractériel.

Mais ce que Richie ne savait pas, c'était que Jack George, l'ancien bras droit de Martin, avait ses propres projets.

Je ne l'avais même jamais rencontré. Je ne savais pas qui il était quand il m'a convoqué à la station-service et qu'il m'a tendu l'arme qui avait tué Richie en m'informant que je serais une nouvelle fois le pigeon. Ou que ce serait ma sœur qui paierait.

Que pouvais-je faire ? J'ai tiré sur la caméra de surveillance, accepté de me sacrifier pour protéger Sharlah. Ensuite j'ai essayé de retrouver Jack par moi-même, en sachant seulement qu'il était reparti à pied vers le nord. Quand je suis arrivé dans son lotissement et qu'un taré m'a tiré dessus comme à la foire en me hurlant de sortir de son jardin, je ne me suis pas rendu compte que je touchais au but. J'ai vraiment cru que c'était un cinglé maniaque de sa pelouse. Je me suis enfui et je me suis caché dans la maison d'en face. C'est là que l'équipe de recherche m'a retrouvé et que j'ai été obligé de prendre des mesures que je regretterai toute ma vie.

Je n'ai pas menti à Quincy : je ne suis vraiment pas très doué avec une carabine. J'ai fait de mon mieux pour ne pas viser le corps, pour simplement leur faire peur. Mais j'ai touché deux agents. Tous deux ont survécu, mais ça me fait de nouveaux cris qui me tiennent éveillé la nuit. Et un casier judiciaire plus fourni. Mais on va y venir dans une seconde.

À partir de là, Jack a dû se dire que la voie était libre. La police me courait après. Ça lui laissait tout son temps pour mener à bien la mission que Richie n'avait pas su remplir : trouver les vingt millions.

Il est donc retourné chez Frank et Sandra, ce soir-là. Problème : la police y était déjà. Il a essayé de leur faire peur à coups de fusil, mais il s'est retrouvé sous mes propres balles. Alors il est passé au plan B : retrouver Henry, qui devait certainement connaître le secret de sa mère.

Sauf que Henry n'était pas revenu chez lui depuis un bon moment. Sandra n'avait pas encore eu l'occasion de lui confier quoi que ce soit. Henry a pris une balle dans le flanc, censée l'encourager à parler. Comprenant que la prochaine risquait d'être dans le genou, il a bluffé comme il a pu. Bien sûr, les vingt millions, il était au courant... Il suffisait qu'il rentre chez lui.

Et c'est là qu'il m'a retrouvé. Que Jack m'a blessé à mon tour à l'épaule gauche. Et que j'ai joué mon propre coup de bluff. Une tentative de la dernière chance, à vrai dire.

En forêt, cet après-midi-là, ne sachant pas quoi faire du pistolet que le vieux m'avait donné, je l'avais mis dans le sac de Sharlah. Après en avoir retiré les balles et le percuteur. Je ne voulais pas que cette arme puisse être dangereuse pour elle. Mais je me suis aussi servi de son poids pour cacher mon secret le plus important : la clé USB de Sandra, qui contenait les coordonnées bancaires du nouveau compte. Je me disais que Sharlah finirait bien par la trouver et la remettre à la police. S'ils avaient les coordonnées de l'ancien compte et qu'ils comprenaient ce que Sandra avait fait trente ans plus tôt, ça les conduirait à Jack George et aux derniers événements. Cela dit, je ne voulais pas qu'ils trouvent George trop rapidement. En cachant la clé plutôt qu'en la donnant ouvertement, je me donnais le temps de le localiser en premier. Je pensais réellement ce que j'avais dit à Sharlah. Après ce qu'il avait fait à ma famille...

Il me restait une personne à tuer.

Sandra savait-elle qu'on viendrait encore s'en prendre à elle après toutes ces années ? Se doutait-elle que ça ne pouvait pas être si facile ? Que tout se paie dans la vie ou que, tout simplement, plus on fuit le passé, plus il nous rattrape ?

Sandra s'était servie de l'ordinateur familial pour créer sa fondation et virer l'argent. Ensuite elle avait copié toutes les informations sur une clé USB avant de les effacer du disque dur : elle ne voulait pas que Henry découvre quoi que ce soit avant qu'elle ait eu l'occasion de lui en parler. C'est ce qu'elle m'a dit, en tout cas. Personnellement, je pense qu'elle avait tellement l'habitude des secrets qu'elle était incapable d'envisager autrement sa relation avec l'argent.

Quand j'ai découvert leurs corps au petit matin, j'ai cherché la clé USB, planquée dans la reliure d'un de ses livres de cuisine. Je ne savais pas ce que j'en ferais. Mais si Sandra avait l'habitude d'avoir des secrets, moi j'avais l'habitude de les protéger.

Plus tard, quand j'ai rencontré Sharlah dans les bois, je me suis rendu compte que c'était le meilleur moment pour donner cet indice. Si le pistolet et la photo ne lançaient pas les parents de Sharlah sur la bonne piste, la clé USB devait le faire.

Plus tard, blessé, gisant devant la maison de mes parents avec Jack au-dessus de moi, prêt à finir le boulot, j'ai compris qu'il ne me restait qu'un dernier espoir : me tourner vers la sœur que je m'étais efforcé de protéger. En espérant que ses parents se montreraient à la hauteur de leur réputation et la protégeraient à leur tour.

Je n'ai pas pensé que Sharlah viendrait réellement toute seule. Ni qu'elle prendrait le pistolet désormais inoffensif.

Quand je lui ai dit de se souvenir de maman, c'était pour lui demander de me laisser me faire accuser.

Mais Sharlah avait ses propres souvenirs. Plus que je ne le croyais. C'était elle qui avait porté le coup fatal, ce soir-là. Avant que je ne lui reprenne la batte et que, dans mon chagrin et ma colère, je ne frappe cette sœur que j'aimais autant que notre mère, je vous le jure.

Sauf que notre mère…

Je ne sais pas. Il y a des relations, des formes d'amour, que je ne saurais pas expliquer.

Je ne lui aurais pas fait de mal, cette nuit-là. J'aurais appelé une ambulance. Je l'aurais sauvée. Et, Sharlah et moi en avons discuté depuis, elle se serait maquée avec le premier connard toxico venu et on se serait probablement retrouvés à la case départ.

Mais c'était notre mère. Et, comme je l'ai dit à Sandra, je me souviens encore de ces moments où elle était heureuse.

Cette maman-là me manque. Je la regrette tous les jours.

Et ma petite sœur ?

Elle m'a sauvé. Encore une fois. Elle avait une nouvelle famille et elle a mis ses membres à contribution. Elle a envoyé son super chien en mission avec la clé USB et un message à sa mère, pour lui dire exactement où elle allait et l'aide dont elle aurait besoin.

En famille, il faut se faire confiance, m'a dit Sharlah.

C'est comme ça que la cavalerie a rappliqué. Rainie Conner, Quincy, jusqu'au shérif, ils sont venus à la rescousse.

En famille, on s'entraide, m'a dit Sharlah.

C'est pour ça qu'elle a marché en pleine nuit jusqu'à une bibliothèque déserte et qu'elle a affronté un détraqué, juste pour moi.

Sharlah, Rainie et Quincy m'ont tous rendu visite à l'hôpital. Quincy a même contacté ma conseillère de probation, Aly ; comme c'était elle aussi qui suivait mon dossier de placement, elle tenait mon avenir judiciaire entre ses mains.

Je n'ai pas assassiné Frank et Sandra. Je n'ai tué personne à la station-service. Mais c'est vrai que j'ai tiré sur une équipe lancée à mes trousses et que, même si je ne l'ai pas fait exprès, j'ai blessé un agent des forces spéciales et une bénévole. Parmi les chefs d'inculpation : tentative de meurtre, agression, et mise en danger de la vie d'autrui avec une arme à feu. Que des crimes. Devant un tribunal pour adultes, je serais passible de quinze ans de prison.

Mais en tant que mineur de dix-sept ans, je devrais pouvoir passer devant un juge pour enfants, faire ma peine en centre fermé et ensuite être soumis à des années de probation, de travaux d'intérêt général et de suivi thérapeutique obligatoire.

Curieusement, c'est Henry qui a pris ma défense. Il a écrit à Aly pour lui dire combien ses parents croyaient en moi. Frank et Sandra voulaient m'aider à remettre ma vie sur de bons rails. Voir tous ces efforts gâchés parce que j'avais été rattrapé par un drame en lien avec le passé de Sandra...

Henry s'est remis le premier de sa blessure et ensuite il a passé un peu de temps avec moi dans ma chambre d'hôpital. Je lui ai dit ce que je savais de sa mère, de ce qu'elle avait fait quand elle était jeune. Aujourd'hui, il ne sait plus où donner de la tête en tant que seul héritier et directeur de leur fondation de vingt millions de dollars.

Il m'a proposé un emploi, mais le cœur n'y était pas vraiment et nous le savions tous les deux. Nous avons essayé de nous entendre, en souvenir de Sandra, mais à part ses parents, nous n'avons pas grand-chose en commun. Nous ne sommes pas une famille. Juste deux personnes qui aimaient Frank et Sandra Duvall.

Leur enterrement. Vous auriez dû voir le nombre de gens qui sont venus. Rien que les élèves de Frank...

Il aurait été fier. Immensément fier.

Aly m'a proposé de m'accueillir chez elle temporairement. Elle a fait en sorte que je sois jugé devant un tribunal pour enfants, le procès doit avoir lieu dans quelques mois. Quincy l'a aidée. Il a témoigné par écrit du fait que je lui avais sauvé la vie. Dans le débat entre héros et zéro, ça va désormais être à un juge de trancher. En attendant, je vais à mes entretiens avec le psychologue, je fais ma partie du boulot, comme le dit Aly. Parce que la vie est faite de choix et de conséquences et qu'il faut que j'apprenne à faire de meilleurs choix si je veux obtenir de meilleures conséquences.

J'ai envie d'entrer dans une école de cuisine. Je veux faire connaître le poulet à la parmesane de Sandra au monde entier parce que, quand je suis en cuisine, je la sens à côté de moi et que ça me fait du bien.

J'ai envie d'aider d'autres jeunes en difficulté à s'en sortir. Si j'avais mon propre restaurant, je pourrais leur proposer des boulots de serveurs, de plongeurs. Je pourrais leur transmettre mon savoir, parce que, quand je tends la main à quelqu'un, je sens Frank à côté de moi et que ça me fait du bien.

J'ai envie de réapprendre à connaître ma sœur. De passer du temps avec elle et avec sa famille. Parce que, quand elle me sourit, je ne me souviens plus du dernier soir. Je me souviens des Cheerios et de *Clifford le gros chien rouge*. Je me sens fier et fort, un vrai grand frère, et ça me fait du bien.

Je veux faire mieux.

Je veux être meilleur.

Autrefois j'avais une famille.

Et avec un peu de travail et d'effort, un jour...

J'aurai une famille.

Ma famille.

REMERCIEMENTS

Juste derrière moi est pour ainsi dire né dans mon salon. En tout premier lieu, je dois remercier mes lecteurs, qui m'ont suggéré qu'il était temps de consacrer un nouveau livre à Quincy et Rainie. Comme je mène en quelque sorte de front plusieurs séries, mettant en scène tantôt un profileur du FBI (Pierce Quincy), tantôt l'enquêtrice D.D. Warren, tantôt Tessa Leonie, j'ai décidé au printemps 2015 de réaliser un sondage sur Facebook afin de décider qui serait la star du roman que je publierais en 2017. Je l'avoue : je pensais qu'il y aurait ballottage entre D.D. Warren et Tessa Leonie. Mais non, Quincy et Rainie l'ont emporté haut la main. J'ai donc passé l'automne suivant à relire mes propres romans : il y avait si longtemps que je n'avais pas écrit sur eux qu'il fallait que je me remette dans le bain !

Une fois que j'ai su que j'allais écrire un livre autour du profilage, il me fallait un crime. Le plus difficile quand on écrit des romans à suspense, c'est de trouver un sujet qu'on n'a pas déjà traité. En l'occurrence, j'ai décidé de me pencher sur le cas des tueurs fous, une catégorie de meurtrier nouvelle pour moi mais malheureusement très présente dans l'actualité. Le hasard a voulu que, feuilletant dans mon canapé une revue des forces spéciales à laquelle mon mari est abonné, je tombe sur un article de Pat Patton sur la traque de fugitifs. Cela m'a beaucoup plu qu'il explique que, malgré tous les outils technologiques dont on dispose aujourd'hui, rien ne remplace le bon vieux travail de pistage. D'un naturel optimiste, j'ai aussitôt écrit un courriel à Pat pour lui offrir de donner un peu de son temps précieux pour faire l'éducation d'une romancière pas très dégourdie. Et figurez-vous qu'il a accepté ! Je lui suis donc profondément reconnaissante : ses lumières et son expertise ont doté mon pisteur, Cal Noonan, de toutes les connaissances nécessaires. Toutes les erreurs et/ou licences romanesques sont de mon seul fait.

Qui dit tireur forcené dit armes à feu. Or, malgré les multiples stages de tir que j'ai suivis au fil des années, je ne les ai toujours pas apprivoisées. Mon mari et ma fille, en revanche, sont de fines gâchettes. Dans le cadre de mon défi « Écrivez un livre sans sortir de votre canapé », j'ai donc puisé dans leurs connaissances pour l'arsenal et les leçons de tir de Frank Duvall. Ils sont très intelligents et ont fait de leur mieux pour m'emmener dans leur univers. Là encore, toute erreur et/ou licence romanesque seraient donc de mon seul fait.

En ce qui concerne les secrets de cuisine de Sandra Duvall, je dois un grand merci à ma propre mère, dont le poulet rôti est une merveille. Oh ! et la scène où Telly se râpe le pouce : j'avais vu ma fille en faire autant. Vous voyez ce que c'est que de fréquenter un auteur de romans policiers ? Le moindre de vos faits et gestes viendra alimenter son prochain livre.

Étape suivante : donner corps au passé tourmenté de Telly et Sharlah. Sur ce point, toute ma gratitude va au docteur Gregg Moffatt et à Jackie Sparks, pédopsychiatre, qui m'ont éclairée sur les traumatismes précoces et l'évaluation des délinquants juvéniles. J'ai aussi passé des heures passionnantes à interroger des conseillers de probation et des assistants sociaux. Le dispositif d'aide à l'enfance n'est pas parfait, mais, comme Telly et Sharlah peuvent en témoigner, il compte des familles extraordinaires et désireuses d'offrir un avenir stable aux enfants.

À propos de famille, pourquoi ne pas y inclure nos compagnons à quatre pattes ? Je dois un immense merci à Gregg DeLuca, de la police du New Hampshire, et à Tyson, son talentueux berger belge malinois, qui a servi de modèle à Luka. J'aurais pu passer mes journées à écouter DeLuca me narrer leurs exploits en tandem. Tyson, disait-il, est un chien unique au monde. Et je comprenais parfaitement ce qu'il voulait dire.

Ce qui nous amène à l'incomparable Molly, une chienne adoptée dans un refuge par Deb Cameron et Dave Klinch. Leur généreux don à la Conway Area Humane Society a permis à Molly de décrocher le rôle qui fera d'elle une star, celui d'une chienne de recherche hors du commun, aux côtés de sa maîtresse (Deb, cela va de soi). Molly est un des chiens les plus gentils, les plus courageux et les plus rigolos que j'aie jamais rencontrés. Dans la vraie vie, on la trouvera plus souvent en train de ronfler comme une locomotive que de neutraliser un fugitif armé, mais elle n'en reste pas moins une héroïne. Lorsqu'elle fut recueillie par un groupe de bénévoles de la cause canine dans le Tennessee, Molly avait été abandonnée ; elle n'avait plus que la peau sur les os et était à la veille de mettre bas. De santé fragile, elle n'en donna pas moins naissance à sept chiots rebondis et en pleine santé, qu'elle allaita fièrement. À son arrivée dans le New Hampshire, la douceur de caractère de ce croisé pitbull en fit aussitôt la mascotte du refuge. Pour finir, Deb, la directrice, ne put se résoudre à se séparer d'elle et Molly devint un membre très apprécié de sa famille. Pour plus d'informations, vous pouvez consulter la page Facebook de Molly (www.facebook.com/mollywogwalks/photos). Je suis sûre que vous conviendrez qu'elle est très photogénique !

C'est aussi grâce à son don au refuge que David Michael Martin s'est acquis le droit de donner son nom à un personnage de ce roman. Avec son nom composé de trois prénoms courants, il se disait qu'il ferait un excellent tueur en série et force m'a été de lui donner raison. Mais à l'origine, son don avait été fait en mémoire de sa grand-mère bien-aimée, Norinne (Nonie) Manley. Celle-ci était par ailleurs la mère de Carol Manley, qui, le lecteur s'en souviendra, fait une apparition dans *Lumière noire*. Bref, la famille romanesque de David compte aujourd'hui un caïd de la pègre, une enquêtrice de Boston et une pisteuse de fugitifs. Peut-être faudra-t-il que je leur organise une petite réunion de famille dans un de mes prochains livres. Merci encore, Dave, pour votre générosité avec le refuge. J'espère que vous vous amusez bien !

Une fois de plus, j'ai convié mes lecteurs à entrer dans ma danse meurtrière. Erin Hill a gagné le tirage au sort annuel « Kill a Friend, Maim a Buddy » sur LisaGardner.com et s'est désignée comme victime. Isabelle Gerard a remporté la version internationale du jeu, « Kill a Friend, Maim a Mate », et a choisi Bérénice Dudkowiak pour jouer le rôle de la psychiatre judiciaire. N'ayez crainte : le concours se poursuit pour mes romans à venir. Une chance de décrocher votre passeport pour l'immortalité littéraire !

DU MÊME AUTEUR

Aux Éditions Albin Michel

DISPARUE, 2008.

SAUVER SA PEAU, 2009.

LA MAISON D'À CÔTÉ, 2010.

DERNIERS ADIEUX, 2011.

LES MORSURES DU PASSÉ, 2012.

PREUVES D'AMOUR, 2013.

ARRÊTEZ-MOI, 2014.

FAMILLE PARFAITE, 2015.

LE SAUT DE L'ANGE, 2017.

LUMIÈRE NOIRE, 2018.

À MÊME LA PEAU, 2019.

Composition : Nord Compo
Impression en février 2020
Éditions Albin Michel
22, rue Huyghens, 75014 Paris
www.albin-michel.fr
ISBN : 978-2-226-40296-7
N° d'édition : 22965/01
Dépôt légal : mars 2020
Imprimé au Canada chez Marquis imprimeur inc.